新・多摩学のすすめ

〈郊外〉の再興

東京経済大学「21世紀の多摩学」研究会

尾崎寛直・李海訓 編

けやき出版

目 次

序　章　『多摩学のすすめ』シリーズから 30 年―人口と住宅から考える― … 李 海訓　3

　1.　『多摩学のすすめ』シリーズと 90 年代の多摩学
　2.　多摩地域における人口構造の変化と空き家問題
　3.　多摩地域住民の居住目的
　4.　多摩地域が暮らしの舞台として選ばれる理由
　5.　本書の構成と内容

第 1 章　多摩の地域開発―経済地理学の応用からの分析― …………………新井田 智幸　31

　はじめに
　1.　ハーヴェイの経済地理学
　2.　多摩地域の分析
　おわりに―多摩のこれから―

第 2 章　多摩の労働市場―特別区部との比較から―……………………………安田 宏樹　51

　はじめに
　1.　マクロデータからみる多摩地域の労働市場
　2.　ミクロデータからみる多摩地域の労働市場
　おわりに

第 3 章　多摩の工業―多摩地域の製造業の多様性と中小製造企業の発展―…山本 聡　73

　はじめに
　1.　多摩地域の製造業の歴史的概観
　2.　多摩地域の製造業の定量的把握
　3.　多摩地域の中小製造企業のケーススタディ
　おわりに

第 4 章　多摩の商業―新たな生活「街」を描く―…………………………………鈴木 恒雄　101

　はじめに
　1.　多摩地域の商業を形成した歴史的な背景
　2.　高度経済成長期以降における多摩商業の形成期
　3.　近年における商業集積と取り巻く商業環境
　4.　多摩商業の未来に向けた新しい商業集積の形
　おわりに

第5章　多摩の農業─「強い農業」を目指して─……………………………… 李 海訓　143

　はじめに
　1．都市農業をめぐる制度的枠組の変遷
　2．多摩地域の農地面積・農家数の縮小と東京都における多摩農業の位置づけ
　3．多摩農業・農業経営体の特徴
　4．多摩農業の「強い農業」について
　おわりに

第6章　多摩の地域金融─多摩地域の金融機関の歴史と自治体の関係─… 長島 剛　177

　はじめに
　1．多摩地域の金融機関
　2．多摩地域の銀行の歴史（1870-1920年代）
　3．多摩地域の協同組織金融機関の歴史（1920-1950年代）
　4．事業支援・まちづくり（1950-2010年代）
　5．自治体と地域金融機関
　まとめ─競合から共創へ─

第7章　多摩の福祉政策─福祉ニーズの拡大と自治体間の格差─……… 尾崎 寛直　219

　はじめに
　1．人々の生活をめぐる構造的変化と福祉ニーズの拡大
　2．地方分権に向けた改革と自治体間格差
　3．「自治体間競争」の時代における福祉サービスの今後

第8章　多摩地域の一般ごみ処理─その先進性と課題─……………… 羅 歓鎮　251

　はじめに
　1．ごみ排出の現状と歴史
　2．ごみ削減の努力と効果
　3．多摩地域ごみ広域処理システム
　おわりに

補　章　多摩地域自治体の歳出にみる都市戦略 ………………………… 李 海訓　277

　はじめに
　1．各自治体の決算書における当初予算
　2．議論

終　章　「21世紀の多摩学」に向けて ………………………………… 尾崎 寛直　289

『多摩学のすすめ』シリーズから 30 年 [1]

―人口と住宅から考える―

李 海訓

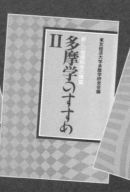

『多摩学のすすめ Ⅰ』
―新しい地域科学の創造―

『多摩学のすすめ Ⅱ』
―新しい地域科学の構築―

『多摩学のすすめ Ⅲ』
―新しい地域科学の展開―

1. 『多摩学のすすめ』シリーズと 90 年代の多摩学

「多摩学」とは、多摩地域を対象にした地域研究であると理解される。『多摩学のすすめ』シリーズは、「地域主義」、「地域分権」、「地域経済」といった言葉が登場して間もない 1990 年代という時代を背景に、「学問の諸専門分野を協力させながら、地域の生活に着目し、これをトータルに捉え、その自治なり幸福の方向を考える研究がもっと盛んになってよい」（東京経済大学多摩学研究会 1991：19）との認識の下、「劇場多摩の舞台装置、そこに踊る人々の昨日・今日・明日をいろいろの角度から研究しよう」（東京経済大学多摩学研究会 1991：20）と試みた。

ここでいう『多摩学のすすめ』シリーズとは、東京経済大学の研究者らによる共同研究の成果として刊行された、東京経済大学多摩学研究会編『多摩学のすすめⅠ、Ⅱ、Ⅲ』（けやき出版、1991 年、1993 年、1996 年）のことである。このうち第Ⅰ巻は、1990 年度の特別企画講義「多摩学」の成果の一部であり、第Ⅱ巻は 1992 年に開講された「多摩学Ⅱ」の成果として刊行されたものである。学生だけでなく、多くの市民も参加し、盛況だったという。

表序 -1 には、『多摩学のすすめ』シリーズのタイトルと構成を掲げた。シリーズの副題にはそれぞれ、「創造」、「構築」、「展開」という用語が使用されており、順番から推測できるように、当該シリーズ 3 冊をもって、1990 年代の「多摩学」の試みは完結したと理解される。

「創造」では「くらし」、「しごと」、「れきし」、「しぜん」が取り上げられ、「くらし」においては、多摩の人口と交通、高齢者福祉が、「しごと」では江戸期からの多摩経済の歴史と小売業、商業、農業、工業が、そして「れきし」においては、五日市憲法と多摩の歴史を動かした人たちが取り上げられ、さらに「しぜん」においては植生や地形、地質まで議論されている。

「構築」においては、「住民が住みやすく幸福に暮らせる「多摩地域」という方向を求め、専門を異にした多くの研究者が協同してそれぞれの問題を考え、その事実なり成果を外に発表していく」（東京経済大学多摩学研究会 1993：260）ことが多摩学の目標であるとの認識を示し、「自然との共生をさぐる」、「くらしをどう構築するか」、「地域をどうつくるか」といった具体的な問いかけの下で、「自

表序-1　『多摩学のすすめ』シリーズのタイトルと構成

タイトル	構成
多摩学のすすめ　Ⅰ ―新しい地域科学の創造―	序章　多摩学の試み
	第Ⅰ章　多摩のくらし
	第Ⅱ章　多摩のしごと
	第Ⅲ章　多摩のれきし
	第Ⅳ章　多摩のしぜん
	第Ⅴ章　〈座談会〉　なぜ地域学が大切か
多摩学のすすめ　Ⅱ ―新しい地域科学の構築―	序章　期待される多摩像　―多摩とは何であったか、 　　　　　　　　　　　　　何であるべきか―
	第Ⅰ章　自然との共生をさぐる
	第Ⅱ章　くらしをどう構築するか
	第Ⅲ章　地域をどうつくるか
	終章　ふたたび「多摩学」を考える
多摩学のすすめ　Ⅲ ―新しい地域科学の展開―	序章　世界から見た多摩
	第一章　江戸・東京と多摩の役割
	第二章　多摩の工業化の軌跡
	第三章　都市空間の創造に向けて　―多摩の輸送体系から―
	第四章　高齢化―発想の逆転を
	第五章　多摩の「緑」―昨日・今日・明日
	終章　楽しい多摩をつくろう

出所：東京経済大学多摩学研究会編『多摩学のすすめⅠ、Ⅱ、Ⅲ』により筆者作成。

然との共生をさぐる」では、都市計画と農業、水、公害問題が取り上げられ、「くらしをどう構築するか」では、財政、ごみ、子育て、社会体育[2]が論点となり、「地域をどうつくるか」は、丘陵地の開発にともなう環境破壊とそれに対す住民の危機感・抵抗、パートナーシップ型地域づくり、それに「まちづくりと女性」をめぐる座談会記録を収録している。

　「展開」では、序章で「世界から見た多摩」という視角から、東京の郊外である多摩地域の特殊性をあぶり出そうとしており、さらに、多摩地域が江戸・東京の発展にどのような役割を歴史的に果たしてきたか、多摩における工業化はどのような歴史をたどったか、などを論じつつ、未来志向に立って多摩の輸送体系、

高齢化、多摩の「緑」を議論している。

　『多摩学のすすめ』シリーズ３冊は、多摩地域をさまざまな切り口から総合的に理解しようとしており、多摩地域の人口、住宅開発、交通、経済、工業化、土地、農業、自然、環境、福祉、歴史、市民活動など広範にわたる論点を取り上げ、開発の進む多摩、自然環境条件の優れた多摩、砂利や石灰石の産地として多摩、人々の働く舞台としての多摩、ベッドタウンとしての多摩、市民活動の活発な多摩、自由民権思想の広まっている多摩、といった多様な「多摩像」を描き出しながら、「地域の生活に着目し」「その自治なり幸福の方向を考え」（東京経済大学多摩学研究会 1991：19）ようとした。

　1980 年代後半から 1990 年代にかけて、「地域（region）」という概念を枠組として、多摩地域を総合的に理解しようとする研究が盛んだった。1986 年 11 月 27 日に「多摩学会」[3] も設立されている。中央大学、東京経済大学、成蹊大学、法政大学、国際基督教大学、帝京大学、創価大学、明星大学、東京農工大学、一橋大学などの多摩地域に所在する 10 大学の 44 名の研究者が発起人だったという（寺西 1995：7）。大学としては、東京経済大学以外に、中央大学も論文集を刊行[4] している。

　1980 年代後半以降、多摩地域の研究が盛んになったのは、その時期に多摩地域は「第 2 の変動期」を迎えていたためである。こうした時代背景については、以下の多摩学会の「設立趣意書」[5] に示されている。少々長くなるが、以下に引用しておく。

　「多摩地域の各都市は、いま第二期の変動期を迎えています。第一期は、いうまでもなく、戦後、高度経済成長期、東京都区部に人・金・物のすべてが集中し、そこから土地や住宅を求めて郊外に溢れた人々が遭遇した都市問題噴出の時期でした。そして、いま、区部に隣接する諸都市がようやく成熟期を迎え、三〇ないし四〇キロ圏諸都市が、なお都市基盤の整備に奔走しているとき、多摩地域の諸都市は第二期再開発の波に洗われようとしています。

　昭和六〇年五月に公表された『首都改造計画』は、都心再開発の受け皿として、立川・八王子を中心とする『多摩自立都市圏』を設定し、都の第二次長期計画（六二年二月）も、この地域を『多摩中央ゾーン』と名づけました。町田・多摩ニュータウン・立川・八王子・青梅に広がる多摩の『心』となる地域に、業務・商業・

文化・生産・教育・居住機能の集積をはかるというのです。いま多摩地域の諸都市は、『多摩ネットワークシティ』構想にみられるように、圏央道、多摩都市モノレール、幹線道路網、多摩ニュータウン、八王子ニュータウン、秋留台地域開発、T.T.T 計画[6]等、大規模プロジェクトの展開を担うと同時に、ハイテク産業群の形成、技術開発・研究開発機能、業務・広域商業機能、文化・教育の整備・拡充に追われています。

　この第二期の激動期に、多摩地域に所在する大学は、都市自治体サイドからみれば、知識・情報・研究能力の重要な集積のポイントであり、都市住民からみれば、生活・文化と福祉の向上に貢献する重要なパートナーであろうと思います。（中略）。この『多摩学会』は、各大学における研究者が相互に交流・協力し合い、お互いに研究成果を深めると同時に、各大学を中心に多摩地域についての研究体制を整え、揺れ動く多摩の地域社会・各都市の自然環境をはじめ、政治・経済・社会・文化のすべての面について、市民の立場に立った現状分析・政策研究・政策提案を行うことを目的とします」（寺西 1995：7-8）。

　こうした、多摩地域の歴史的な変動期であった 1980 年代後半以降から 1990 年代までの時期に対して、これからの時期は、多摩地域にとって別意味での「歴史的な変動期」になると思われる。すなわち、工場・企業の多摩地域からの撤退[7]や大学の都心回帰がすでに始まっており[8]、後述のように高齢化、空き家問題も深刻化し、人口減少も現実問題になっている。「開拓される多摩地域」とは逆方向の現象が次々と起こっているのである[9]。こうした時代における「地域の生活」と「その幸福の方向」をどのように考えたらよいのか。

　以下では、まず「多摩地域」という「舞台で踊る人々」の「中身」、すなわち人口構造と多摩地域で暮らす人々の居住目的について述べる。

2.　多摩地域における人口構造の変化と空き家問題

（1）人口増加と外国人人口の増加

　図序 -1 には、1995 年以降の多摩地域における人口の推移を掲げた。多摩地域の人口は、一貫して増加しており、1995 年の 369 万 5261 人から 2019 年には 422 万 8408 人[10]に達し、24 年間で 50 万人以上増加したが、いずれの時点においても

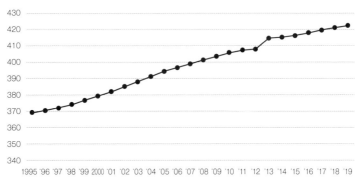

図序 -1　多摩地域における人口の推移（1995-2019 年）

（単位：万人）

注：2013 年以降の人口総数は、日本人と外国人の合計値。
　　多摩地域の定義については表序 -2 を参照。
出所：「住民基本台帳による東京都の世帯と人口（町丁別・年齢別）」（東京都総
　　　務局統計部 HP）により筆者作成。

　多摩地域の人口は東京都人口の 3 割程度を占めている [11]。
　図序 -1 からは、2013 年の場合、その他の年にくらべ人口の増加幅が大きいことが確認できるが、それは、2012 年 7 月から外国人も住民台帳法の対象になり、同年から外国人人口も人口総数に含まれるようになったためである。外国人人口の増加は、多摩地域における人口構造の変化の 1 つの特徴である。
　2000 年 4 月 1 日時点で、多摩地域における外国人人口は 4 万 7583 人だったが、2020 年 1 月 1 日には、9 万 1083 人に増加した。この間、中国人人口が最も増えており、3 万 2605 人（2020 年 1 月 1 日）になった。2000 年 4 月 1 日時点では、外国人のなかで朝鮮・韓国人が最も多かったが、いまは中国人が最も多く、外国人人口の 3 割を占めている [12]。
　表序 -2 は、2019 年 1 月 1 日における多摩地域の自治体別外国人人口とその割合を示したものである。多摩地域人口総数の 2.04% が外国人人口であり、中国、韓国、ベトナム、フィリピンを中心とするアジア人が外国人人口の 86% を占める。また、多摩地域のなかで外国人割合の多い上位 3 つの自治体は、福生市（6.55%）、小平市（2.69%）、羽村市（2.50%）である。興味深いことに、これら 3 つの自治体において、国籍別にみると人口の最も多い国籍がそれぞれ異なることである。

表序 -2　2019 年 1 月 1 日における多摩地域の外国人人口

（単位：人、%）

	人口総数	外国人人口	外国人割合		人口総数	外国人人口	外国人割合
八王子市	562,460	12,936	2.30	福生市	58,243	3,816	6.55
立川市	183,822	4,374	2.38	狛江市	82,481	1,312	1.59
武蔵野市	146,399	3,240	2.21	東大和市	85,565	1,157	1.35
三鷹市	187,199	3,813	2.04	清瀬市	74,737	1,262	1.69
青梅市	134,086	1,877	1.40	東久留米市	116,896	2,092	1.79
府中市	260,011	5,302	2.04	武蔵村山市	72,546	1,640	2.26
昭島市	113,215	2,688	2.37	多摩市	148,745	2,648	1.78
調布市	235,169	4,629	1.97	稲城市	90,585	1,321	1.46
町田市	428,685	6,228	1.45	羽村市	55,607	1,392	2.50
小金井市	121,443	2,792	2.30	あきる野市	80,851	839	1.04
小平市	193,596	5,204	2.69	西東京市	202,817	4,702	2.32
日野市	185,393	3,139	1.69	瑞穂町	33,213	782	2.35
東村山市	150,789	2,826	1.87	日の出町	16,732	82	0.49
国分寺市	123,689	2,365	1.91	檜原村	2,217	7	0.32
国立市	76,038	1,706	2.24	奥多摩町	5,179	44	0.85
				多摩地域合計	4,228,408	86,215	2.04

出所：「住民基本台帳による東京都の世帯と人口（町丁別・年齢別）」、「区市町村、国籍・地域別外国人人口（平成 31 年 1 月 1 日現在）」（東京都総務局統計部 HP）により筆者作成。

　小平市の場合は、多摩地域全体と同様に中国籍が最も多いが、福生市の場合はベトナム籍、羽村市の場合はペルー籍が最も多い[13]。

　小平市の場合、外国人人口実数からしても上位にランクインしており、これは小平市に立地する外国人人口と関連する 2 つの施設の影響がある。2 つの施設とは、朝鮮大学校と一橋大学国際プラザであるが、それぞれ 600 人と 500 人の人員を抱えている（瀧口・瀧口 2013）。

　外国人人口の割合が最も高い福生市は、横田基地を抱えていることからアメリカの関係が強かったが、いまやベトナム人が最も多い。ベトナム人が増えた契機は日本語学校だという。「工場や物流施設が集まりアルバイト先も多い」だけでなく「生活費が安く都心まで電車で 1 時間もかからない」（「お隣さんは外国人」『日

本経済新聞』2018年9月25日朝刊）ことが福生市のメリットであるとされる。

　多くの工場が立地している羽村市において、外国人の多くは羽村の工場で働く（研修生や技能実習生を含む）という（大槻2017）。羽村市にはペルー人以外に、フィリピン人も多く、中国人や韓国・朝鮮人を上回っている。

　多摩地域全体としては中国人人口と朝鮮・韓国人人口が全体の半分以上を占めるが、自治体によっては、中国人、韓国・朝鮮人以外の外国人が最も多いケースが少なくなく、それぞれのコミュニティが形成されていると思われる。外国人人口規模の大きくない自治体においてもフィリピン人人口やベトナム人人口が最も多い事例が確認でき、青梅市、瑞穂町、日の出町、奥多摩町においてはフィリピン人、あきる野市の場合はベトナム人が、外国人人口のなかで最も多い。

　こうした外国人人口の増加にともない、多摩地域の自治体においてもさまざまな取組がみられる。2017年10月に実施した調査によれば、「自治体全体として取組状況」において多摩・島嶼の39自治体のうち、10自治体が「HPや広報誌といった周知に使う媒体を多言語化」を実施・検討しており、4自治体が「通訳を採用」（または検討中）であり、3自治体が「多言語で対応できる職員を窓口対応がある職場に配置している（心がけている）」という（鬼頭2018）[14]。この調査は、島嶼も調査対象ではあるが、多摩地域の状況を反映している。

(2) 高齢化

　多摩地域の日本人人口のみを対象とした場合、人口構造の変化の特徴は高齢化である。以下の**図序-2**は、1995年1月と2019年1月における多摩地域の人口ピラミッドである。両時点におけるピラミッドからみて取れるはっきりとした変化は、65歳以上の高齢者人口の増加である。多摩地域の日本人高齢者人口は、1995年の40万7267人から2019年には104万9402人に増加した。14歳までの日本人年少人口は、同時期に54万4804人から51万5986人と減少し、15歳から64歳までの日本人生産年齢人口は、274万3178人から257万6804人に減少した。多摩地域における日本人人口は1995年の369万5249人から2019年の414万2192人に増加したが、この間増加したのは高齢者人口のみで、生産年齢人口と年少人口はいずれも減少している。多摩地域の高齢者人口の割合は、11.0%（1995年）から25.3%（2019年）に増加しており、東京都全体の高齢者人口の割合（22.6%）

図序-2 1995年と2019年における多摩地域の人口ピラミッド

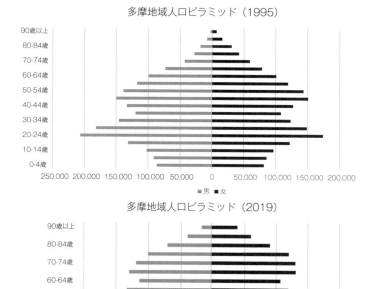

出所：東京都総務局統計部人口統計課「住民基本台帳による東京都の世帯と人口」（東京都HP）により筆者作成。

と東京都特別区部（以下、区部）の高齢者人口の割合（21.5%）にくらべはるかに高い。高齢者人口の増加と年少人口の減少が続けば、人口の自然減につながり、地域の人口減少を招くと考えられる。

　東京都人口統計課の東京都区市町村別人口の予測によれば、東京都の常住人口[15] は2025年にピーク（1398万人）を迎え、多摩地域の場合は2020年にピーク（426万人）を迎える。さらに、多摩地域内部でも、八王子市、立川市、三鷹市、青梅市、府中市、昭島市、町田市、東村山市、国立市、福生市、東大和市、清瀬市、

表序 -3　多摩地域の住宅総数と空き家数

	2003	2008	2013	2018
住宅総数（戸）	1,762,930	1,961,040	2,092,070	2,129,200
空き家数（戸）	172,150	202,320	226,300	231,010
空き家率	9.76%	10.32%	10.82%	10.85%

注：奥多摩町と檜原村は含まれない。
出所：『住宅・土地統計調査』（総務省）各年版により筆者作成。

東久留米市、武蔵村山市、多摩市、羽村市、あきる野市、西東京市、瑞穂町、檜原村、奥多摩町は、2020 年までにピークを迎え、武蔵野市、調布市、小金井市、小平市、日野市、国分寺市、狛江市、稲城市、日の出町は、2025 年までにピークを迎える自治体で、地域差がみられる。それぞれの市町村において、ピークを迎える年までは社会増が自然減を上回るが、自然減の減少幅が社会増の増加幅を上回ることになると、人口の減少が始まる[16]。

（3）空き家問題

　高齢化は、空き家問題を深刻化させている。空き家問題そのものは多摩地域に限った問題ではないが、多摩地域においても空き家は増加している。**表序 -3** は、奥多摩町と檜原村を除く多摩地域 28 自治体の住宅総数と空き家数を示したものである。既述のように、2000 年代に入って以降においても、多摩地域の人口は増加し続けたが、**表序 -4** でみるように、同時期において住宅の建築も進められたため、住宅総数も増加し、結果的に空き家数は、2003 年の 17 万戸から 2018 年の 23 万戸に増加し、空き家率も 10.85% に上昇した。この多摩地域の空き家率は、全国の 13.60%（2018 年）にくらべると低い水準であるが、東京都区部の 10.38%（2018 年）にくらべるとやや高い水準である[17]。

　表序 -4 でみるように、2000 年代以降に建築した住宅数は、多摩地域の住宅総数の 3 割以上を占めており、2020 年 1 月現在の時点においても多摩地域の各地で共同住宅や一戸建の建築が行われていることは、地域に暮らす者であれば日常的な情報として理解できる話である。多摩地域の場合、戦後、「住宅金融公庫」（1950

表序 -4 　建築の時期別住宅戸数と割合

	多摩地域合計		東京都		全国	
	戸数	割合	戸数	割合	戸数	割合
1970年以前	112,950	6.00%	380,800	5.60%	4,564,600	8.51%
1971〜1980年	213,060	11.30%	769,300	11.30%	7,446,800	13.89%
1981〜1990年	314,500	16.70%	1,062,300	15.61%	9,122,600	17.01%
1991〜2000年	404,020	21.40%	1,243,300	18.27%	10,784,100	20.11%
2001〜2010年	398,030	21.10%	1,432,600	21.05%	10,057,800	18.76%
2011〜2015年	168,390	8.90%	688,600	10.12%	4,715,900	8.80%
2016〜2018年9月	68,990	3.70%	284,900	4.19%	2,216,400	4.13%
総数	1,887,930	100%	6,805,500	100%	53,616,300	100%

注：多摩地域合計に奥多摩町と檜原村は含まれていない。
　　「総数」には、「不詳」も含まれているため、内訳の合計と一致しない。
出所：『平成 30 年住宅・土地統計調査』により筆者作成。

年）によるマイホーム建設の促進、「公営住宅法」（1951 年）による低所得者向けの都営住宅（団地）の建設、「日本住宅公団」（1955 年）の活動による団地建設といった形で住宅が建設された経緯があるため（柴田 1997）、多摩の住宅の多くが老朽化している印象があるが、かならずしも「オールドタウン」化してしまった地域ではない。空き家の増加の原因は、住宅の老朽化よりは高齢化によるところが大きい。

　『住宅・土地統計調査』（総務省）によれば、空き家には、「二次的な住宅」、「賃貸用の住宅」、「売却用の住宅」、「その他の住宅」が含まれる。「賃代用の住宅」と「売却用の住宅」は、賃貸と売却のために空き家になっている住宅を指し、「二次的な住宅」には、別荘や「ふだん住んでいる住宅とは別に、残業で遅くなった時に寝泊まりするなど、たまに寝泊まりしている人がいる住宅」が含まれ、「その他の住宅」は、「上記以外の人が住んでいない住宅で、例えば転勤・入院などのため居住世帯が長期にわたって不在の住宅や建て替えなどのために取り壊すことになっている住宅など」をいう[18]。

　　これらの空き家のうち、「その他の住宅」は、ほかの種類の空き家にくらべ、維持管理がなされておらず、賃貸や売却をしようとするものでもないため、周辺

の住環境に悪影響をおよぼす危険性がある（野澤 2016：106）。公益財団法人東京市町村自治調査会の多摩・島嶼地域アンケート調査によれば空き家がもたらす主要な問題は、「雑草・悪臭など衛生環境悪化」、「景観の悪化」、「不法侵入などによる治安の悪化」、「生命・身体への被害のおそれ」といった外部不経済の発生と「住民税等の減少や新規移住者の阻害といった土地利用の非効率化」である（公益財団法人東京市町村自治調査会 2014：9）。

　多摩地域において、2013 年から 2018 年にかけて「その他の住宅」が最も顕著に増加している自治体は、それぞれ 5850 戸から 8240 戸に増加した八王子市と 110 戸から 1940 戸に増加した東久留米市だった[19]。東久留米市の空き家状況調査によれば[20]、「空き家となったきっかけ」（回答者数 121 人）の上位を占めたのは、「病院や福祉施設などに入所した」（28.9%）、「相続により取得したが、居住する住宅が既にあった」（24.8%）、「仕事の都合（転勤など）により転居した」（14.9%）、「一戸建て住宅を貸していたが、入居者がいなくなった」（14.0%）、「家族や親族と同居したため転居した」（11.6%）だった。「病院・福祉施設への入所」、「相続による取得」、「家族・親族との同居」といったきっかけをみると、空き家問題に高齢化が影響しているのは明らかであり、高齢化がより一層進めば、空き家問題もより顕著になろう。

　以上の多摩地域における人口構造と住宅事情からは、高齢化問題や空き家の増加といったマイナスポイントがある一方で、外国人の増加、新築住宅の増加といったプラスポイントも確認することができる。

3. 多摩地域住民の居住目的

（1）居住目的の 5 種類

　「多摩地域」という「舞台で踊る人々」は、居住目的別に以下の 5 種類に分類できる。すなわち、①多摩地域内部で働く人々、②多摩地域をベッドタウンとして位置づける人々、③として①と②のリタイアした高齢者、④大学生などの通学生、⑤年少人口である。

　国勢調査によれば、2015 年 10 月 1 日時点で、多摩地域の常住人口は 421 万 6040 人だったのに対し、昼間人口は 385 万 9554 人であり、昼夜間人口比率は

91.54 である。ベッドタウンとしてのイメージの強い多摩地域であるが、昼間人口の超過流出は 35 万人程度に留まっている[21]。昼間においても多摩地域内部で活動する人口が多いことが重要な要因である。

　まず高齢者であるが、既述のように高齢者人口が多摩地域人口全体の約 25% を占める一方、そのほとんどは昼間も多摩地域で活動していると思われる。年少人口も、保育園・幼稚園や小中学校に通っているため、ほとんどが多摩地域で活動しているであろう。

　大学生などの通学生の場合、多くは多摩地域の学校に通っている。2015 年の国勢調査によれば、多摩地域の 15 歳以上の通学者（23 万 9371 人）のうち 60.5%（14 万 4709 人）[22] は、多摩地域内部の学校に通っている。多摩地域には、2017 年 5 月 1 日時点で、44 の大学（学生数 17 万 7339 人）、10 の短期大学（同 2820 人）、2 つの高等専門学校（同 1898 人）が所在しており（公益財団法人東京市町村自治調査会 2019）、昼間に多くの若者が活動している。

　つぎに、①と②にかかわる通勤者についてである。2015 年 10 月 1 日時点における多摩地域の 15 歳以上の通勤者は 172 万 9178 人であるが、このうち 54.5%（94 万 1914 人）[23] は地域内で働いている。通勤者の半分以上が多摩地域内部で働くほどの労働市場が多摩地域内部に存在することを意味する。多摩地域をベッドタウンと位置づける人々は、通勤者の半分以下であり、多摩地域はかならずしもベッドタウンではないことが確認できる。

（2）住宅の形態と通勤時間

　多摩地域の住民の居住空間である住宅を、住宅の建て方別・所有形態別にみると、一戸建戸数の 92.76% が持ち家であるのに対し、共同住宅の 68.18% は借家である。大雑把に計算すると、2018 年時点で住宅戸数全体の 36.54% が一戸建・持ち家、18.52% が共同住宅・持ち家、39.68% が共同住宅・借家、2.85% が一戸建・借家であった[24]。借家形態が全体の 4 割以上を占める多摩地域は、かならずしもマイホーム族が居住している空間ではないことがわかる。多摩地域の場合、「「狭いながらも楽しいわが家」を謳歌しながら、ローンの返済に必死に働く」（柴田 1996：33）といわれるマイホーム族が注目される傾向があるが、借家形態で居住する人々にも注目する必要があろう。

表序 -5　多摩地域 28 自治体における「家計を支える者」の
通勤時間別の世帯割合（2018 年）

		自宅・住み込み	15分未満	15～30分未満	30～45分未満	45分～1時間未満	1時間～1時間30分未満	1時間30分～2時間未満	2時間以上	不詳	総数
持ち家	世帯数	6,360	35,100	67,240	52,500	80,390	137,360	42,970	7,820	1,920	431,620
	割合	1.5%	8.1%	15.6%	12.2%	18.6%	31.8%	10.0%	1.8%	0.4%	100%
借家	世帯数	2,980	40,220	57,350	41,780	58,710	65,690	15,230	2,530	14,100	298,620
	割合	1.0%	13.5%	19.2%	14.0%	19.7%	22.0%	5.1%	0.8%	4.7%	100%
総数	世帯数	9,320	75,300	124,600	94,300	139,080	203,050	58,190	10,290	16,010	730,200
	割合	1.3%	10.3%	17.1%	12.9%	19.0%	27.8%	8.0%	1.4%	2.2%	100%

注：檜原村と奥多摩町を除く 28 の自治体の合計。
　　持ち家と借家の合計が、総数と一致しない場合がある。
出所：『平成 30 年住宅・土地統計調査』により筆者作成。

　借家世帯の場合、持ち家世帯にくらべ、多摩地域内で働く場合が多いように思われる。**表序 -5** には、2018 年 10 月 1 日時点の多摩地域 28 自治体における「家計を支える者」の通勤時間[25] 別の世帯数およびその割合を掲げた。「家計を支える者」の通勤時間は、持ち家世帯のほうが借家世帯にくらべ、より長いことがわかる。持ち家世帯の場合、全体の 43.6% の世帯において「家計を支える者」の通勤時間が 1 時間以上となっている。マイホームをより地価の安い、区部から離れている多摩地域に求めたことになる。

　一方、借家世帯の場合、全体の 67.4% の世帯の「家計を支える者」の通勤時間は 1 時間未満であり、そのうち、通勤時間 30 分未満は借家世帯全体の 33.7% であった。通勤時間が 30 分未満の場合、多摩地域内で働いている可能性が高い。

　多摩地域は、かならずしもベッドタウンではなく、またマイホーム族のみが生活する空間でもない。多摩地域内部で働いている人々も、職場が近いことから多摩地域で生活しており、その場合借家世帯も多い。さらには、多摩地域に大学などが多いことから、大学などへの通学生も生活している。この場合も、借家形態が多い。

表序 -6　多摩地域の住民の定住意向

	立川市 (2012)		小平市 (2012)		昭島市 (2013)		小金井市 (2013)		八王子市 (2014)		調布市 (2015)		西東京市 (2015)		立川市 (2016)	
	A	B	A	B	A	B	A	B	A	B	A	B	A	B	A	B
全体	53%	36%	47%	36%	54%	31%	43%	38%	48%	36%	48%	35%	41%	40%	51%	39%
20代	46%	35%	18%	53%	32%	39%	26%	47%	21%	47%	12%	50%	20%	47%	31%	53%
30代	44%	48%	45%	39%	53%	36%	31%	47%	41%	47%	31%	48%	32%	50%	45%	43%
40代	43%	41%	46%	35%	45%	34%	37%	42%	42%	42%	41%	52%	35%	39%	50%	41%
50代	51%	37%	46%	41%	53%	33%	52%	39%	50%	33%	57%	32%	44%	42%	49%	40%
60代	75%	21%	64%	23%	69%	23%	56%	26%	64%	29%	74%	20%	50%	35%	60%	33%
70代	66%	27%	69%	22%	76%	19%	75%	19%	74%	19%	73%	21%	69%	23%	66%	31%

注：括弧内の数字は調査した年である。
　　A は「住み続けたい」、B は「できれば住み続けたい」。
出所：土屋（2013）、朴・土屋（2013）、朴・土屋（2014）、朴・土屋（2016）、朴・土屋（2017）
　　　により筆者作成。

4．多摩地域が暮らしの舞台として選ばれる理由

（1）多摩地域のメリットとデメリット

　一般的に、住宅は「人生最大の買い物」といわれており、マイホームの購入時には数十年のローンを組む場合が多いため、持ち家世帯は特定の地域で何十年も生活することになる。他方で、借家世帯の場合、より良い生活環境を求めて移動することが、持ち家世帯にくらべ簡単である。**表序 -5** でみるように、多摩地域28 自治体における借家世帯数は 29 万 8620 戸で、全体の 41％も占める。しかし、以下にみるように多摩地域住民の定住意向は強く、借家世帯も同様と判断される。

　表序 -6 は、数年にわたる統計数理研究所による『多摩地域 住民意識調査』から、多摩地域の住民の定住意向を年齢階層別に示したものである。多摩地域の住民の定住意向を確認できるのは、調査の行われた立川市、小平市、昭島市、小金井市、八王子市、調布市、西東京市のみであるが、すべての調査において、今後も自分が住んでいる自治体に住み続けたいか、という質問に対して、「住み続けたい」、「できれば住み続けたい」と答えている住民が全体の 8 割[26] を超えている。多摩地域は、暮らしの舞台として優れていることを意味する。注意すべきなのは、全体として

年齢層が高くなるほど「住み続けたい」意向が強い傾向があり、70代以上になると「住み続けたい」、「できれば住み続けたい」と考えている住民が9割を超える。これは、マイホームを購入した高齢者の場合、容易にそのマイホームを離れることができないということの表れであろう[27]。

　ただ、20代や30代の場合も、「住み続けたい」、「できれば住み続けたい」と考えている住民が6割以上を占めており、継続的に多摩地域を暮らしの舞台にしようとする住民が多い。多摩地域の魅力はどこにあるのか。

　表序-7 は、同じく統計数理研究所による『多摩地域 住民意識調査』の結果からまとめたものであるが、「自然が多い」、「物価が安い」、「交通の便が良い」、「治安が良い」、「騒音が少ない」、「商業施設が充実している」、「自然災害の不安が少ない」などについて「当てはまる」、「やや当てはまる」との認識を示している住民の割合を示したものである。「自然が多い」と「自然災害の不安が少ない」といった自然環境にかかわる地域特性について、立川市を除く自治体においては、7割以上の住民が「当てはまる」、「やや当てはまる」と考えていることがわかる。ただ、立川市の場合も、2016年になると2012年にくらべ「自然が多い」と「自然災害の不安が少ない」に対して「当てはまる」、「やや当てはまる」と思う住民の割合が上昇している。

　「交通の便が良い」、「治安が良い」、「騒音が少ない」といった社会条件面での地域特性も全体的にプラス評価されていることがわかる。商業施設の場合、立川市と昭島市以外はそれほど充実していない。物価については、安いと思っている住民は全体の3割程度に止まっている。

　こうした多摩地域の各自治体の地域特性についての住民意識から、暮らしの舞台としての多摩地域は、自然環境面や社会条件面では有利であるが、物価の面においては優れていないと理解することができる。ただし、この住民意識調査においての物価に関する質問事項は「あなたがお住まいの地域は、近隣地域とくらべた時」（朴・土屋 2013）に限定されたものであったため、他地域との物価水準の比較を試みてみたい。

（2）物価と住宅価格

　比較対象となる他地域を選択する際に、多摩地域を東京郊外ないし東京の「下

表序-7　多摩地域の地域特性に対する住民意識

	自然が多い		物価が安い		交通の便が良い		治安が良い		騒音が少ない		商業施設が充実している		自然災害の不安が少ない	
	A	B	A	B	A	B	A	B	A	B	A	B	A	B
立川市 (2012年)	27.0%	47.7%	3.0%	26.9%	41.3%	35.6%	17.8%	52.0%	16.7%	42.2%	36.5%	39.8%	14.4%	33.5%
小平市 (2012年)	47.0%	40.4%	7.7%	37.6%	29.9%	37.5%	29.2%	55.5%	34.0%	45.2%	9.0%	30.1%	34.0%	44.8%
昭島市 (2013年)	30.7%	51.5%	6.6%	34.1%	27.3%	40.0%	26.2%	52.7%	19.8%	31.9%	24.0%	40.2%	32.1%	39.1%
小金井市 (2C13年)	55.7%	38.1%	3.5%	26.7%	28.2%	49.7%	35.5%	53.4%	37.2%	46.3%	7.3%	29.3%	33.4%	47.4%
八王子市 (2014年)	59.6%	31.6%	5.4%	29.9%	24.6%	37.1%	23.5%	50.0%	31.9%	40.0%	13.9%	34.3%	29.5%	49.3%
調布市 (2015年)	36.3%	45.0%	5.2%	29.0%	33.7%	43.3%	28.2%	59.5%	27.7%	45.9%	10.7%	37.1%	26.5%	50.8%
西東京市 (2015年)	19.5%	54.8%	6.3%	38.8%	27.2%	44.0%	21.6%	58.1%	33.3%	45.9%	11.6%	30.6%	34.5%	47.2%
立川市 (2015年)	29.0%	46.2%	2.4%	21.8%	35.9%	38.7%	18.1%	50.6%	20.7%	39.6%	29.7%	36.9%	25.3%	40.3%

注：括弧内の数字は調査した年である
　Aは「当てはまる」、Bは「やや当てはまる」。
出所：土屋 (2013)、朴・土屋 (2013)、朴・土屋 (2014)、朴・土屋 (2016)、朴・土屋 (2017) により筆者作成。

町」だとして位置づけるか、ベッドタウンである衛星都市として位置づけるかによって、比較対象として選択される地域も異なってくる。420万人以上の人口を抱えている多摩地域は、都市レベルでは、東京を除いて人口が最も多い横浜市（375万人、2019年）[28] を超えており、都道府県レベルからしても、多摩地域の人口を超えるのは、北海道（529万人、2018年）、埼玉県（733万人、2018年）、千葉県（626万人、2018年）、神奈川県（918万人、2018年）、愛知県（754万人、2018年）、大阪府（881万人、2018年）、兵庫県（548万人、2018年）、福岡県（511万人、2018年）のみである[29]。つまり、多摩地域は人口規模が大きすぎるので、衛星都市として位置づけることは困難であり、東京郊外ないし東京の「下町」だとして位置づけるのが妥当である。多摩地域は東京都人口の3割を抱えているだけでなく、東京の一部として「多くの大学や研究機関、高度な基盤技術を有する中小企業なども集積しており、東京の活力を力強く支えている」（東京都総務局行政部振興企画課 2017：10）。

　ただし、一言で多摩地域といっても、八王子市・立川市の西側に位置する自治体と、その東側に位置する自治体、さらには武蔵野市・三鷹市は、立地条件や、社会的条件、経済的条件に大きな格差が存在する。そのため、以下では、東京経済大学の近隣自治体（小金井市、国分寺市、国立市、日野市、府中市、小平市など）をメインとした多摩地域を考えることにしたい。

　また、区部も一様ではなく、千代田区・中央区・港区と江戸川区・葛飾区・足立区では、その格差が大きい。そのため、以下では、江戸川区・葛飾区・足立区といった下町としての印象の強い地域を多摩地域との比較対象地域と指定し、その物価と住宅価格の水準を比較検討する。

　2020年2月時点における多摩地域の食料小売価格は、区部にくらべかならずしも安くない。詳細なデータは示さないが、「小売物価統計調査（動向編）（2020年2月）」[30] で確認できる区部、八王子市、立川市、府中市の食料小売価格を、4つの地域の小売価格をすべて確認できる121種類の食料商品について比較してみると、区部の小売価格が最も安い食料商品は18品目、2番目は45品目、3番目は41品目、4番目に安い（最も高い）食料商品は17品目だった。2020年1月の場合は、121種類の食料商品のなかで小売価格が、区部が最も安いのは20品目、2番目は44品目、3番目は40品目、4番目は17品目だった[31]。区部の小売物価な

ので、区部のなかでも物価の安い江戸川区、葛飾区、足立区との直接な比較には
なっていないが、これらの 3 つの地域にくらべ八王子市、立川市、府中市のほうが、
食料商品の小売価格がより高い可能性がある。

　次に、住宅価格についてみてみよう。以下、売買物件と賃貸物件もいずれも新
築のみを検討対象とする。今日の多摩地域における新築住宅の場合、かつてのよ
うな農地の一部を切り出して販売するような形態は少なく、不動産会社や建設会
社が分譲住宅を建て、それを販売する形態が多い。新築住宅の価格には、地価も
含まれているはずなので、地価は検討しない。

　売買物件の場合、2020 年 3 月 20 日時点において、東京経済大学の近隣自治体と、
江戸川区、葛飾区、足立区の新築・南向き・一戸建住宅の 1 平方メートル当たり
の単価は、足立区 43.78 万円、葛飾区 42.92 万円、江戸川区 49.95 万円、府中市
46.17 万円、小金井市 62.39 万円、小平市 43.10 万円、日野市 36.89 万円、国分寺
市 49.55 万円、国立市 47.73 万円 [32] で、多摩地域のほうが、むしろ上記 3 区にく
らべ高い状況である [33]。

　賃貸物件の場合、駅から徒歩 10 分以内の賃貸アパートとマンションについて
地域間平均賃料の比較が可能である。物件の条件によって賃料が大きく異なるた
め、以下では「新築・南向き」を共通条件とする。新築・南向き・アパートの場合、
データの有無の関係上、比較可能なのは 1LDK・2K・2DK のみであるが、2020
年 3 月 20 日時点で、葛飾区の平均賃料は 11.00 万円、江戸川区は 9.43 万円、府
中市は 10.50 万円、小金井市が 10.07 万円 [34] である [35]。府中・小金井両市の平均賃
料は、葛飾区の平均賃料よりは安いが、江戸川区のそれよりは高い。

　新築・南向き・マンションの場合も比較可能なのは（2020 年 3 月 20 日時点）、
1LDK・2K・2DK のみである。足立区の平均賃料は 10.50 万円で、江戸川区は
10.78 万円、府中市が 10.67 万円、日野市が 10.81 万円である [36]。大差はないが、
府中・日野両市のほうが足立・江戸川両区にくらべ高いことになる [37]。

　一般的に多摩地域は、区部と比較される場合が多く、区部にくらべ家賃が安い、
地価が安い、中央線が通っており便利、などの表現がよく使われている。しかし、
上述のように、東京経済大学周辺の自治体を、江戸川区・葛飾区・足立区といっ
た区部のなかでも比較的後進地域に位置づけられる自治体とくらべると、物価・
家賃はかならずしも安くはなく、むしろ高いと判断したほうが妥当である。その

わりには不便で、道路も狭く渋滞が多いと思う住民もいる。さらには、家庭ごみの有料化[38]、子育て支援などの行政サービスも優れているとはいえないなど、住民の視線からするとマイナスポイントも多い。こうしたマイナスイメージも多い地域ではあるが、既述のようにこれまでは人口が増加しており、子育て世帯が多いのも事実である[39]。

以上の多摩地域における人口構造や居住目的、多摩地域が暮らしの舞台として選ばれる理由を念頭に、これからの「歴史的な変動期」における多摩地域の「地域の生活」と「その幸福」を考えるとしたら、日本人・外国人を問わず、持ち家形態・賃貸形態を問わず、「多摩地域内で働く人々」や「多摩地域をベッドタウンとして位置づける人々」がより定住しやすいような環境作りが必要になると思われる。以下、詳述する。

(3)「歴史的な変動期」における多摩地域の課題

かつては、東京の人口増加にともなう住宅の開発により、多摩地域は人口も増加し、都市化も進んだ。その間、道路・鉄道といったインフラの整備も整い、区部ほどではないにしても、多摩住民からは「交通の便が良い」と評価されるようになった。

しかし、2020年以降に人口減少の方向に傾くとしたら、多摩地域は徐々に衰退してしまうだろう。「開拓される多摩地域」とは逆方向の「歴史的な変動期」における「地域の生活」と「その幸福」のためには、まず「多摩地域」という「舞台で踊る人々」の確保が必要であり、当然人口の社会増が望まれる。「多摩地域内で働く人々」や「多摩地域をベッドタウンとして位置づける人々」の増加なしに、人口の社会増はありえず、多摩地域の「地域の生活」と「その幸福」の維持もありえない。人口が減少すると、生活に必要なサービスを提供する地域のスーパー、コンビニ、飲食店といったサービス業までが減少したり、なくなったりする。そうすると、生活が不便になるので、人口の社会減が進むだろう。いかにしたら人口減少を食い止めることができるのか。これは、多摩地域の各自治体における最大の課題である。

多くの人々によって多摩地域が「暮らしの舞台」として選ばれるためには、多摩地域内の労働市場と、行政の質のあり方が問われる。なぜなら、住民は、行政サー

ビスを受けるために税金を払っており、より良い行政サービスを提供する自治体に移動しようとしており、とりわけ比較的に移動が簡単な賃貸世帯の場合その傾向が顕著であると考えられるからである。かつてのような人口増加局面においては、行政サービスの質が劣っていても、多摩地域は多くの人々に暮らしの舞台として選択されてきたが、人口減少局面に入ると、同様な条件の下だとしても選択されるとは限らない。ただし、職場が近くにあるとしたら、行政サービスが劣っていても定住の可能性は高い。

　したがって、多摩地域にとっては、自然環境の面での有利性や治安の良さなどの既存の有利性を維持・活用するとともに、空き家問題を解決し、街の生活空間といった環境の維持・向上といった社会条件はいうまでもなく、さらには地域内の労働市場の充実や良質な行政サービスの提供が、何よりも重要である。これらの点、いずれも自治体の努力により改善される可能性のある部分でもある。

5.　本書の構成と内容

　以上は、『多摩学』シリーズから 30 年経った今日の多摩地域の人口・居住問題に対する本章の基本的な認識であり、本書の構成の前提となる議論でもある。こうした認識の下、本書は『多摩学』シリーズから 30 年後の多摩はいまどうなっているのかを、多摩の経済・行財政問題に焦点をあてて論じ、多摩地域をよりよい暮らしの舞台にするための課題をも明らかにすることを目的とする。その場合、本書では、多摩地域の位置づけを相対化するために「多摩外部からの視点」も重視しており、可能な限りそれぞれの章において他地域との比較検討を心がけたい。

　2010 年代以降、多摩に立地しているほかの大学においても多摩学研究が進められている。とりわけ中央大学のシンポジウム研究叢書編集委員会（2016）は貴重な研究であるが、歴史、文化、地方自治、地域振興、都市政策といった広範囲にわたるテーマを取り上げた「総合的な研究」であり、財政問題・ごみ問題・高齢化問題を取り上げたとはいえ、上記の地域内労働市場や行政サービスの観点からすれば、多摩地域の経済事情の検討が充分に行われたとはいえない。本書は、以下のような構成をもって多摩の経済・行財政問題の現状と今後の課題について分析を進める。

多摩地域は東京郊外という立地上の優位性によって農村から都市に変貌してきたが、これまでの多摩学においては多摩地域を区部との関連で経済地理学的に位置づけた研究はなかった。

　第1章「多摩の地域開発—経済地理学の応用からの分析—」（新井田智幸）では、経済地理学の枠組で戦後多摩の歴史的変容について検討する。マルクス経済学の理論体系を出発点として構築されたデヴィッド・ハーヴェイ（David Harvey, 1935-）の経済地理学の理論的枠組を概説し、ハーヴェイ理論から多摩地域の戦後における人口の推移、宅地用途の推移、事業所数・従業者数の推移を読むことにより、東京郊外多摩の盛衰を論じる。なお第1章を最後に読むことで多摩を地理空間的に総括することもできる。

　続く第2章から第6章までは、「地域内の労働市場」にかかわる部分である。

　第2章「多摩の労働市場—特別区部との比較から—」（安田宏樹）では、多摩地域の労働市場について、マクロデータだけでなく、独自のミクロデータを利用し、多摩地域の労働市場・労働者の特徴を、区部との比較を通して描き出す。多摩地域の就業率は2005年から2015年にかけて低下しており、産業別就業率をみた場合、多摩地域は製造業と卸売業・小売業、医療・福祉の比率が高いことを指摘する。いい換えると、工業と商業、福祉分野の労働市場の重みが指摘されることになるが、これを受けて第3章と第4章では多摩の工業と商業を取り上げる。

　第3章「多摩の工業—多摩地域の製造業の多様性と中小製造企業の発展—」（山本聡）は、中小企業をキーワードに多摩地域の工業の歴史的展開を述べ、多摩地域の製造業は、日本全体からみれば縮小しているが、東京都からみれば構成比が増加していると指摘する。また、多摩地域の製造業を代表する業種は、かつては養蚕業、製糸業、織物業だったが、いまは電気機械器具製造業、情報通信機械器具製造業、電子部品・デバイス・電子回路製造業であり、多摩地域の製造業の特徴は、大手製造業・中小製造業だけでなく、金融機関や大学・公的機関がネットワークを形成していることであるという。

　第4章「多摩の商業—新たな生活「街」を描く—」（鈴木恒雄）では、多摩地域における商業の歴史的展開過程を描き出した。多摩地域の小売業はいまも比較的に奮闘している分野であるが、伝統的に小売業を支えてきたのが商店街である。近年における商店街の低迷は、スーパー・コンビニ・大型商業施設などのライバ

ルの増加だけでなく、商店街の内部体制にもその原因があると指摘する。また、インターネットショッピングが存在感を増している時代に、商店街がどのように活気を取り戻すべきなのかを、商店街支援の実務家としての立場で議論し、「生活街」の構築を提案する。

　今日においては、YouTuber なども新しい職業として認められており、通信、情報、クリエイターといった部門も取り上げる必要はあるが、本書は、とりあえずは伝統的な産業を検討することにし、多摩の農業も取り上げる。

　第 5 章「多摩の農業—「強い農業」を目指して—」（李海訓）では、制度的に都市の農地・農業は「あるべきもの」として位置づけられるようになったが、多摩地域においては農地も農業経営体も縮小しているのが実態であると指摘する。農地・農業の多面的機能を考慮すれば、多摩地域に農地・農業を残す必要があるが、そのためには担い手の確保が何よりも重要であり、「強い農業」を構築していくことが課題であると主張する。また、強い農業を構築する際のヒントになりうる先端事例をも紹介する。

　第 6 章「多摩の地域金融—多摩地域の金融機関の歴史と自治体の関係—」（長島剛）は、「行政サービス」ともかかわる部分である。多摩の実体経済を支える多摩の地域金融および地域金融機関の分布状況、歴史的形成・変遷とその役割を紹介する。多摩地域には全国レベルにくらべて信用金庫と都市銀行の割合が大きく、多摩地域の主な地域金融機関である多摩信用金庫・きらぼし銀行・西武信用金庫・青梅信用金庫が多摩地域全域を網羅している。地方銀行のない多摩地域では信用金庫が地域の経済活動を支援する重要な機関として機能しており、地域金融・地域産業支援だけでなく、NPO 法人への金融支援を通じて「まちづくり」でも一役を果たしている。また、自治体財政にとっても欠かせないパートナーになっている。なぜなら、各自治体の財政に差異はあるものの、高齢化にともなう民生費の増加は確実であるが、地方財政を支える地方税の増加は見込みにくいからである。自治体の財政面での制限・効率面から広域連携の可能性が指摘される。

　続く第 7 章と第 8 章では「行政サービス」にかかわる福祉問題とごみ処理問題を取り上げる。福祉問題は歳出の「民生費」、ごみ処理問題は「衛生費」にかかわる問題である。**第 7 章「多摩の福祉政策—福祉ニーズの拡大と自治体間の格差—」（尾崎寛直）**は、高齢者福祉について高齢化と家族の小規模化の進展によ

り「家族介護」が限界を迎え、2000年には「介護の社会化」（介護保険制度）が整備されるようになったと指摘する。同時期に行われた制度改革により、市町村が介護保険制度を含む各種福祉施策の担い手となった。それだけでなく、近年のさらなる高齢化の進展は市町村の財政負担を圧迫するようになっている。

第8章「多摩地域の一般ごみ処理—その先進性と課題—」（羅歓鎮）では、多摩地域の1人あたりごみ排出量は全国平均や東京都の区部にくらべ少なく、またごみ処理広域化も進んでおり、ごみ問題において多摩地域は全国の先進的な地域であると評価する。ごみ処理の広域化は、自治体の財政面からしても、環境問題の面からしても必要であり、多摩地域における1人あたりごみ排出量の減少した理由としては、ごみ紛争などによる市民のごみ削減意識の向上、ダストボックス方式の廃止、ごみ収集の有料化を指摘する。

第6章から第8章の議論を受けて、**補章「多摩地域自治体の歳出にみる都市戦略」（李海訓）**は、「良質な行政サービスの提供」にかかわる議論を補足すべく、多摩地域の10自治体を事例に、歳出データを示し、近年における多摩地域の自治体の「都市戦略」がどのようなものにみえるかについて述べる。

以上の議論を総括するとともに、人々の暮らしの舞台としての多摩地域における今後の課題を整理するのが**終章「「21世紀の多摩学」に向けて」（尾崎寛直）**の課題である。

なお、本書はどの章からでも先に読めるようになることを優先し、人口や高齢化といった複数の章において重複する議論を残しておいた。多摩地域のさまざまな経済・行財政事情を議論するうえで、多摩地域における人口推移、スプロール化や高齢化などが繰り返し言及されるのは、これらが戦後急速に形成された「暮らしの舞台：多摩」の最も重要な特徴だからであると筆者は考えている。

注

[1] 本章の見解は、あくまで筆者個人のものであり、本書の執筆者全員の見解を代表するものではない。

[2] 「社会体育とは、学校の教育課程の枠外で青少年及び成人を対象に健康や幸福を増進することを目的として行われる体育及びレクリエイション活動」と定義されている（東京経済大学多摩学研究会 1993：158）。

[3] 「多摩学会」が今日にも存続しているかどうかは不明。

[4] 中央大学社会科学研究所編（1995）『地域社会の構造と変容—多摩地域の総合研究—』中央大学出版部。中央大学社会科学研究所は、中央大学多摩キャンパスの開設（1978年）を契機に、

1979 年から「多摩地域の総合プロジェクト」を開始しており、5 年間で当該研究所研究報告として 3 冊（共同研究チーム「多摩地区の総合的調査研究」編（1985）『多摩地域の総合的研究（1）』中央大学社会科学研究所、共同研究チーム「多摩地区の総合的調査研究」編（1988）『多摩地域の総合的研究（2）』中央大学社会科学研究所、共同研究チーム「多摩地区の総合的調査研究」編（1990）『多摩地域の総合的研究（3）』中央大学社会科学研究所）を出版している。中央大学社会科学研究所は、組織研究として多摩地域の研究を最も早くから進めてきたと理解されるが、研究チームは 1993 年度末に解散されたという（中央大学社会科学研究所 1995）。

[5] 以下の「設立趣意書」内容は寺西（1995）からの再引用である。

[6] T.T.T 計画とは、東京都が 1982 年 10 月に発表した「「多摩都心」立川（T.T.T）計画」のこと。「立川市と昭島市の一部を含めた地域の広域交通網の拡充と市街地整備を重点的に推進し、多摩の都心にふさわしいまちづくりを進める」とした（「東京圏の「核都市」立川」立川市 HP ＜ https://www.city.tachikawa.lg.jp/toshikeikaku/shise/toshizukuri/kanren/documents/city21_p6-17.pdf ＞ 2020 年 3 月 15 日閲覧）。

[7] 大規模工場・企業の撤退についてみると、2010 年以降、東芝日野工場（2011 年）、雪印メグミルク日野工場（2014 年）、日本無線三鷹製作所（2016 年）、東芝青梅事業所（2017 年）がすでに撤退しており、日野自動車日野工場も 2020 年には閉鎖されるとのニュースが世間の話題となっていた（東京都総務局行政部振興企画課 2017）。

[8] 大学の場合は、実践女子大学（日野市）、拓殖大学（八王子市）、大妻女子大学（多摩市）といった大学の都心部への移転が進んでおり、中央大学法学部（八王子市）も文京区への移転（2023 年）が決まっている。このほかに明星大学青梅キャンパスのように廃校になったケースもある。

[9] 多摩地域の位相が変化したことは、東京都の「多摩の振興プラン」の「基本認識」においても「「右肩上がりの成長・拡大」から「活力ある都市の成熟・持続」への発想の転換」という形で示されている（東京都総務局行政部振興企画課 2017）。

[10] いずれも 1 月 1 日時点の数字。

[11] 1995 年では 31.86%、2019 年は 30.77% だった。

[12] 「外国人人口」東京都総務局統計部 HP ＜ https://www.toukei.metro.tokyo.lg.jp/gaikoku/ga-index.htm ＞ 2020 年 3 月 9 日閲覧。

[13] 「外国人人口」東京都総務局統計部 HP ＜ https://www.toukei.metro.tokyo.lg.jp/gaikoku/ga-index.htm ＞ 2020 年 3 月 9 日閲覧。

[14] ただし、民間レベルにおいては、「近所に外国人が住むこと」が肯定的には評価されていないようで、多文化共生社会の構築が必要であると思われる。2020 年に実施された福生市と羽村市の共同調査『福生市・羽村市多文化共生実態調査』（福生市と羽村市それぞれ 1000 人の 20 歳以上の日本人が調査対象として、住民基本台帳から無作為に抽出された。回収数 901 件、回収率 45.1%）によれば、「あなたは、近所に外国人が住むことについてどう思いますか」という質問に対し「好ましい」（8.1%）、「どちらかといえば好ましい」（10.3%）、との回答は全体の 2 割未満だった（ふっさ・はむら多文化共生事業協議会 2021）。福生市と羽村市は多摩地域のなかでも外国人人口の割合が高い自治体であることに留意されたい。

[15] 「夜間人口」ともいう。

[16] 「予測結果の概要」（「東京都区市町村別人口の予測」東京都 HP ＜ https://www.toukei.metro.

tokyo.lg.jp/kyosoku/ky17rf0000.pdf ＞ 2020 年 2 月 29 日閲覧）。

[17] 『住宅・土地統計調査』（総務省）2018 年版により算出。

[18] 以上の空き家の分類と意味は、『住宅・土地統計調査』の「用語の解説」から引用。総務省統計局 HP ＜ https://www.stat.go.jp/data/jyutaku/2018/pdf/yougo.pdf ＞ 2020 年 3 月 15 日閲覧。

[19] 『住宅・土地統計調査』（総務省）2013 年版と 2018 年版による。

[20] 東久留米市（2018）「東久留米市空き家等実態調査総合報告書」東久留米市 HP ＜ https://www.city.higashikurume.lg.jp/_res/projects/default_project/_page_/001/011/200/akiya-tyousahoukoku-honpen.pdf ＞ 2020 年 3 月 15 日閲覧。

[21] 「平成 27 年国勢調査による 東京都の昼間人口（従業地・通学地による人口）」東京都総務局統計部 HP ＜ https://www.toukei.metro.tokyo.lg.jp/tyukanj/2015/tj-15index.htm ＞ 2020 年 3 月 18 日閲覧、により計算。

[22] 「平成 27 年国勢調査による 東京都の昼間人口（従業地・通学地による人口）」東京都総務局統計部 HP ＜ https://www.toukei.metro.tokyo.lg.jp/tyukanj/2015/tj-15index.htm ＞ 2020 年 3 月 18 日閲覧、により計算。

[23] 「平成 27 年国勢調査による 東京都の昼間人口（従業地・通学地による人口）」東京都総務局統計部 HP ＜ https://www.toukei.metro.tokyo.lg.jp/tyukanj/2015/tj-15index.htm ＞ 2020 年 3 月 18 日閲覧、により計算。

[24] 『平成 30 年　住宅・土地統計調査』により計算。

[25] 「自営業主、雇用者数について、徒歩やバス・鉄道などふだん利用している交通機関による自宅から勤め先までの通常の通勤所要時間（片道）。なお、農家や漁家の人が自家の田畑・山林や漁船で仕事をしている場合、自営の大工、左官、行商などに従事している人が自宅を離れて仕事をしている場合、雇われて船に乗り組んでいる場合などは、「自宅・住み込み」とした」（「用語の解説」総務省統計局 HP ＜ https://www.stat.go.jp/data/jyutaku/2018/pdf/yougo.pdf ＞ 2020 年 3 月 15 日閲覧）。

[26] 表中の百分率の詳細については、朴・土屋（2013）を参照されたい。

[27] 『平成 30 年　住宅・土地統計調査』によれば、「家計を主に支える者」の年齢層が高くなるほど、「共同住宅」世帯の割合が低くなり、「一戸建」世帯の割合が増加する。35-44 歳年齢層から「一戸建」世帯の割合が大幅に増加するが、これは、年齢層が高くなるほど、生活パターンも独身生活から結婚、子育てといった形で変化していくなかで、一戸建住宅を求める人が割合的に多くなっていくということである。65 歳以上の年齢層の場合、「一戸建」世帯のほうが「共同住宅」世帯より割合が高い。この年齢層の場合、多くは若い頃にマイホームを求め、一戸建住宅を建て、生活してきた場合が多く、ここに空き家の予備軍が少なくないように思われる。

[28] 「日本の統計 2020」総務省統計局 HP ＜ https://www.stat.go.jp/data/nihon/02.html ＞ 2020 年 3 月 30 日閲覧。

[29] 「日本の統計 2020」総務省統計局 HP ＜ https://www.stat.go.jp/data/nihon/02.html ＞ 2020 年 3 月 30 日閲覧。

[30] 「政府統計の総合窓口（e-Stat）」HP ＜ https://www.e-stat.go.jp/stat-search/files?page=1&layout=datalist&toukei=00200571&tstat=000000680001&cycle=1&year=20200&month=11010302&result_back=1 ＞ 2020 年 3 月 20 日閲覧。

[31] 「小売物価統計調査（動向編）（2020 年 1 月）」、「政府統計の総合窓口（e-Stat）」HP ＜ https://www.e-stat.go.jp/stat-search/files?page=1&layout=datalist&toukei=00200571&tstat=000000680001&cycle=1&year=20200&month=11010301&result_back=1 ＞ 2020 年 3 月 20 日閲覧。

[32] 「不動産に関する全国統計データ」公益社団法人全国宅地建物取引業協会連合会 HP ＜ https://www.hatomarksite.com/analytics/stat/sale/13/# ＞ 2020 年 3 月 20 日閲覧、により計算。できるだけ住宅の条件を同じように設定するために、新築・南向きに指定しているが、これらの対象地域に同指定条件を満たすマンションはなかった。

[33] 2020 年 3 月 31 日時点においては、新築・南向き・一戸建住宅の 1 平方メートルあたりの単価は、足立区 43.71 万円、葛飾区 43.94 万円、江戸川区 49.20 万円、府中市 46.21 万円、小金井市 62.00 万円、小平市 43.10 万円、日野市 36.13 万円、国分寺市 49.55 万円、国立市 56.76 万円であり、多摩地域のほうが高い水準である（「不動産に関する全国統計データ」公益社団法人全国宅地建物取引業協会連合会 HP ＜ https://www.hatomarksite.com/analytics/stat/sale/13/# ＞ 2020 年 3 月 31 日閲覧、により計算）ことには変わりがない。

[34] 「不動産に関する全国統計データ」公益社団法人全国宅地建物取引業協会連合会 HP ＜ https://www.hatomarksite.com/analytics/stat/sale/13/# ＞ 2020 年 3 月 20 日閲覧。

[35] 2020 年 3 月 31 日時点においては、葛飾区の平均賃料が 11.13 万円、江戸川区 9.37 万円、足立区 9 万円、府中市は 10.50 万円、小金井市が 10.50 万円（「不動産に関する全国統計データ」公益社団法人全国宅地建物取引業協会連合会 HP ＜ https://www.hatomarksite.com/analytics/stat/rent/13/# ＞ 2020 年 3 月 31 日閲覧）で、府中市と小金井市は、江戸川区と足立区にくらべ高い水準である。

[36] 「不動産に関する全国統計データ」公益社団法人全国宅地建物取引業協会連合会 HP ＜ https://www.hatomarksite.com/analytics/stat/sale/13/# ＞ 2020 年 3 月 20 日閲覧。

[37] 2020 年 3 月 31 日においては、足立区の平均賃料は 10.35 万円で、江戸川区は 10.70 万円、府中市が 10.67 万円、日野市が 10.81 万円であり（「不動産に関する全国統計データ」公益社団法人全国宅地建物取引業協会連合会 HP ＜ https://www.hatomarksite.com/analytics/stat/rent/13/# ＞ 2020 年 3 月 31 日閲覧）、やはり足立区・江戸川区にくらべ府中市・日野市のほうが比較的に高い。

[38] 檜原村と武蔵村山市以外の多摩地域の自治体では家庭ごみの処理は有料であり、手数料は地域によって異なるが、5 リットル当たり 5-10 円である。詳細については第 8 章を参照されたい。

[39] 図序 -2 の人口ピラミッドグラフからは、34 歳以下の年齢層においては、すべての年齢層の人口が減少しているが、35-39 歳年齢層より上の年齢層の場合、すべての年齢層において人口増加が確認できる。

参考文献

・大槻茂実（2017）「「羽村市の共生と地域参加にかんする調査」報告①」『都市政策研究』11 号
・鬼頭敦子（2018）「外国人住民来庁時の窓口対応の現状について」『自治調査会ニュース・レター』（vol.15）、公益財団法人東京市町村自治調査会 HP ＜ https://www.tama-100.or.jp/cmsfiles/contents/0000000/741/newslettervol15-all.pdf ＞ 2020 年 1 月 31 日閲覧
・公益財団法人東京市町村自治調査会（2014）『自治体の空き家対策に関する調査研究報告書〜

空き家を地域で活かしていくために～』公益財団法人東京市町村自治調査会 HP ＜ https://www.tama-100.or.jp/cmsfiles/contents/0000000/376/ALL_L.pdf ＞ 2020 年 3 月 15 日閲覧

・公益財団法人東京市町村自治調査会（2019）『多摩地域データブック～多摩地域主要統計表～2018（平成 30）年版』公益財団法人東京市町村自治調査会 HP ＜ https://www.tama-100.or.jp/cmsfiles/contents/0000000/814/H30databook.pdf ＞ 2020 年 3 月 15 日閲覧

・柴田徳衛（1996）「世界から見た多摩」東京経済大学多摩学研究会『多摩学のすすめ　Ⅲ―新しい地域科学の展開―』けやき出版

・柴田徳衛（1997）「大都市近郊の発展と土地利用―多摩と海外にみる―」『総合都市研究』第 62 号

・シンポジウム研究叢書編集委員会（2016）『東京・多摩地域の総合的研究』中央大学出版部

・関満博（2013）「「先端技術」と「新たな生活様式」に向かう産業化―新しい「たまの力」は私たちの「未来」を創る」関満博監修『たまの力―多摩ブルー・グリーン賞　受賞企業の NEXT STAGE―』けやき出版

・関満博監修（2013）『たまの力―多摩ブルー・グリーン賞　受賞企業の NEXT STAGE―』けやき出版

・曽我謙悟（2019）『日本の地方政府』中央公論新社

・瀧口優・瀧口眞央（2013）「小平市における多文化共生の特徴と提言」『研究年報』（18）

・中央大学社会科学研究所編（1995）『地域社会の構造と変容―多摩地域の総合研究―』中央大学出版部

・土屋隆裕（2013）『多摩地域　住民意識調査―立川市・小平市　郵送調査（2012）―』（統計数理研究所調査研究リポート No.108）統計数理研究所

・寺西俊一（1995）「多摩地域研究の意義と課題」中央大学社会科学研究所編『地域社会の構造と変容―多摩地域の総合研究―』中央大学出版部

・東京経済大学多摩学研究会（1991）『多摩学のすすめ　Ⅰ―新しい地域科学の創造―』けやき出版

・東京経済大学多摩学研究会（1993）『多摩学のすすめ　Ⅱ―新しい地域科学の構築―』けやき出版

・東京経済大学多摩学研究会（1996）『多摩学のすすめ　Ⅲ―新しい地域科学の展開―』けやき出版

・東京都総務局行政部振興企画課（2017）『多摩の振興プラン～人の暮らしと自然が調和し、誰もが輝くまちを目指して～』東京都総務局行政部 HP ＜ https://www.soumu.metro.tokyo.lg.jp/05gyousei/sinkou/tama_shinkouplan2/tamaplan200.pdf#page=1 ＞ 2020 年 3 月 15 日閲覧

・野澤千絵（2016）『老いる家　崩れる街―住宅過剰社会の末路』講談社

・ふっさ・はむら多文化共生事業協議会（2021）『福生市・羽村市多文化共生実態調査報告書』福生市 HP ＜ https://www.city.fussa.tokyo.jp/_res/projects/default_project/_page_/001/011/271/tabunkakyouseihoukokusho.pdf ＞ 2021 年 6 月 15 日閲覧

・朴堯星・土屋隆裕（2013）『多摩地域　住民意識調査―昭島市・小金井市　郵送調査（2013）―』（統計数理研究所調査研究リポート No.112）統計数理研究所

・朴堯星・土屋隆裕（2014）『多摩地域　住民意識調査―八王子市　郵送調査（2014）―』（統計数理研究所調査研究リポート No.115）統計数理研究所

・朴堯星・土屋隆裕（2016）『多摩地域　住民意識調査―調布市・西東京市　郵送調査（2015）―』（統計数理研究所調査研究リポート No.118）統計数理研究所

・朴堯星・土屋隆裕（2017）『多摩地域　住民意識調査―立川市　郵送調査（2016）―』（統計数理研究所調査研究リポート No.120）統計数理研究所

第 1 章

多摩の地域開発
―経済地理学の応用からの分析―

新井田 智幸

　産業集積や交通網の整備、住宅開発などに影響を及ぼす地理的な特性。経済学が軽視してきたこれらの側面に焦点をあてる経済地理学の観点から分析したとき、多摩地域の開発の動態はどのようにみえてくるだろうか。(多摩ニュータウンの団地風景)

はじめに

　人口減少と少子高齢化は全国的な現象であるが、多摩地域も例外ではない。明治期以降一貫して開発と人口増加が続いてきた多摩地域でも、2020年前後をピークとして、人口が減少に転じるとの推計がなされている（東京都総務局2017）。このことは、多摩地域の経済の動態にとっても、現在が転換点といえる時期にあることを示している（序章参照）。

　歴史的には、戦前までの多摩地域は人口の少ない農村地帯であって、東京都心部の都市化が進み人口が増加するなかにあっても、開発が進むことはなかった。長らく多摩地域には東京都特別区部（以下、区部）と比較して1割以下の人口しかいなかった。戦時中には軍需産業の移転などで多摩地域に人口が移ったものの、戦後の再出発の時点で区部の15%強の比率であり、1960年まではその比率のままであった。ところが、そこから区部の人口が頭打ちになったのに対して、多摩地域の人口は増え続け、高度成長が終わる頃には区部の30%へと倍増した。その後も比率は高まり続け、2000年には50%に迫る比率にまで高まって、ピークを迎えた。その後も多摩地域の人口は増加してきたが、区部の人口も増加するようになったことで比率は低下している（**図1-1**）。

図1-1　人口の推移

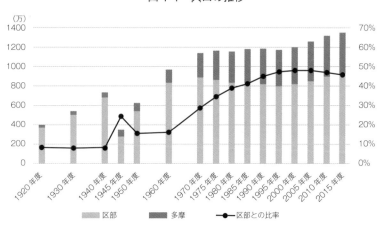

出所：「国勢調査」より筆者作成。

　このような人口動態からは、多摩地域が高度成長期に急成長したこと、その後の安定成長期にも成長し続けてきたこと、そして、2000 年代以降には成長が頭打ちになったことがみて取れる。これらの展開には、多摩地域における林野や田畑の宅地化や都市化、多摩ニュータウンの建設にみられるような大規模開発、そして近年の都心の再開発と都心回帰の動向などが関係している。一連の開発の歴史は、多摩地域に完結した形で形成されてきたものではない。いうまでもなく、これらは東京都心部との関係のなかで展開されてきた。都心部の都市化が進み過密になっていくなかで、その隣接地域である多摩地域が開発されていったのである。多摩地域の動態は都心部の動態を反映した、ある意味で受動的なものだったということができるだろう。

　そう考えると、多摩地域の経済の動態は、都心部を含めた東京あるいは首都圏全体の経済の動態と一体的に捉える必要があるだろう。本章で提示したいのは、多摩地域のこれまでの発展と、転換点をすぎたこれからの展望とについて、都心部と一体的に分析することである[1]。この際に、経済地理学の理論を応用して分析する方法をとる。経済地理学とは、地理的空間のなかで経済法則がどのような現象をもたらすかを扱う学問である。ここでとくに扱うのは、デヴィッド・ハーヴェイ（David Harvey, 1935-）のマルクス経済学に基づいた経済地理学理論である。データから読み取れる現象を、この理論がどのように解釈できるのかを通じて、多摩地域の開発の動態を検討してみたい。以下、1 節では、ハーヴェイの経済地理学を解説し、2 節ではその理論を踏まえて多摩地域の開発の展開について論じていく。この作業を通じて、多摩地域の開発が、東京都心部を中心とした資本の運動によって、歴史的にどのようになされてきたのかを概観し、今後の展望を考えるためのひとつの視角を提示したい。

1．ハーヴェイの経済地理学

　経済学は市場の均衡を分析する抽象的な理論に傾倒しすぎるあまり、経済活動が繰り広げられる地理空間が無視されているとの弱点を指摘されることがある。現実の経済現象を分析するうえでは、地理空間の特性を捨象することは不可能である以上、そうした批判は的確であろう。経済とは、生産、分配、消費を社会的

に営むシステムであると要約することができるが、生産には必要な資源と労働を投入するための立地の制約があり、分配や消費には交通や人口分布などが影響を与える。産業の立地の分布や産業集積、交通網の形成、住空間の構築など、経済は地理空間のなかで展開されることで、地理的な特性から影響を受けると同時に、地理空間を形成もする。経済学の理論が軽視してきたこうした側面に取り組む学問が、経済地理学である。ただし、これは地域研究や地理的データの分析を行うことにとどまるものではない。経済学が追求している経済法則が、どのような地理的現象をもたらすのかを理論化するのが、この学問の目的である。この分野にも多様な理論はあるものの、ここでは、マルクス経済学をベースにして経済地理学の理論体系を構築したデヴィッド・ハーヴェイの理論を取り上げる。

(1) 資本の運動法則

　マルクスの『資本論』体系に基づくマルクス経済学の理論は、産業の立地の自然的な条件や、農村と都市との関係などについての歴史的な記述があるとはいえ、経済法則として地理的な議論がなされているものではない。これを地理学的に拡張したものが、ハーヴェイの経済地理学である[2]。

　マルクス経済学の要諦は、資本主義の経済システムを、資本の自己増殖活動によって動かされるものとして一貫して捉えることである。資本とは貨幣と商品の間で形態を変化させ続けながら、その価値量を際限なく増殖させようとする価値の運動体である。資本は増殖し続けなければ存続できないため、利潤追求が資本の至上命題になる。利潤を獲得する方法はさまざまにありうるとはいえ、価値は根本的には労働によって生み出されるものであるため、産業資本主義[3]以降の時代には、利潤は商品の生産活動を通じて獲得されるようになる。ここで資本価値は、次のようなプロセスで増殖する。当初、貨幣形態をとっていた資本価値は、市場で原料や設備などの生産手段を購入し、労働者を雇用するという形で生産に投資され、商品が生産される。生産された商品の価値は、生産手段の価値に労働者が付け加えた労働価値を足したものとなる。ここで、付け加えられた価値と、労働者に支払われる賃金の価値は等しくはない。生産で付け加えられる価値は、労働者が支出した労働量に比例するのに対して、賃金は大まかにいうと労働者が生活できる水準で決まる。たとえば、労働者が1日2万円で生活できるならば、

賃金は社会的にその水準になるのに対し、資本が労働者に求める労働量は、たとえば 3 万円分の価値を付け加える量である。この結果、差額の 1 万円が資本の利潤となり、資本は価値増殖を果たすのである。この理論では、利潤の源泉は賃金以上の価値を労働者に生産させた剰余価値であるとされ、資本は労働者を搾取していると論じられる。この利潤論が、マルクス経済学の基本定理であり、資本は労働者を搾取し続けることで、際限なく増殖していくことができるのである。

　資本の運動が生産活動を担うことによって、資本主義経済では、生産力の拡大が飛躍的に進むようになる。資本は利潤追求のために、他の資本よりも少ない労働投入で商品を生産しようと競争的に創意工夫を凝らし、道具や機械を発達させ、生産組織を改良してきた。その結果、社会的には、大量生産によって、物質的な豊かさが高められた。しかし、これは労働を軽減させるためではなく、利潤を追求するためであるから、労働者の負担は重いままである。このように、資本の運動法則から、生産力の発展や労働者の境遇などが、論理的帰結として説明できるのが、マルクス経済学の特徴である。ただし、ここには地理空間の話は登場しない。資本の運動は空間的な運動としては扱われず、それが生み出す地理的現象については扱われなかった。しかし、資本主義経済が作り出す地理的景観は、明らかにそれ以前の経済システムが生み出してきた景観とは異なるものである。資本の運動が作り出す特徴的な地理的現象とは何なのか、これをハーヴェイは論じたのである。

(2) 3 重の資本循環

　ハーヴェイはマルクスが描いた資本の運動を、3 重の循環として捉えるモデルを示した（**図 1-2**）。第一次循環は、マルクスが示した生産と消費の循環である。生産活動において労働から価値が生み出され、資本は剰余価値を手にする。そして、消費の側面では、資本が商品を貨幣形態に還元させて、価値を実現すると同時に、労働者が生活を成り立たせて、労働力の再生産を果たす。この循環が、資本主義経済を成り立たせる基本的な循環である。しかし、この循環は常に順調に進むわけではない。労使対立によって労働力がうまく引き出せなくなったり、金融逼迫によって貨幣が不足し生産が妨げられたりと、さまざまな障害が立ちはだかる。そのなかでも資本が常に直面する深刻な障害が、価値実現の困難である。

資本は商品の生産によって価値を生みだすが、この価値は、商品が市場で販売されて貨幣形態に舞い戻って初めて資本として十全に働いたことになる。どれだけ商品を作っても売れなければ資本としては無意味である。資本は価値増殖を宿命づけられているのであるから、より多くの価値を、すなわちより多くの商品を作り続けなくてはならない。それに加えて、それがすべて売れなければならないという厳しい条件に直面し続ける。この困難に対処しきれないときに起こるのが恐慌であり、資本は、商品の価値の崩壊や、生産資本の廃棄といった形で、その価値が破壊されることになる。恐慌は究極的には避けられないというのがマルクスのテーゼではあるものの、これを回避しようと対策を講じるのが資本の性格である。その対策にかかわるのが、次の循環である。

　第二次循環とは、固定資本への投資に向かう資本循環を指す。固定資本とは、長期的に使用され、長期間かけて減価償却される財であり、生産に用いる機械なども

図 1-2　資本の第一次、第二次、第三次循環

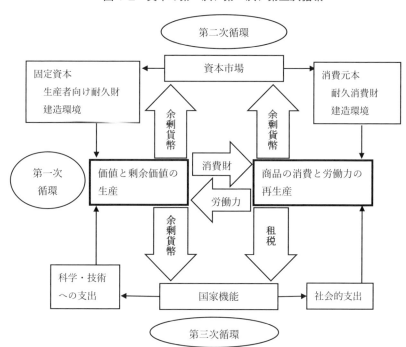

出所:『経済的理性の狂気』151 頁、213 頁、図表 3 より抜粋

含まれるが、その最も大きな部分は、工場やオフィスビル、交通機関などのインフラ、そして住宅などの建造物である。こうした建造物の集合を、ハーヴェイは「建造環境」と呼んでいるが、これらはいずれも巨額の価値をもち、長期間にわたって価値生産に使われながら、減価償却していく性質をもつ。建造環境は、商品の生産にも、労働者の生活にも不可欠であるから、常に生産されなければならない。一定の経済規模を維持するためにも、毎年、消耗した部分は補填されなければならないため、常に一定量の資本はこの循環に流れている。しかし、このような生産や生活の基盤を作ることだけが第二次循環の役割ではない。資本は全体として、どこかに投資され、利潤をあげ続けなくてはならないが、それは上述したように、第一次循環だけでは難しい。消費財の販売を増やし続けることは、労働者の購買力を考えても、消費意欲の大きさを考えても、限界があるだろう。そうなると資本は投資先を別にみつけ出さなくてはならなくなる。これをハーヴェイは過剰資本吸収問題と呼ぶ。そしてこれに対処するのに好都合な投資先が建造環境なのである。建造環境は資本価値を長期的に固定するものであるから、一度投資すれば、当面は過剰資本の処理問題を回避できるようになる。もちろん、こうした投資によって作られた固定資本は、やがてより大きな価値を生産するようになるため、将来においては、さらに大きな過剰資本吸収問題が発生することになる。この意味で、このような対処は問題の先送りにすぎないのであるが、現時点での過剰資本吸収問題を解決できるのであれば、それを追求するのが資本の行動様式である。こうして、資本の蓄積が進めば進むほど、第二次循環へと回る資本の量は増えていくことになる。これが意味するのは建造環境の大規模な新設や更新であり、これは地理的な現象と密接にかかわる内容となる。この循環が経済地理学にとって最も重要となるが、その前に、もうひとつの循環について説明しておこう。

　第三次循環とは、国家による社会的支出を通じた資本循環である。現代の資本主義経済では国家の果たす経済的役割は大きいが、ここには独特の意味がある。国家は資本主義経済の条件整備を担っている。それは秩序の維持から、教育などを通じた労働力の質の維持といったものまで、資本にとって不可欠な社会的基盤を提供している。また、基礎的な科学技術の発展を支援し、イノベーションを促すなど、資本の生産性を高めるための活動も行う。これらは、第二次循環とは違って、将来の利潤の生産に直結するものではないが、私的な資本が担えない公的な

投資という意味合いで、ひとつの資本循環をなす。この原資としては、租税のほか、公債による資金があてられるわけだが、公債は民間の過剰資本を吸収する役割を果たしているため、この循環も過剰資本吸収問題のもうひとつの経路だといえる。ハーヴェイは論じていないが、公共事業によるインフラ整備などの建造環境への投資は、第二次循環と第三次循環が合わさったものとみることができるだろう。地理的な現象との関わりでは、この部分がとくに重要である。

　以上、ハーヴェイによって拡大された資本の運動のモデルを概観したが、経済地理学としてとくに重要なのは第二次循環である。資本が過剰資本吸収問題に対処するなかで、建造環境を大きく変えることが、論理的な法則性として導出された。ここからどのような地理的現象が説明できるのか、次にみていこう。

（3）空間的回避と都市の盛衰

　建造環境への投資は、過剰資本の処理が目的になっているとはいえ、それが利潤を生むという期待があって初めて投資先として機能する。そのため、この資本の動きは、地理的な指向性をもつことになる。建造環境が利潤を生むのは、根本的には生産性の向上につながる場合である。これは、最新鋭の工場を建設すれば効率が向上するというように、単独の投資にもいえることであるが、空間的な広がりのなかで考察した場合には、関連産業の工場が近接することで、その地域の工場全体が生産性を向上させられるという効果もあるだろう。また、道路や港湾など、交通インフラの建設によって、離れた空間が時間的には近くなることで、輸送時間までを含めて生産性を考えるならば、沿線に立地した工場の生産性は向上するといえる。このような生産性の向上は、建築物やそれが立地する土地の価格を高め、レント（賃貸料）が上昇するという形で利潤に結び付く。このようなメカニズムからわかることは、建造環境への投資は、地理的に集中する可能性が高いということである。すでにある産業立地の周りに関連産業の工場が立地する場合もあれば、高速道路と工業団地がセットで開発されることもあるだろうし、駅前の古い商店街が大規模に再開発される場合もあるだろう。いずれも多数の資本が特定の地域に集中して建造環境に投資することで相乗効果による利潤の獲得を期待するものである。資本はこのようにして、工業地域や商業地域や住宅地域などの景観を、その運動に適した形で創造するのである。

　このようにして資本が空間を飛び回ることを、ハーヴェイは「空間的回避（spatial fix）」と呼んでいる。fix という言葉に込められているのは、利潤を見込める投資先を求めて過剰資本を離れた空間へと「回避させる」と同時に、建造環境に長期的に「固定する」ことである。性質上、巨額の投資となる建造環境の形成には、当然慎重な判断がなされるはずであり、より確実に、投資先の地域が成長することが望まれるであろう。そのため、より相乗効果の大ききそうな大規模な開発ほど魅力的に映るだろう。したがって、資本蓄積が進み過剰資本の総量が大きくなると、より大規模な開発や再開発が望まれることになる。この傾向は都市の形成と拡張として現れる。オフィスビル街、交通網、ショッピングモール、住宅街など一連の都市機能が建設されることで、過剰資本はこれまでも処理されてきた[4]。資本主義経済が都市を必要とするのは、こうした必然性からなのである。

　しかし、このような資本による空間の形成には副作用もある。資本は本来的には自由に飛び回れる価値であるため、特定の地域にとどまり続ける必然性はない。もちろん、建造環境などの固定資本に投下された資本は、短期的には動きにくいとはいえ、常により多くの過剰資本は投下先を探して動き回っているため、資本全体の動きは安定的ではなく、より高利潤を得られる空間を目指して、激しく移動するものだといえる。これが意味するのは、特定の地域への資本の集中と、別の地域からの資本の逃避である。建設ブームと地価の高騰に沸いている都市がある一方で、投資が引き揚げられて衰退を余儀なくされる都市が存在するという不均等な状態が、資本主義が生み出す地理的現象になる。特定の地域についてみると、一時的に投資が集中して繁栄を謳歌しても、そのブームが過ぎ去れば、荒廃した街並みだけが残されるという結末を迎えるということである。過剰資本の規模が大きくなったうえに、グローバルにそれが飛び回る現代においては、こうした都市の盛衰の波はより激しくなっているといえる。これが、ハーヴェイの経済地理学から導かれる、都市の動態である。

2．多摩地域の分析

　前節で紹介した理論は、資本主義経済の一般的な法則であったが、これが多摩地域の開発や都市化にどのように当てはまるかを検証してみよう。東京都心を求

図1-3　宅地用途の推移

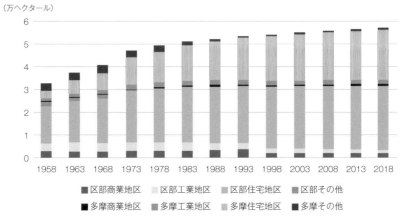

（万ヘクタール）

出所：『東京都統計年鑑』より筆者作成。

図1-4　区部の事業所数と従業者数

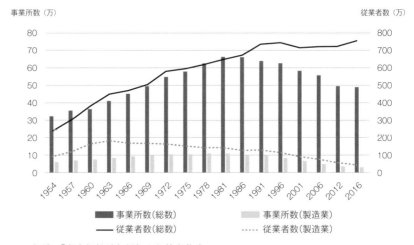

事業所数（万）　　　　　　　　　　　　　　　　　　　　従業者数（万）

出所：『東京都統計年鑑』より筆者作成。

心力として集まる資本の運動が、隣接する多摩地域にどんな影響を与えてきたのかを、データを参照しながら分析してみたい。

　以下で用いるデータは、人口の推移（**図1-1**）、宅地用途の推移（**図1-3**）、事業所数と従業者数の推移（**図1-4、図1-5**）、公営住宅建設戸数（**図1-6**）である。

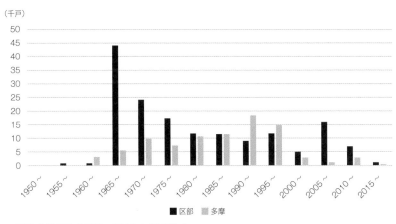

図 1-5　多摩地域の事業所数と従業者数

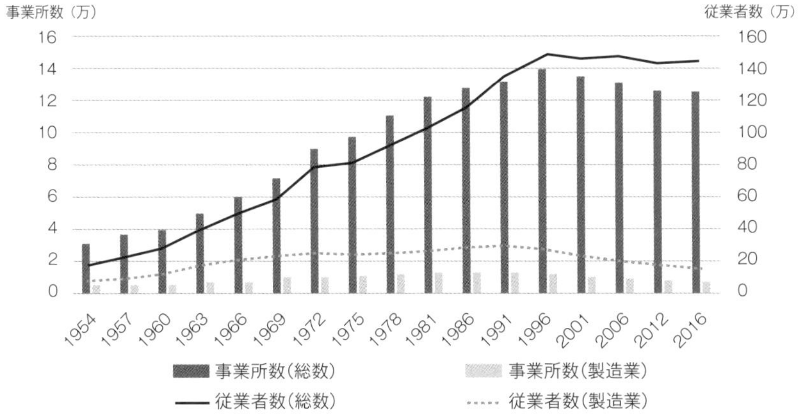

出所：『東京都統計年鑑』より筆者作成。

図 1-6　公営住宅建設戸数

出所：「都営住宅団地一覧」より筆者作成。

これらを通じて、資本の運動に必要な労働力の供給地としての多摩地域の位置づけや、生産資本である製造業の多摩地域における特徴を考察する。

　これらの時系列的な推移を、4 つの時期区分に分類して考察を行う。第 1 期は高度成長期以前（1950 年以前）であり、多摩地域が戦前から引き続いて農村とし

ての性格を主たる特徴としていた時期である。第2期は、高度成長期（1950-1970年）であり、東京への人口移動が急激に進むと同時に、多摩地域の人口も増加した時期である。第3期は高度成長終焉後の安定成長期（1970-1995年）であり、成長率の鈍化にもかかわらず、多摩の開発と人口増加が着実に進んだ時期である。第4期は平成不況期（1995年以降）であり、バブル崩壊後の停滞のなか、多摩地域の成長がピークを越えた時期である。

(1) 高度成長期以前（1950年以前）

　戦前から戦中のデータは乏しいが、人口からもわかるように、多摩地域は区部とはまったく性格を異にした農村地域であった。1952年の統計でも、区部の土地面積に占める宅地[5]面積の割合が60%であるのに対し、多摩地域ではわずか10%であった。50%近くが山林であるという地形の要因があるにしても、多摩地域の宅地面積は区部の3割である一方、田畑面積は区部の2倍と、農業を基盤とした低密集地域であったことがわかる（『東京都統計年鑑』各年版）。戦前の主たる産業は養蚕とそれにともなう製糸業などの繊維産業であり、それらが輸出産業の中軸であったことから、輸出港のある横浜との結びつきが強かった[6]。

　戦前の資本主義の発展は、区部における労働力の増加を必要としたが、それは基本的に区部の範囲内で調達され、多摩地域への波及は少なかった。1920年までの人口増加はほぼ区部内に収まっており、1930年までの時期に、区部に隣接する地域で、人口増加と宅地増加がみられた（渡辺はか1980）。ただし、区部からの移転が起きたのではなく、区部も人口を増やしながらの増加であったため、区部との相対的な人口比は変わらなかった。

　戦時中には、戦災や疎開などによって、区部の人口が激減した結果、多摩地域の人口比は一時的に急上昇し、区部に人口が戻ってきた後も、戦前より人口比は高まった。戦時期に大規模な軍需工場が多摩地域にいくつも造られたことで、それらが戦後の製造業の基盤となった（柴田1991a）。こうして、多摩地域の区部に対する人口や産業の比重が一段高まった状態で、高度成長の時期を迎えた。

(2) 高度成長期（1950-1970年）

　高度成長期は区部、多摩地域ともに人口を急増させていった時期である。まず、

1960 年までの前期には、区部の外縁部と、北多摩、南多摩の区部寄りの地域で人口と宅地が増加し、1970 年までの後期には、北多摩、南多摩の全域で増加がみられた（渡辺ほか 1980）。人口と宅地の増加する地域が都心から離れながら、東京および首都圏の人口が急増していった。こうした経過により、前期には多摩地域の区部に対する人口比は高まっていないが、後期にはその比率を大きく高めることになった。宅地開発は人口増加に先行するように進められ、多摩地域においては、1958 年から 1973 年の間に、宅地面積は倍加し、住宅地区については 4 倍近くまで増加した（**図 1-3**）。

　このような人口の急増は、東京都心を中心とした資本蓄積の順調な経過によって引き起こされたものである。この時期に事業所数と従業者数は増え続け、区部だけで 500 万人を超えるまでになった（**図 1-4**）。この労働力をまかなう人口は区部だけでは足りず、多摩地域をはじめ、周辺地域をベッドタウンとする大都市圏が広がっていった。これは、都心への通勤が可能な交通網を築く[7]とともに、宅地を開発し、住宅、商店、公共施設などを建設するという建造環境の形成を意味する。この時期に多摩地域は大きく変貌を遂げるが、それは主として、都心での資本蓄積に必要な労働力の供給のためであったといえるだろう。建造環境への投資は、過剰資本の処理というよりは、第一次循環を正常に機能させるために必要な労働力を確保するという、より生産に直結した目的のために行われたと解釈できる。

　ただし、生産資本の中心をなす製造業についていえば、この時期に、区部では早くも従業者数が減少傾向に移行しているという特徴がある（**図 1-4**）。対して、多摩地域では増加傾向であり、都心部からの大工場の移転などの影響がみて取れる（**図 1-5**）。工業用地が区部で減少し、多摩地域では増加していることからも、広い工場用地を求めて、区部から多摩へと工場の立地移動が起こったといえる。製造業の事業所規模が、この時期にとくに多摩地域で大きくなっていることもそれを裏づけている。製造業の従業者の割合は、区部にくらべ多摩地域のほうが一貫して高く推移している。第二次産業から第三次産業へと産業構造の中心が変わるにつれて、製造業のシェアは下がっていくが、区部が先行し多摩は遅れてその傾向をたどっていることがわかる。

　以上より、高度成長期には多摩の宅地開発が急速に進み、住宅の増加による人

口の急増と、工場の増加による製造業の成長があったことがわかる。東京都心を中心とした資本の運動からみると、都心へと労働力を供給するベッドタウンとしての役割が大きいものの、製造業が多摩地域内で成長することで、それだけでない役割をももつようになったといえる。

(3) 安定成長期（1970-1995 年）

　高度成長が終わると、区部の宅地の増加はほぼ停滞し、人口は減少傾向となった。一方で、多摩地域では宅地が増加し続け、とくに住宅用地は増加率が高かった（**図 1-3**）。そのため、人口も急増し、多摩地域は区部に比して、30％（1970 年）から 45％（1990 年）の人口を抱える人口密集地域へと変貌していった（**図 1-1**）。この時期の多摩開発を象徴するのが多摩ニュータウンの開発である。高度成長期の人口急増による過密化と、郊外における市街地の無秩序なスプロール化に対して、計画的な住宅地の開発と良質な住環境の提供を意図して南多摩に 30 万人規模の宅地開発が始められた。1970 年度末の入居開始から 1990 年までに、多摩ニュータウンの人口は 15 万人を数えるようになり、その後 22 万人超となって現在に至っている。当初は、東京都心に依存しない職住接近の独立型都市を目指す構想もあったようだが、結果的にはベッドタウンとしての性格の強い宅地開発となったという（高橋 1993）。都心の地価高騰などとも相まって、こうした郊外の良質な住宅地への人口移動がみられたのが、この時期の特徴だといえる。また、公営住宅の建設についても、高度成長期後半は区部を中心にしたものだったのが、この時期には多摩地域の割合が高まっている（**図 1-6**）。東京の人口増加を多摩地域が担ったのがこの時期であった。他方で、区部は人口を減らしながらも、区部での従業者数は継続的に増えており、郊外から都心への通勤がより一般化したことがわかる。

　この時期の資本の運動は引き続き都心を中心に蓄積が進んだといえるだろう。ただし、労働力の確保については、以前のように、より都心に近い地域に人口が増えることでまかなうという形態から、郊外に住宅地を開発し、そこに人口を移しながら、長距離通勤によってまかなう形態へと変化が見られた。これは労働者（家族）にとっての住環境の向上であると同時に、ニュータウンの開発やそれにともなう交通網やインフラの整備にこれまで以上の投資がなされたことをも意味

する。つまり、資本の第二次循環である建造環境への投資の比重が高まったということである。資本の運動にとっては、これは二重にメリットがある。労働力の確保という蓄積の前提条件を満たすと同時に、建造環境への莫大な投資機会が生まれ、過剰資本の処理に困らない状況が実現するからである。経済成長率が全体としては低下した時期における多摩地域の急成長は、東京に集まる資本にとっては、恵みの存在だったということができるだろう[8]。

　以上は、ベッドタウンとしての多摩地域の成長の側面であるが、ベッドタウンとしてではない独自の資本蓄積の場としても多摩地域は成長した。この時期に、事業所数や従業者数の伸び率は区部よりも高く推移し、従業者数は倍増した。もっともその中心は製造業ではなく、第三次産業へのシフトが明確にみられるものの、工業用地面積が区部では減少傾向となったのに対して、多摩地域では緩やかに増加しピークを迎えた。区部にくらべて大規模な工場の生産性の向上もあり、多摩地域の製品出荷額は継続して伸び、区部に対する比率は高まり続けた。こうして、東京の製造業の中心は多摩地域に移動した。ただし、量産型の大規模工場はこの時期に既に多摩地域からも転出しはじめ、地方や海外へと移転が起こっていた。在京の工場は、研究開発中心のものへと性格を変えていき、工場の規模や従業者数についてはシェアを低下させていくこととなった。この傾向は区部で先行して起こっていたものだが、多摩地域についても、生産の現業から、開発や管理業務へと、都市型の機能へのシフトが進み始めた（北村 1987；柴田 1991b；本書第3章）。

(4) 平成不況期以降（1995 年以降）

　1990 年代初頭にバブルが崩壊して以降、日本経済は長期不況に突入し、低成長率が続いている。しかし、この時期に東京の人口はむしろ増加傾向を強めている（**図1-1**）。地方経済が衰退する一方で、相対的に堅調な東京へと一極集中が強まったためである。東京へ集まる人口は多摩地域の人口も増加させたが、この時期には区部の人口が再び増加に転じたことが特徴である。区部での宅地の用途が変更され、商業地区や工業地区が住宅地区へと転換したことで、住宅が大量に供給されたからである。こうして、多摩地域の人口成長は続いたものの、区部との比率ではピークを越えて、やや低下する傾向となっている。都心の再開発による都心

回帰が起こったのである。

　しかし、東京の人口増加に対して、事業所数は区部に続き多摩地域でも減少に
転じ、従業者数はどちらでも横ばいが続いている（**図1-4、図1-5**）。多摩地域
でも製造業の従業者数が減少傾向となり、製造品出荷額も減少が続いている。製
造業の域外への流出が、先行した区部と同様に、多摩地域でも起こっているとい
える。この間に区部ではさらに製造品出荷額を減少させているため、多摩地域は
区部以上の製造業の産出量となった。しかし、これは多摩地域の製造業の強さを
示すというよりは、製造業のシェアが低下していく傾向の時間差から生まれた現
象にすぎないとみるべきであろう。

　安定成長期までとは変わって、資本の運動はここにきて蓄積に不調をきたして
いるといえる。従業者数が増えないことは、資本が価値を生産する活動に、追加
的には投じられていないことを意味する。資本の第一次循環が行き詰まっている
のである。もちろん、東京に集まる資本は域外の生産資本に対する管理機能を果
たしているために、域内で利潤を獲得しなくても運動し続けることはできるだろ
う。しかし、それでも投資機会が以前にくらべれば減っていることは確かであり、
それは過剰資本の増加を意味する。

　それが向かうのは第二次循環の建造環境である。安定成長期には建造環境への
投資は多摩地域に比較的多くなされた。ところが、平成不況期には都心の再開発
という形でその投資が区部に向かうように変化した。都心のオフィスビルがリ
ニューアルされ、都心に近い地域にタワーマンションが林立するようになった。
これまで外に広がる方向で多摩の景観を変えてきた資本の運動が、今度は都心の
景観を大きく変えるようになったのである。東京への一極集中の流れに掉さしな
がら、これらの投資は堅調に推移しているようである。

　しかし、これらはかつての建造環境への投資ほどメリットが多いとはいえない。
生産資本が停滞し、労働力の需要が高まらないなかで、区部の人口が増えることは、
郊外の人口を減らす要因となるからである。このことは人口減少地域に建設された
建造環境の価値を破壊する可能性がある。住宅の価格は下がり、商業ビルの価格
は下がり、交通機関の採算がとれなくなるかもしれない。比較的最近に建造され
たものであればあるほど、人口を失ったときの資本価値の棄損は大きくなる。全
体としての労働需要が増えないなかでの建造環境への投資は、地域間での人口の

奪い合いとなり、長期的に投資が成功する可能性を互いに引き下げる結果となる。都心への回帰は、多摩地域にとって人口減少によるこうしたリスクの要因といえるだろう。都心部ですら同様のリスクは抱えているが、多摩地域においては、都心部のような求心力を欠くために、その可能性はより深刻だといわざるを得ない。

おわりに　—多摩のこれから—

　本章では、ハーヴェイの経済地理学を応用することで、東京都心を中心とした資本の運動との関連で、多摩地域の開発の過程を概観してきた。この資本の運動は、まず区部を都市化しながら人口を増やし蓄積を進めた。周辺の農村地域だった多摩地域は、区部の都市化があふれ出す形で近郊から開発が急速に進められた。高度成長期を通じて多摩地域の宅地化は大きく進み、資本が必要とする労働力の巨大な供給地となった。高度成長が終わった後も、多摩地域の開発は衰えず、郊外型の住居を提供することにより、区部からも人口を吸収するようになった。資本の運動が多摩地域の建造環境へ向かう比重を高めたのである。多摩地域の存在感はこの時期に最も高まっていたといえるだろう。しかし、平成不況期にはその資本の流れは逆転する。区部の再開発によって、人口の流れも再び区部に向かうようになることで、多摩地域の成長はピークを迎えつつある。

　資本の運動は都市を形成し、発展させては衰退させるというのが、ハーヴェイの理論が示した法則であった。それは多摩地域の開発の歴史にもあてはまっている。資本の運動が、多摩地域の建造環境を一変させ、農村から都市に変えたのだが、そのような資本の流入はいまや逆転しかかっている。資本の運動に、ある意味では身を任せておけば、発展が継続したような環境は、現在では失われていると受け止めなくてはならないだろう。都市の衰退の局面は、発展と対称的ではない。資本の運動が弱まっても作り変えられた建造環境は残り続けるためである。それを機能しつづけさせるにも廃棄するにも、大きなコストがかかり、それがますます資本や人口を遠ざけるという悪循環をも引き起こす。資本を呼び込む以上の困難な課題に、衰退局面の都市は直面することになるのである。それは、多摩地域にとっても、今後避けられない課題となるだろう。

　その課題に対してどのような対応が考えられるだろうか。多摩地域の産業は、

区部と比較して、製造業と、教育、医療、福祉分野の割合が高い特徴がある（第2章参照）。製造業については、先にも述べたように、東京全体で縮小傾向にあるため、この産業に依拠して発展を続けようとするのには限界があると思われる。一方、教育や医療、福祉はまだ発展の余地が大きいといえるだろう。産業構造の高度化によって労働者に求められる知識や技術は高まる一方であり、高等教育の重要性は今後も高まっていくだろう。製造業も研究開発機能へとシフトするなかで、大学との連携のしやすさは重要な立地条件となるはずである。その点で、大学や研究機関を多く抱える多摩地域には、強みがあるといえる。大学の都心回帰の動きもあるものの、より広いキャンパスと学生の良好な居住環境とを活かすような、学園都市を目指す方向は有望な道ではないだろうか。また、医療や福祉は高齢社会にあってどこでも需要が高まっている。これらの産業は地域に密着した資本と労働力によって営まれるために、区部から独立した資本循環として確立することになるだろう。ベッドタウンとしてではなく、多摩地域が独自の発展をしていくためには、こうした産業がより中心を担う必要があるだろう。もっとも、これについては国の福祉政策が大きくかかわるため、ローカルな施策だけでは限界がある。東京都心への一極集中や高齢社会に対する福祉国家のあり方など、国全体の課題と合わせて検討されるべき課題だといえる。資本の運動に振り回されないための、持続可能な地域経済のあり方はどのようなものなのか。多摩のこれからは、日本のこれからと合わせて考えられなければならない。

注

[1] 本章における「都心部」とは区部の領域を指す。区部のなかにも中心的な地域と周辺的な地域があるために、経済地理学的な概念に、より適合的なのは、区部のなかでもより限定された狭い領域であろうが、データの制約上、区部をひとまとまりに扱っている。

[2] 主著は『資本の限界』（邦題は『空間編成の経済理論』、1982年）であり、その基本的な理論体系を発展させた議論が、『資本の〈謎〉』（2010年）、『経済的理性の狂気』（2017年）において展開されている。

[3] 資本が利潤を獲得する主たる形態が貿易などの商業だった初期の資本主義が商人資本主義と呼ばれるのに対し、産業革命を経て工場での商品生産が主たる形態となった資本主義を産業資本主義と呼ぶ。

[4] ハーヴェイが示している事例のひとつは1940年代のアメリカである。戦後の軍需産業の縮小が見込まれるなか、そこで生じる過剰資本を処理するためにとられた方策が、高速道路網で結

んだ郊外化によって大都市圏を再開発することであった。いわゆるアメリカらしい都市の景観は、このようにして作られたのである。(Harvey 2010, Ch.6)

5 「宅地」とは建物を建造できる土地のことであり、住宅用地、工業用地、商業用地などの内訳からなる。

6 生糸を中心とした繊維産業は江戸時代末期の横浜開港以降、それらが輸出品の主力になったことで八王子を集散地として発達した。そして、八王子から横浜への街道が多摩地域の主要な通商路となった。行政区としての多摩地域が明治期に入って神奈川県に所属していたのも、こうした産業の結びつきからいって自然なことであったが、1893 年（明治 26 年）になって東京府に移管された。この移管は、多摩地域を警視庁の管轄下に置くことで、多摩地域で高揚していた自由民権運動を抑えるためだったともいわれている（新井 1991）。

7 姫野（1991）では、多摩地域の交通網の発展と、通勤圏の広がりの歴史的展開が示されている。

8 もっとも、多摩地域をも含めた東京の不動産開発の堅調さが、土地神話を生み、不動産バブルへとつながっていったという意味で、大きな副作用もあったことは述べておかなくてはならない。

参考文献

・新井勝紘（1991）「五日市憲法の発見」東京経済大学多摩学研究会編『多摩学のすすめ I』けやき出版

・北村嘉行（1987）「多摩地区の工業化にみる大都市周辺機能の変化」『経済地理学年報』33 巻 4 号

・公益財団法人東京市町村自治調査会（2019）『多摩地域データブック〜多摩地域主要統計表〜2019（平成 31・令和元）年版』< https://www.tama-100.or.jp/contents_detail.php?co=cat&frmId=909&frmCd=2-6-1-0-0 > 2021 年 3 月 14 日閲覧

・柴田徳衛（1991a）「経済発展の歴史」東京経済大学多摩学研究会編『多摩学のすすめ I』けやき出版

・柴田徳衛（1991b）「多摩の工業」東京経済大学多摩学研究会編『多摩学のすすめ I』けやき出版

・高橋賢一（1993）「多摩ニュータウン開発における計画と事業の変遷過程に関する研究─職住接近型ニュータウンの萌芽過程と計画・事業手段の変遷─」『土木史研究』第 13 号

・東京都総務局『東京都統計年鑑』< https://www.toukei.metro.tokyo.lg.jp/tnenkan/tn-index.htm > 2021 年 3 月 14 日閲覧

・東京都総務局（2017）「「多摩の振興プラン」の策定について」< https://www.soumu.metro.tokyo.lg.jp/05gyousei/06sinkoutamaplan2.html > 2021 年 3 月 14 日閲覧

・東京都住宅政策本部「都営住宅団地一覧」< https://www.juutakuseisaku.metro.tokyo.lg.jp/juutaku_keiei/264-00toeidanchi.htm > 2021 年 3 月 14 日閲覧

・新井田智幸（2019）「デヴィッド・ハーヴェイのマルクス主義経済地理学」『歴史と経済』第 245 号

・姫野侑（1991）「多摩の人口集中と交通」東京経済大学多摩学研究会編『多摩学のすすめ I』けやき出版

・渡辺良雄・武内和彦・中林一樹・小林昭（1980）「東京大都市地域の土地利用変化からみた居住地の形成過程と多摩ニュータウン開発」『総合都市研究』第 10 号

・Harvey, D.（1982）, *Limits to Capital*, Basil Blackwell（松石勝彦他訳『空間編成の経済理論（上）

（下）』大明堂、1989、1990 年）

・Harvey, D.（2010 = 2011）*Enigma of Capital*, Profile Books（森田成也他訳『資本の〈謎〉』作品社、2012 年）

・Harvey, D.（2017）*Marx, Capital and the Madness of Economic Reason*, Profile Books,（大屋定晴監訳『経済的理性の狂気』作品社、2019 年）

第 2 章

多摩の労働市場
―特別区部との比較から―

安田 宏樹

　マクロデータで大まかに把握される多摩地域の雇用や賃金、就業者の特徴を、個人レベルのミクロデータで分析すると、どのようにみえてくるのか。特別区部との比較から、多摩地域における労働市場の特性を探っていく。（多摩川沿道を自転車通勤）

はじめに

　本章では、さまざまな統計を用いて、多摩地域の労働市場を東京23区（以下、「特別区部」と呼ぶ）と比較する。筆者が専門とする労働経済学の分野では特定の地域に注目して分析を行うことは稀である。それは労働経済学が一国の失業や賃金格差、人的資本投資などに着目して発展してきたからであると思われる[1]。数少ない例外が最低賃金の影響に関する研究で、地域別最低賃金が労働市場に与える影響についての文脈では地域に分析がフォーカスされる。ただ、この場合も日本であれば地域別最低賃金が都道府県別に設定されるため、都道府県レベルの考察は行われるものの、市区町村レベルの地域が分析対象とすることは非常に少ない。

　しかしながら、近年、Moretti（2012）のように特定の産業集積などの地域要因が雇用に与える影響についての研究も進展している。Moretti（2012）ではイノベーションが進展している地域の高卒者の賃金は旧来の製造業が集積している地域の大卒者よりも高いことなどが示されており、地域特性に着目した分析の意義がうかがえる。日本においても同じ「東京都」であっても、特別区部と多摩地域、島嶼部などの地域によって、労働市場の特性は異なることが予測される。そこで、本章では東京都の人口の3分の1弱、事業所の2割弱を占める大きな市場規模を有する多摩地域と特別区部との比較を中心に、多摩地域の労働市場の特性について考察していきたい。とくに、マクロデータとミクロデータの双方から多摩地域の労働市場を特別区部と比較をし、その特徴について明らかにする。

　分析に入る前に本章で用いるデータの特性について簡単に説明したい。マクロデータとは集計されたデータを指し、ミクロデータとは個人や企業など個票レベルで収集されたデータである[2]。失業を例にとれば、都道府県ごとに算出された失業率は、各都道府県の失業者の情報が集約されたマクロデータであり、個人レベルで失業状態や就業状態などが把握できるデータがミクロデータである[3]。ミクロデータのほうが分析可能な情報量は多く、ミクロデータを用いることで、失業状態に置かれている個人の状況や特性（年齢、性別、学歴など）を細かに分析することが可能となる[4]。本章では政府統計のマクロデータとともに筆者も参加し収集したミクロデータの双方の統計から多摩地域と特別区部の労働市場につい

て比較を行いたい。

1．マクロデータからみる多摩地域の労働市場

　本節では、集計されたマクロデータを基に多摩地域の労働市場について概観していきたい。とくに特別区部との比較を中心に、多摩地域の特性をみていく[5]。

(1) 国勢調査

　最初に使用するデータは「国勢調査」である。「国勢調査」は日本国内に居住するすべての人や世帯を対象に 5 年に 1 度実施されている悉皆調査（全数調査）である。第 1 回調査は 1920 年（大正 9 年）に実施され、最新の 2020 年（令和 2 年）調査は 21 回目の調査であった[6]。本節では、利用可能な 2005 年から 2015 年の直近 3 回の調査から多摩地域の労働市場を概観したい。

　まず、2015 年の人口をみると東京都全体は 1351 万 5271 人であり、特別区部は 927 万 2740 人（68.6％）であった。多摩地域の人口は 421 万 6040 人、島嶼部の人口は 2 万 6491 人で、それぞれ 31.2％、0.2％を占めている。東京都の人口の 3 分の 2 以上が特別区部に集中している一方で、多摩地域も 3 分の 1 近い規模を有していることがうかがえる[7]（序章も参照）。

　次に、就業率をみていきたい。就業率は「就業者数／ 15 歳以上人口× 100」と定義される指標である。

　図 2-1 から、就業率は島嶼部が最も高く、特別区部と多摩地域の就業率には大きな差はないことがわかる。島嶼部の就業率は 60％を超えており、さらに 2005 年から 2015 年にかけて就業率が約 3 ポイント伸びている。一方で、特別区部と多摩地域の就業率は 50％程で、2005 年から 2015 年にかけて就業率が低下している。東京都の推計[8]（2019 年 9 月 15 日時点）によると、特別区部の高齢化率（総人口に占める 65 歳以上割合）は、特別区部で 22.3％、多摩地域・島嶼部で 25.5％であった。また、1999 年から 2019 年までの 20 年で特別区部は 6.2 ポイント、多摩地域・島嶼部は 11.5 ポイント高齢化率が上がっており、高齢化の進展によって、多摩地域の就業率が低下している可能性が示唆される。

　次に、産業別の就業率（2015 年）をみていきたい。

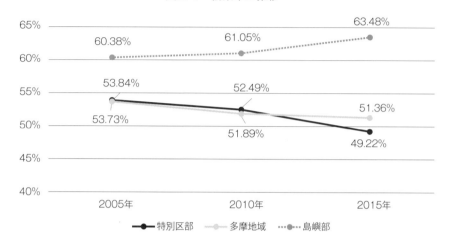

図 2-1　就業率の推移

出所：「国勢調査」により筆者作成。

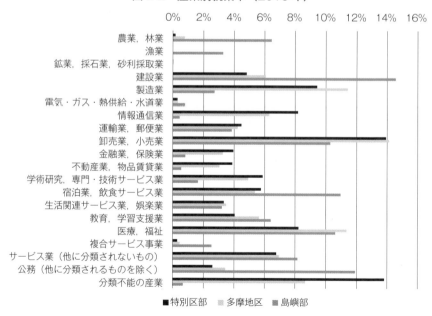

図 2-2　産業別就業率（2015 年）

出所：「国勢調査」により筆者作成。

　図 2-2 から、農業、林業、漁業などの第 1 次産業が多いのは島嶼部であり、多摩地域と特別区部では第 1 次産業比率は非常に低いことがわかる。第 2 次産業である製造業比率に関しては、多摩地域が最も比率が高い。また、第 3 次産業のうち、「卸売業、小売業」、「医療、福祉」や「教育、学習支援業」の分野において多摩地域の比率が高いことがみて取れる。とくに、卸売業、小売業は多摩地域で最も比率の高い産業となっていることがわかる。

　大まかな産業構造としては、島嶼部の第 1 次産業比率が高いこと、多摩地域では卸売業、小売業、製造業、医療、福祉の各比率が高いことがうかがえる。

（2）経済センサス

　2 つ目に用いるデータは、総務省「経済センサス」である。経済センサスは、企業の経済活動の状態や産業構造を明らかにする目的で実施されている調査である。経済センサスは、企業の基本的構造を明らかにする「基礎調査」と企業の経済活動の状況を明らかにする「活動調査」の 2 つから構成されており、その双方を用いる。

　経済センサスから、東京都の各地域の事業所数と従業員をまとめたものが**表 2-1** である。事業所数、従業員数ともに特別区部が最も多く、2016 年では 80.26％の事業所が特別区部に立地している。多摩地域は東京都の事業所の 19.44％、島嶼部は 0.01％が立地している[9]。従業員に関しては、特別区部が 83.84％、多摩地域が 16.04％、島嶼部が 0.12％を占めており、特別区部に集中しているものの、多摩地域にも一定規模の労働市場が確立されていることがわかる[10]。

（3）一般職業紹介状況

　集計されたマクロデータの 3 つ目として、厚生労働省『一般職業紹介状況』から有効求人倍率の推移を確認したい。一般職業紹介状況は、公共職業安定所（ハローワーク）における求人、求職、就職の状況をまとめ、毎月公表している統計である。

　また、有効求人倍率とは求職者に対する求人数の割合のことで、「月間有効求人数」を「月間有効求職者数」で除して得られた数値である。なお、一般に公開されているデータは、都道府県レベルの数値までであるため、多摩地域の有効求

表 2-1　東京都の事業所数、従業員数

(単位：事業所、人)

	2009 年		2014 年		2016 年	
	事業所数	従業者数	事業所数	従業者数	事業所数	従業者数
特別区部	617,114	7,902,039	585,449	8,066,791	550,265	7,550,364
多摩地域	150,365	1,638,093	143,830	1,612,165	133,253	1,444,320
島嶼部	5,100	28,754	2,443	13,433	2,097	10,827

出所：「経済センサス‐基礎調査」「経済センサス‐活動調査」により筆者作成。

図 2-3　有効求人倍率の推移

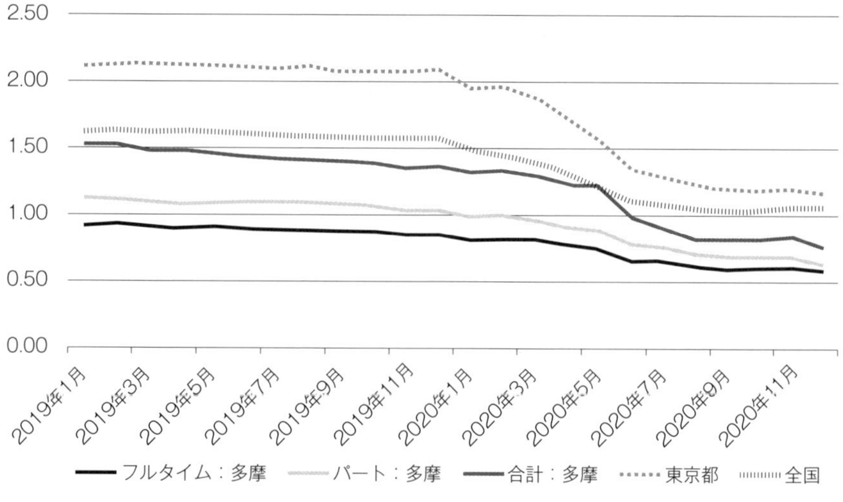

出所：たましん地域経済研究所ウェブサイト（注 11 参照）により筆者作成。

人倍率は、たましん地域経済研究所のウェブサイトより取得した[11]。

　図 2-3 をみると、多摩地域の有効求人倍率は全国値よりも低く、とくにフルタイムの求人が少ないことがわかる。2020 年 1 月までは 1 倍を超えており、求職者数より求人数が上回る状況が続いていたが、新型コロナウイルス感染症拡大の影響を受け、2020 年 3 月以降は有効求人倍率が 1 倍を下回るようになっている。

　また、東京都や全国値が 2020 年 8 月頃から有効求人倍率が下げ止まりの傾向

を見せているのに対し、多摩地域の有効求人倍率は低下傾向が続いており、新型コロナウイルス感染症拡大の爪痕が深く残っている様子がうかがえる。

　有効求人倍率に関連し、多摩地域における企業の採用について分析した研究に浜田（2013）がある。ここでは、多摩信用金庫の取引企業 471 社[12]に対する調査を用いて、新卒学生が都心の大企業に流れてしまうために、多摩地域の中小企業は十分な採用を行えていない可能性について明らかにしている。調査の結果、多摩地域の企業は、採用人数などの量的な面では 72.2％、採用した人数の質的な面でも 62.5％の企業が「満足している」と回答しており、多摩地域の企業は十分な採用活動を行えているとしている（ただし、特別区部との比較はなされていない）。

　ここまで集計されたマクロデータを用いて多摩地域の労働市場を概観してきたが、労働者一人ひとりの就業状態や賃金の特性などは、集計されたマクロデータだけでは影響がみえにくい。そこで、次節では労働者レベルのミクロデータを用いて、多摩地域と特別区部の比較をより詳細にみていきたい。

２．ミクロデータからみる多摩地域の労働市場

　前節では、マクロデータを用いて多摩地域の労働市場について特別区部との比較を中心に概観した。マクロデータを用いた分析からは大まかな労働市場の傾向については確認することができるものの、個々の労働者が置かれている状況について詳しく分析することはできない。そこで、本節では、個人の労働者一人ひとりが識別できるミクロデータを用いて、多摩地域の労働者について概観していきたい。

　ミクロデータを用いて多摩地域と特別区部の比較を行った分析として辻（2010）、谷（2017）がある。辻（2010）は、みずほ総合研究所が 2010 年に実施したインターネット調査を用いて、特別区部と多摩地域の市区町村の幸福度を比較している[13]。10 点満点の幸福度[14]で特別区部の平均は 6.47、多摩地域の平均は 6.36 で特別区部の平均のほうが 0.1 ポイント高かった[15]。また市区町村の幸福度の比較を統計的に行ったところ、最も幸福度が低かった東村山市とくらべ 1％水準で統計的に有意に幸福度が高かったのは、足立区と西東京市、5％水準で有意に高かったのは 10 の特別区（千代田区、中央区、新宿区、渋谷区、板橋区、江

東区、墨田区、目黒区、中野区、杉並区）と多摩地域の5市（立川市、東大和市、武蔵村山市、町田市、日野市）であったという結果を得ている。

　次に、谷（2017）は労働政策研究・研修機構が2016年に実施した「第4回 若者のワークスタイル調査」から東京都に居住している2401人を対象に、特別区部と多摩地域の職業意識について比較を行っている。その結果、多摩地域出身者の特徴として「将来は独立して自分の店や会社を持ちたい」「有名人になりたい」の各意識が低い一方で、「一つの企業に長く勤める方がよい」が高いなど、安定志向が顕著であることを見出している。

　先行研究においても就業状態や賃金関数に関する分析に関して多摩地域と特別区部との比較はなされていないため、本章で確認していきたい。

（1）科研費データ

　本節で使用するミクロデータは、筆者も参加した独自のインターネット調査である。具体的には、慶應義塾大学の荒木宏子氏（申請時：近畿大学）が研究代表者を務める科学研究費助成事業（科研費）「学校職業教育が中長期的な就業状況に及ぼす影響についての計量分析」にて実施されたデータを用いる（以下、科研費データと略す）[16]。

　この科研費研究では、若年層の生産性向上に寄与する中等高等教育段階における職業教育のあり方を模索するために、1956–1960年生まれ、1971–1982年生まれ、1991–1995年生まれの三世代計4000名を対象とする独自のインターネット調査を実施した（調査は2019年に実施された）。研究プロジェクトではこの調査を通じて、個人の職業教育経験やその内容が中長期的な就業状況に与える影響について検証を行った。

　本節では、この科研費データを用いて特別区部と多摩地域の労働者の就業状態や賃金などを分析していく。科研費データの貴重な点は、居住の市区町村、出生地が調査されている点である。近年、個人情報保護の観点から、提供時に居住地域の情報が制限されているデータがほとんどであり、居住地域の情報が利用できるデータは非常に貴重である[17]。本節では、科研費データを用いて、労働者の就業状態や労働時間、賃金などの特別区部と多摩地域の比較を行いたい。

表 2-2　科研費データにおける東京都在住サンプルの居住市区町村

市区町村名	割合（%）	市区町村名	割合（%）
世田谷	6.80	台東、墨田	2.10
練馬	5.50	港	1.94
江戸川	5.34	多摩	1.78
大田、足立	4.85	中央、立川	1.62
板橋	4.69	目黒	1.46
江東	4.05	渋谷、西東京、日野	1.13
北	3.40	国分寺	0.97
葛飾、町田	3.24	武蔵野、小平、清瀬、稲城	0.81
新宿	3.07	千代田、小金井、国立、東村山、あきる野	0.65
品川、杉並	2.75	狛江	0.49
府中	2.59	昭島、東久留米、東大和、武蔵村山、福生、青梅	0.32
豊島、文京、中野、三鷹、八王子	2.43	羽村、西多摩 *	0.16
荒川、調布	2.27		

注：サンプル数は 618。* 西多摩と回答したサンプルは分析から除外した。
出所：科研費データにより筆者作成。以下の表も同様。

（2）サンプルの特性

　まず、基本となるサンプルの構成であるが、4000 サンプルの平均年齢は 42.5 歳（最小値 23 歳、最大値 63 歳）、男女構成は男性 49.8%、女性 50.2% である。また 4000 サンプルは 47 都道府県からサンプリングされているため、東京都在住のサンプルに限ると 618 名であった（全体の 15.45%）。本節では、この 618 名を分析対象とする。618 名の居住市区町村は**表 2-2** の通りである [18]。

　特別区部の居住者は 444 名（71.96%）、多摩地域の居住者は 173 名（28.04%）であった。なお、居住市区町村を「西多摩」と回答したサンプルが 1 名いたが、西多摩という市区町村は存在しないため、このサンプルは以降の分析では用いなかった。

　次に、就業状態について確認したい。

　表 2-3 から、特別区部、多摩地域ともに最も多いのは「仕事をしており、主

表2-3 就業状態

	特別区部		多摩地域	
	人数	割合（%）	人数	割合（%）
仕事をしており、主に仕事をしている	323	72.75	116	67.05
仕事をしているが、主に家事（育児・介護）をしている	22	4.95	15	8.67
仕事をしているが、主に通学をしている	3	0.68	2	1.16
仕事をしているが、家事（育児・介護）・通学以外のことを主にしている	13	2.93	21	12.14
仕事はしておらず、家事（育児・介護）をしている	46	10.36	1	0.58
仕事はしておらず、通学をしている	9	2.03	18	10.40
仕事はしておらず、その他のことをしている	28	6.31		
合計	444	100	173	100

に仕事をしている」で、特別区部では72.75％、多摩地域では67.05％であった。顕著な差が確認されたのは「仕事はしておらず、家事（育児・介護）をしている」であり、特別区部では10.36％、多摩地域では0.58％であった。いわゆる専業主婦（主夫）は特別区部で多く、多摩地域では非常に少ないことが確認できる。

　次に、雇用形態について確認したい。

　表2-4をみると、「正規の社員・職員」については特別区部と多摩地域では大きな差はない（特別区部60.11％、多摩地区56.39％）ものの、多摩地域では「パート・アルバイト」「労働者派遣事業所の派遣社員」などのいわゆる非正規雇用者が多い一方で、特別区では「自営業主」がやや多い傾向にあることがわかる。

　また、従事している産業を示したのが**表2-5**である。

　特別区部・多摩地域ともに最も割合が高かったのは「サービス業」で、特別区部の39.61％、多摩地域の45.11％が従事している。また、2番目に割合が高い産業は「製造業」で特別区部の14.96％、多摩地域の16.54％が従事しており、従事する産業に関しても、特別区部と多摩地域の差異はあまりないことがわかる。

　なお、多摩地域で農業・林業・漁業（水産業）に従事しているサンプルがいなかった背景には、科研費データが平均年齢約45歳、最高齢が63歳と比較的若いサン

表 2-4　雇用形態

	特別区部		多摩地域	
	人数	割合（%）	人数	割合（%）
正規の社員・職員	217	60.11	75	56.39
パート・アルバイト	52	14.40	27	20.30
労働者派遣事業所の派遣社員	10	2.77	8	6.02
契約社員	22	6.09	4	3.01
嘱託	5	1.39	2	1.50
会社などの役員	7	1.94	2	1.50
自営業主	34	9.42	9	6.77
自営業手伝い	2	0.55	1	0.75
内職	3	0.83	2	1.50
その他	9	2.49	3	2.26
合計	361	100	133	100

表 2-5　産業比率

	特別区部		多摩地域	
	人数	割合（%）	人数	割合（%）
農業・林業・漁業（水産業）	5	1.39		
鉱業	1	0.28	1	0.75
建設業	17	4.71	2	1.50
製造業	54	14.96	22	16.54
電気・ガス・水道業	4	1.11	2	1.50
卸売・小売業	29	8.03	8	6.02
飲食業	9	2.49	3	2.26
金融・保険業	25	6.93	6	4.51
不動産業	11	3.05	4	3.01
サービス業	143	39.61	60	45.11
その他	63	17.45	25	18.80
合計	361	100	133	100

表2-6　職種

	特別区部		多摩地域	
	人数	割合(%)	人数	割合(%)
事務職（一般事務、会計、営業販売事務、生産関連事務など）	87	24.10	26	19.55
サービス職（接客、飲食給仕、調理、家事サービス、娯楽サービス、理美容師、介護職員、看護助手、歯科助手、クリーニング、浴場従業員、管理人、葬儀師、その他サービス業従事者）	50	13.85	20	15.04
専門職・技術職（研究者、製造技術者、建築・土木・測量技術者、農林水産技術者、情報処理・通信技術者）	45	12.47	15	11.28
法人や団体の管理職、その他管理的職業	43	11.91	14	10.53
営業販売職（商品販売、不動産・金融商品販売、商品営業など）	40	11.08	12	9.02
芸術その他専門職（著述家、記者、編集者、音楽家、舞台芸術家、美術家、写真家、映像撮影者、デザイナー、宗教家など）	21	5.82	6	4.51
医療系専門職（医師、歯科医師、獣医師、薬剤師、保健師、助産師、看護師、医療技術者など）	10	2.77	5	3.76
公務員	9	2.49	5	3.76
建設・採掘業（建設工事、電気工事、土木工事、採掘業など）	9	2.49		
生産工程作業（設備制御、製品製造・加工処理、機械組立、機械整備・修理、製品・機械検査など生産関連作業）	7	1.94	7	5.26
運搬・清掃・包装等（運搬、包装、清掃など）	7	1.94	2	1.50
福祉系専門職（保育士、社会福祉士、介護福祉士、精神保健福祉士、ケアマネージャーなど）	6	1.66	7	5.26
法務・税務・経営系専門職（弁護士、弁理士、司法書士、行政書士、税理士、公認会計士、その他法律・金融・経営・保険系専門職）	4	1.11	1	0.75
学校教員（幼稚園、小学校、中学校、高校、専門学校、大学など教員）	4	1.11	4	3.01
輸送・機械運転（鉄道運転、自動車運転、船舶・航空機運転、その他輸送機器運転、定置機械・建設機械運転）	3	0.83	2	1.50
保安職業（自衛官、司法・警察職員、消防員、警備員など）	3	0.83	3	2.26
農林漁業（農業、酪農業、林業、漁業など従事者）	3	0.83		
その他	10	2.77	4	3.01
合計	361	100	133	100

プルが多かったことやサンプルがインターネット調査会社のモニターサンプルから抽出されていることなどのバイアスが影響している可能性がある。こうしたサンプリング特性は以下の分析においても留意する必要がある。

　次に従事する職種について確認したい（**表 2-6**）。

　最も割合が高い職種は特別区部、多摩地域ともに「事務職（一般事務、会計、営業販売事務、生産関連事務など）」であり、特別区部で 24.10％、多摩地域で 19.55％である。2 番目に多い職種は「サービス職（接客、飲食給仕、調理、家事サービス、娯楽サービス、理美容師、介護職員、看護助手、歯科助手、クリーニング、浴場従業員、管理人、葬儀師、その他サービス業従事者）」であり、特別区部で 13.85％、多摩地域の 15.04％であった。3 番目に多い職種は「専門職・技術職（研究者、製造技術者、建築・土木・測量技術者、農林水産技術者、情報処理・通信技術者）」であり、以下、4 番目に多い「法人や団体の管理職、その他管理的職業」、5 番目に多い「営業販売職（商品販売、不動産・金融商品販売、商品営業など）」までの上位 5 職種は特別区部と多摩地域で共通であった。

　特別区部とくらべた多摩地域の特徴としては、「生産工程作業（設備制御、製品製造・加工処理、機械組立、機械整備・修理、製品・機械検査など生産関連作業）」（特別区部 1.94％、多摩地域 5.26％）や「福祉系専門職（保育士、社会福祉士、介護福祉士、精神保健福祉士、ケアマネージャーなど）（特別区部 1.66％、多摩地域 5.26％）が多いことが挙げられる。特別区部と比較すると多摩地域に生産工場や福祉に関連する施設が多く立地している可能性が示唆される。

　最後に特別区部と多摩地域の賃金について比較したい。科研費データでは、「あなたの、この仕事からの一年間の収入の税込額を教えてください。（お答えは 1 つ）※自営業の方は経費を差し引いた収益としてお考えください」という設問があり、15 の選択肢から 1 つを選択することになっている。これを各階級の中央値に変換し年収を算出した[19]。また年収は労働時間が長くなるほど高くなる傾向にあるため、各労働者の 1 年間の労働時間で割り、時間あたり賃金も算出した[20]。

　表 2-7 にまとめた通り、単純に賃金を比較すると特別区部の平均年収は 507 万 5900 円、多摩地域は 476 万 4286 円で特別区部の平均が約 31 万円高い。また、時間あたり賃金の平均をみると特別区部が約 4246 円、多摩地域が約 3976 円で特別区部の平均が 270 円高い。平均年収・平均の時間あたり賃金ともに特別区部の

表 2-7　平均賃金

	特別区部	多摩地域
年収	507万5900円	476万4286円
時間あたり賃金	4245.642円	3975.744円
サンプル数	361	133

平均が高いことから、特別区部の労働者は労働時間が長いために賃金が高いわけではないことがわかる。

　最後に、特別区部と多摩地域の賃金が統計的な有意差を持つのかを回帰分析を用いて検証したい。賃金関数は、労働経済学で標準的に用いられるミンサー型賃金関数を推計する。

(3) ミンサー型賃金関数

　ミンサー型賃金関数とは、「賃金と個人属性の関係を経験的に記述するため、時間あたりの賃金の自然対数値を教育年数、学卒後の年数で定義される経験年数、経験年数の二乗項に回帰する式のこと」(川口 2015：2) であり、勤続年数や婚姻状態、産業や企業規模を加える発展形を推計することが一般的である[21]。

　そこで本稿では、被説明変数に「時間あたり賃金の自然対数値」を使用し、説明変数にミンサー型賃金関数の基本形である教育年数、経験年数、経験年数の2乗／100を用いる。さらに安井・佐野 (2009) でも使用されている性別、年齢、既婚ダミー、本人の成績[22]、父親・母親の教育年数、子供の頃の経済状況、企業規模、産業、コホートダミーを導入する。これらの諸要因を一定にコントロールした上で、特別区部と多摩地域の平均賃金の差を確認する[23]。基本統計量は**表 2-8** である。

　表 2-9 のモデル1の単回帰分析の推計結果をみると、「多摩地域ダミー」の係数は−0.097であり、多摩地域の労働者は特別区部の労働者より平均的に9.7％賃金が低いことがわかる。ただし、これは単純に多摩地域と特別区部の賃金を比較した値であり、賃金の高い企業が特別区部に多く立地している可能性や特別区部に教育年数が長い者が多く居住している可能性などが影響しているかもしれな

表 2-8　基本統計量

変数	平均	標準偏差	最小値	最大値
時間あたり賃金（対数値）	7.629	0.973	4.6172	10.506
特別区部ダミー	0.734	0.442	0	1
多摩地域ダミー	0.266	0.442	0	1
女性ダミー	0.381	0.486	0	1
年齢	44.850	11.687	23	63
経験年数	9.613	9.627	0	46
経験年数2乗／100	1.848	3.254	0	21.16
勤続年数	17.284	10.974	0	56
既婚ダミー	0.516	0.501	0	1
高校時代の成績	2.591	1.176	1	5
本人の教育年数				
高等学校	0.209	0.407	0	1
高等専門学校	0.016	0.124	0	1
専門学校・専修学校	0.134	0.342	0	1
短期大学	0.066	0.248	0	1
大学	0.484	0.501	0	1
大学院	0.091	0.288	0	1
父親の教育年数				
小学校・中学校	0.119	0.324	0	1
高等学校・旧制中学校	0.366	0.482	0	1
専門学校	0.050	0.218	0	1
短期大学	0.006	0.079	0	1
大学	0.281	0.450	0	1
大学院	0.022	0.147	0	1
わからない	0.156	0.364	0	1
母親の教育年数				
小学校・中学校	0.128	0.335	0	1
高等学校・旧制中学校	0.444	0.498	0	1
専門学校	0.075	0.264	0	1
短期大学	0.091	0.288	0	1
大学	0.125	0.331	0	1
大学院	0.003	0.056	0	1
わからない	0.134	0.342	0	1

変数	平均	標準偏差	最小値	最大値
就業形態				
正規の社員・職員	0.481	0.500	0	1
パート・アルバイト	0.206	0.405	0	1
労働者派遣事業所の派遣社員	0.044	0.205	0	1
契約社員	0.072	0.259	0	1
嘱託	0.016	0.124	0	1
会社などの役員	0.022	0.147	0	1
自営業主	0.113	0.316	0	1
自営業手伝い	0.006	0.079	0	1
内職	0.013	0.111	0	1
その他	0.028	0.166	0	1
企業規模				
1人	0.122	0.328	0	1
2-4人	0.056	0.231	0	1
5-9人	0.044	0.205	0	1
10-19人	0.081	0.274	0	1
20-29人	0.025	0.156	0	1
30-49人	0.059	0.237	0	1
50-99人	0.097	0.296	0	1
100-299人	0.147	0.355	0	1
300-499人	0.069	0.253	0	1
500-999人	0.100	0.300	0	1
1000人以上	0.200	0.401	0	1
産業				
農業・林業・漁業（水産業）	0.003	0.056	0	1
鉱業	0.003	0.056	0	1
建設業	0.044	0.205	0	1
製造業	0.128	0.335	0	1
電気・ガス・水道業	0.013	0.111	0	1
卸売・小売業	0.072	0.259	0	1
飲食業	0.025	0.156	0	1
金融・保険業	0.050	0.218	0	1
不動産業	0.034	0.182	0	1

子供の頃の経済状況				
とても裕福	0.025	0.156	0	1
まあまあ裕福	0.247	0.432	0	1
平均的	0.547	0.499	0	1
やや貧しかった	0.134	0.342	0	1
とても貧しかった	0.047	0.212	0	1

サービス業	0.444	0.498	0	1
その他	0.184	0.388	0	1
コホート				
1956–1960年生まれ	0.291	0.455	0	1
1971–1982年生まれ	0.541	0.499	0	1
1991–1995年生まれ	0.169	0.375	0	1

表2-9　推計結果

説明変数	モデル1		モデル2	
	係数	標準誤差	係数	標準誤差
多摩地域ダミー	-0.097 *	0.111	-0.042	0.111
女性ダミー			0.010	0.139
年齢			-0.010	0.021
経験年数			-0.021	0.020
経験年数2乗			0.097 *	0.058
勤続年数			0.001	0.008
既婚ダミー			0.036	0.118
高校時代の成績			-0.021	0.042
本人の教育年数【基準：高校】				
高等専門学校			-0.714 *	0.391
専門学校・専修学校			0.019	0.192
短期大学			-0.181	0.235
大学			0.240	0.152
大学院			0.493 *	0.274
就業状態			YES	
企業規模、産業			YES	
父親・母親の教育年数			YES	
子供の頃の経済状況			YES	
決定係数	0.002		0.375	
サンプル数	494		320	

注：1）標準誤差はロバストな標準誤差である。

　　2）* は10％水準で統計的に有意であることを示す。

　　3）説明変数には、コホートダミーが導入されている。

い。そこで、企業特性をはじめ、経験年数や勤続年数などの本人の特性、父親・母親の教育年数など家庭要因などの影響を調整した上での多摩地域と特別区部の賃金差を推計したのがモデル 2 である。

　モデル 2 の推計結果をみると、「多摩地域ダミー」の係数は − 0.042 となっており、多摩地域の労働者は特別区部の労働者より平均的に 4.2 % 賃金が低いという結果であった。モデル 1 の推計結果からは多摩地域の労働者は特別区部の労働者より平均的に 9.7 % 賃金が低いことが示されていたが、モデル 2 はモデル 1 とくらべ 5.5 ポイント賃金格差が縮小したことになる。モデル 2 はモデル 1 に企業特性、本人特性、家庭要因を加えた推計になっており、「多摩地域ダミー」と企業特性、本人特性、家庭要因の各変数が正の相関していることから、それらの変数を推計に導入することで、「多摩地域ダミー」の変数の効果を一部取り除くことになり、係数が小さくなった。したがって、多摩地域と特別区部の賃金格差のうち、5.5 ポイントは企業特性、本人特性、家庭要因に起因するものであることがわかる。ただし、「多摩地域ダミー」の係数の有意性をみると統計的に有意な結果ではなく、母集団からのサンプリングによっては変わりうるほどの結果であるといえる。

　本章では、マクロデータとミクロデータを用いて、多摩地域の労働市場を特別区部と比較した。本章の分析から得られた多摩地域の特徴は以下の 6 点である。

(1)　多摩地域は東京都の人口の 31.2 %、事業所の 19.44 %、従業員数の 16.04 % を占めている。

(2)　多摩地域と特別区部では、就業率に大きな差異はない。

(3)　多摩地域は特別区部にくらべ、「卸売業・小売業」「製造業」「医療、福祉」「教育、学習支援業」の比率が高い。

(4)　多摩地域の有効求人倍率は全国平均よりも低く、緩やかな低下傾向が続いている。

(5)　多摩地域は特別区部にくらべ、専業主婦（主夫）の割合が低い。

(6)　多摩地域の時間あたり賃金は、特別区部よりも約 4.2 % 低い。

　科研費データのサンプルはモデル 2 では 320 であり、今後はよりサンプル数の多いデータでの詳細な検証が必要である。また、多摩地域で農業・林業・漁業（水産業）に従事しているサンプルがいなかったことなど、科研費データが比較的若

いサンプルに偏っていることもあり、よりバイアスの少ないデータを用いた分析が必要である。

おわりに

多摩地域は東京都の経済を支える一定規模の労働市場を有しており、就業率をみても特別区部と大きな差はない。また、多摩地域は特別区部にくらべ、「卸売業・小売業」「製造業」「医療、福祉」「教育、学習支援業」の比率が高い。この背景には、地価の低さや面積の広さが影響している可能性があると思われる。多摩地域の地価（商業地）は1平方メートルあたり60.1万円で特別区部の301万円とくらべおよそ5分の1である[24]。また、多摩地域の面積は1159.81平方キロメートルで特別区部の627.57平方キロメートルの1.84倍の広さがある。このように地価の安さや面積の広さから「卸売業・小売業」「製造業」「医療、福祉」「教育、学習支援業」などの産業が立地しやすいと推測される。

もう1つの多摩地域の特徴として、有効求人倍率の低さがあるが、その背景には求人と求職のミスマッチがあるように思われる。たとえば、2021年6月の多摩地域の有効求人倍率（フルタイム）は0.55であるが、「事務的職業」が0.14と最も低く、有効求人数1705に対し有効求職者数は1万2387であった。他方で、「建設・採掘の職業」の有効求人倍率は4.77、同じく「保安の職業」は3.45、「福祉関連の職業」は1.97と特定の職業においては、求職者を大きく上回る求人が存在していることがわかる。このように多摩地域の労働市場では大きな雇用のミスマッチが発生していることがうかがえる。ミスマッチを解消するような職業訓練制度や求職者への適切な情報公開が必要になると思われる。今後は、新型コロナウイルス感染症拡大の影響などを加味しながら、多摩地域の労働市場の行方に注視すべきであろう。

注

---

[1] 近年出版された労働経済学の学部向けのテキスト（清家・風神（2020）、大森・永瀬（2021）など）においても地域別の労働市場には触れられていない。

[2] 近年、ミクロデータの利用は研究論文の主要な地位を占めている。たとえば、公的統計のミク

ロデータを提供しているポータルサイトとして、miripo < https://www.e-stat.go.jp/ microdata/ >が、研究者のみならず学部生でも利用可能なミクロデータを多く収集・提供している機関として、東京大学社会科学研究所附属社会調査・データアーカイブ研究センター< https://csrda.iss.u-tokyo.ac.jp/ >がある（2021 年 8 月 1 日閲覧）。

3 政府統計のマクロデータの多くは「e-stat 政府統計の総合窓口」から入手できる。次の URL を参照< https://www.e-stat.go.jp/ > 2021 年 8 月 1 日閲覧。

4 現在の経済学分野における実証研究のほとんどはミクロデータを用いた研究であり、マクロデータを用いた研究は少なくなっている。また、これまでは「政府統計の総合窓口（e-Stat）」で広く公開されていた政府統計のマクロデータも一定の条件を満たすことでミクロデータとしての利用も可能になってきている。

5 必要に応じて島嶼部との比較も行う。島嶼部は大島町、利島村、新島村、神津島村、三宅村、御蔵島村、八丈町、青ヶ島村、小笠原村の 9 町村である。

6 国勢調査に関する詳細は、次の URL を参照< https://www.stat.go.jp/data/kokusei/2020/ index.html > 2021 年 8 月 1 日閲覧。

7 町田（2016）は 1965–1970 年には特別区部の人口が減少に転じる一方で、多摩地域の人口は 31.2％も増加していることを示している。また、人口減少社会に突入した 2010–2015 年には特別区部の人口が 3.7％増加したのに対し、多摩地域の人口増加率は 0.7％であり、都心回帰が強くなっていることを指摘している（第 1 章も参照）。

8 次の URL を参照< https://www.toukei.metro.tokyo.lg.jp/koureisya/kr19rf0000.pdf > 2021 年 8 月 1 日閲覧。

9 四捨五入の関係で、合計値は 100％になっていない。

10 谷（2017）によると、多摩地域に居住している人のうち多摩地域で働く割合は、男性 51.0％、女性 57.9％となっており、多摩地域で暮らす人の多くは職場も多摩地域であることがうかがえる（序章も参照）。

11 次の URL を参照< https://www.web-tamashin.jp/rire/tamadb/dbview.php?stats=monthly StatsReport > 2021 年 8 月 1 日閲覧。

12 多摩地域に本社がない企業、従業員 5 人未満の企業、100 人以上の企業は調査対象から除かれている。

13 サンプルは 20 歳以上の男女 3000 人である。

14 幸福度は「全体として、あなたは普段どの程度幸せだと感じていますか」という設問で測られ、「とても幸せ」を 10 点、「とても不幸」を 0 点として回答を得ている。

15 島嶼部の幸福度の平均は 7.00 で最も高かった。

16 本研究は科研費（16K21511）の助成を受けたものである。筆者は研究協力者として参加した。

17 たとえば、日本を代表する社会調査である「日本版 General Social Surveys（JGSS）」では、市区町村コードを利用する場合には、利用申請の許可を得た後に、データを管理している大阪商業大学 JGSS 研究センターのオンサイト室内に設置された PC でのみ分析することができる（携帯電話などの通信端末はオンサイト室に持ち込むことはできない）。また、分析結果は、所定の審査を経た結果のみ持ち帰ることができる。詳細は次の URL を参照< https://jgss. daishodai.ac.jp/data/dat_onsite.html > 2021 年 8 月 1 日閲覧。

18 科研費データでは、島嶼部に居住するサンプルはいなかった。

19 具体的には、「50 万円未満」を 25 万円、「50–99 万円」を 75 万円、「100–129 万円」を 115 万円、「130–149 万円」を 140 万円、「150–199 万円」を 175 万円、「200–299 万円」を 250 万円、「300–399 万円」を 350 万円、「400–499 万円」を 450 万円、「500–599 万円」を 550 万円、「600–699 万円」を 650 万円、「700–799 万円」を 750 万円、「800–899 万円」を 850 万円、「900–999 万円」を 950 万円、「1000–1199 万円」を 1100 万円、「1200–1499 万円」を 1350 万円、「1500–1999 万円」を 1750 万円、「2000 万円以上」を 2400 万円に換算した。

20 労働時間は「あなたの、1 週間の平均的な就業時間（残業時間を含む）を教えてください」という設問を使用し、1 年間を 52 週間とし、52 倍した値を用いて年間労働時間を算出した。

21 ミンサー型賃金関数の応用や日本の労働市場に適用する際の留意点をまとめた研究に川口（2011）がある。

22 安井・佐野（2009）では中学校時代の成績を用いているが、科研費データでは高校時代の成績を調査しているため、こちらを用いる。

23 年齢 62 歳、経験年数 63 年という回答サンプルが 1 つあったが、このサンプルは分析対象から除外した。

24 「多摩地域データブック～多摩地域主要統計表～ 2020（令和 2）年版」による。詳細は次の URL を参照 < https://www.tama-100.or.jp/cmsfiles/contents/0000000/996/databook2020_all.pdf > 2021 年 8 月 1 日閲覧。

参考文献

・大森義明・永瀬伸子（2021）『労働経済学をつかむ』有斐閣

・川口大司（2011）「ミンサー型賃金関数の日本の労働市場への適用」阿部顕三・大垣昌夫・小川一夫・田渕隆俊編『現代経済学の潮流 2011』東洋経済新報社

・川口大司（2015）「賃金関数の推定結果の解釈」『日本労働研究雑誌』No. 657 <https://www.jil.go.jp/institute/zassi/backnumber/2015/04/pdf/002 003.pdf>2021 年 8 月 1 日閲覧

・清家篤・風神佐知子（2020）『労働経済』東洋経済新報社

・谷謙二（2017）「東京の居住・就業の地域構造」『大都市の若者の就業行動と意識の分化 –「第 4 回 若者のワークスタイル調査」から』労働政策研究報告書、No.199、労働政策研究・研修機構 <https://www.jil.go.jp/institute/reports/2017/documents/0199_01.pdf> 2021 年 8 月 1 日閲覧

・辻隆司（2010）「『幸福度』は地域政策の検討に役立つか –Subjective Well-being に基づく地域分析の試み –」みずほ総合研究所 Working Papers<https://www.mizuho-ri.co.jp/publication/mhri/sl_info/working_papers/pdf/report20101213.pdf>2021 年 8 月 1 日閲覧

・浜田正幸（2013）「多摩地域企業の採用特性 – 実態調査からわかった特異性 –」『経営・情報研究』No.17<https://tama.repo.nii.ac.jp/?action=repository_uri&item_id=139&file_id=22&file_no=2>2021 年 8 月 1 日閲覧

・町田俊彦（2016）「人口変動、所得・雇用、税収の 3 大都市圏・地方圏間格差と東京・大阪」『専修大学社会科学研究所月報』No. 635<http://www.senshu-u.ac.jp/~off1009/PDF/160520-geppo635/smr635-machida.pdf>2021 年 8 月 1 日閲覧

・安井健悟・佐野晋平（2009）「教育が賃金にもたらす因果的な効果について－手法のサーヴェイと新たな推定」『日本労働研究雑誌』No. 588<https://www.jil.go.jp/institute/zassi/backnumber/2009/07/pdf/016-033.pdf>2021年8月1日閲覧
・Moretti, Enrico（2012）The New Geography of Jobs, Houghton Mifflin Harcourt（『年収は「住むところ」で決まる―雇用とイノベーションの都市経済学』池村千秋訳, プレジデント社）

第 3 章

多摩の工業
—多摩地域の製造業の多様性と中小製造企業の発展—

山本 聡

　ベッドタウンと思われがちな多摩地域には、多種多様な製造業が立地している。多摩地域の製造業の歴史を概観し、都区部と定量的に比較し、中小企業の営みに焦点をあてることで、どのような姿がみえてくるのか。（昭和飛行機工業株式会社）

はじめに

　本章の目的は、多摩地域の製造業の発展プロセスを、中小製造企業の視点から紐解き、浮かび上がらせることである。本章では製造業を構成する個別の中小企業を中小製造企業と呼称する。中小製造企業は国内製造業の基盤とされている。これは多摩地域でも同様である。多摩地域は古くから製造業の集積地として注目されてきた（関 1993）。その歴史は製造業の発展の歴史と重なり合っている。そのため、中小製造企業の存在が強く介在している。多摩地域の製造業には後述するように、産業構造の変化が幾度も生じてきた。言葉を変えれば、多摩地域の中小製造企業は幾度も経営環境の変化に直面してきたのである。そして、多摩地域の中小製造企業は製品開発や市場開拓、国際化を実現することで、そうした変化を乗り越え、事業継続を果たしてきた。すなわち、多摩地域において、中小製造企業と製造業全体の動向はお互いの姿を映し出す合わせ鏡のように対になっているのである。

　以上を踏まえ、本章ではまず、多摩地域の製造業の歴史を概説する。次に、多摩地域の製造業における近年の変化を、政府統計から定量的に明らかにする。そして、中小製造企業の製品開発、市場開拓、国際化といったイノベーションの事例を記述する。その上で、多摩地域の製造業の発展には、中小製造企業のミクロな営みの積み重ねがあったことを提示する。

1．多摩地域の製造業の歴史的概観

　多摩地域の製造業の歴史を以下に概観する。当時と現在で地名が異なる場合があるが、簡略化のため、現在の地名に付記しての記述とする。多摩地域の製造業の時間的な出発点は明治初期で、主軸を担ったのは養蚕業、製糸業、織物業だとされている。多摩地域の農家では古くから養蚕、製糸、織物が行われてきた。たとえば、八王子市は別称として、「桑都」と呼ばれるほど養蚕、製糸、織物が盛んであり、近隣の農家が生産する「八王子織物」を地域の特産としていた[1]。そして、明治日本の殖産興業と歩みを同じくして、多摩地域でも養蚕業、製糸業、

織物業を軸にした工業化が進展することになる。日本初の器械製糸工場・富岡製糸場の設立は1872年（明治5年）である（上西2016）。翌年の1873年には、当時28歳の森田直吉が森田製糸所を福生市・熊川に設立している。森田製糸所は東京府（当時）の初の製糸工場である。福生市史編さん委員会（1990）では、森田製糸所が400人規模の大規模工場となり、米国の展示会にも出展していたと記述している。このように、多摩地域では明治、大正、昭和に鴨下製糸（1901年創業、小金井市）など数多くの製糸工場が設立されている。ただし、多摩地域の養蚕業、製糸業、繊維業はその後、産業規模を縮小させていった。経済産業省『工業統計表』によれば、2018年度の多摩地域の繊維工業は、事業所数は49社、従業者数は827人に留まっている。また、2020年時点で、多摩地域の養蚕農家は2軒とされている[2]。1980年には、八王子織物をルーツとし、八王子市およびあきる野市で生産されていたお召し織、紬織、風通織、変わり綴れ、捩り織の5品種が「多摩織」の統一名称で、東京都から伝統工業に指定された[3]。このように、多摩地域の養蚕業、製糸業、繊維業は伝統工業としての色彩が非常に強くなっている。言葉を変えれば、多摩地域の製造業における養蚕業、製糸業、織物業の量的な存在感は極めて小さくなっている。

　そもそも、明治時代以来、養蚕業、製糸業、織物業は多摩地域の製造業の量的拡大にはあまり寄与してこなかった。星野（1998）では、養蚕業、製糸業、織物業が発展していたにもかかわらず、「昭和初期にいたるまで多摩地域の平野部の大部分が，広大な桑園と雑木林など平地林に囲まれた集落がつらなる農村地帯であった」と指摘している。その上で、多摩地域の製造業の量的拡大は、「東京地域の工業の集中地域である京浜地域のとくに城南の低地帯から、工場規模の拡大のため地価の安い広い土地を求めて、また農村の潜在労働力を求めて移動してきた機械工業」によってもたらされたと述べている。そして、戦前はその多くが軍需産業だったとしている。

　たとえば、1915年に現・東京都渋谷区で創業された横河電機株式会社は、1935年に武蔵野町（現・武蔵野市）に吉祥寺工場を設立し、本社機能を移転している[4]。当該工場では、航空計器を製造していた。また、日本最大の航空機メーカーだった中島飛行機製作所は1925年に現・東京都杉並区に東京工場を設立した後、武蔵野町に武蔵野製作所（1938年）、多摩製作所（1940年）を設立している。立川

町（現・立川市）では、石川島飛行機製作所が設立されている。同社は 1936 年に立川飛行機となっている。蛇の目ミシン株式会社は現・東京都北区で創業された後、1936 年に小金井村（現・小金井市）に工場を設立している。

戦後も、石川島重工業（現・株式会社 IHI）が中島飛行機の工場跡地を利用して、1957 年に田無工場を設立し、ジェットエンジンを製造している。このように、戦前・戦後しばらくの東京都特別区部（以下、都区部）の製造企業にとって、多摩地域とは安価で広大な土地と豊富な労働力が存在する量産機能の展開先だったといえる（第 1 章も参照）。そして、大手製造企業は自社の下請企業を多摩地域に移転させ、都区部の中小製造企業も量産機能を拡充するために、自発的に多摩地域に移転したりしている。その上で、多摩地域内で大手製造企業と中小製造企業の取引が拡大していったのである。さらに、域外からの量産機能の移転にともない、多摩地域内では新たな中小製造企業の創業もなされていった。こうした種々の企業の移転、取引、創業が重なり合いながら、多摩地域の製造業の量的拡大が牽引されていったのだといえる。

1950 年代からは多摩地域のベッドタウン化が進展していく。そのため、地価や人件費が高騰したり、工場と住宅地が近接したりするようになっていた。蛇の目ミシン工業株式会社は 1998 年に小金井工場を閉鎖し、八王子市の高尾工場に統合している。2001 年には日産自動車株式会社の村山工場、2007 年には IHI の田無工場が閉鎖されている。また、2011 年には株式会社東芝の日野工場、2014 年には雪印メグミルク株式会社の日野工場と日本無線株式会社の三鷹製作所、2017 年には東芝の青梅事業所が閉鎖・撤退となっている[5]。

大手製造企業だけでなく、中小製造企業も量産機能を多摩地域外に移転させている。後述する株式会社ムラコシ精工がその代表例である。それ以外にもたとえば、小金井精機製作所は創業以来、立川飛行製作所や東芝府中工場、IHI 田無工場と取引をするなど、多摩地域有数の中小製造企業として存立している[6]。同社も 1973 年に前橋工場を設立し、2006 年に国分寺市から埼玉県入間市に本社・工場を移転させている。これらの跡地はマンションや公園、ショッピングモールなどになっている。また、都区部などにおける工場・大学の新設を制限する「首都圏の既成市街地における工業等の制限に関する法律」（工業（場）等制限法）により、1960 年代から、都区部の大学の多摩地域へのキャンパス移転も生じていた

写真 3-1　IHI 田無工場の跡地の記念碑

出所：筆者撮影。

（大坂谷 1979）。

　こうしたなかで、多摩地域の製造業が有する機能はそれまでの量産から、開発・試作に変容していったとされる。そして、企業経営と産業構造の変化は政策的にも注目を集めるようになった。1990 年代後半から、旧通商産業省（現・経済産業省）は東京都多摩地域と神奈川県中央部、埼玉県西部を合わせて、「TAMA：Technology Advanced Metropolitan Area」（技術先進首都圏地域）と呼ぶようになっている（児玉 2002）。すなわち、都区部との対比で、多摩地域の製造業は神奈川県中央部や埼玉県西部と一緒にして捉えられた。そして、多摩地域では、大手製造企業の開発拠点、製品開発能力を有する中小製造企業、高度な専門加工技術を有する中小製造企業、理工系大学、産業支援機関が集積し、相互に有機的につながることで、地域の製造業の競争優位が現出していると考えられたのである。

　こうした見方は多摩地域の産業政策および中小企業振興策に大きな影響を与えている。東京都が 2009 年に示した「多摩振興プロジェクト— 多摩の総合的な振

興策 ─」でも、「多摩地域には、企業、研究機関、大学が数多く集積しており、先端的な研究開発などの高いポテンシャルを保持している」といった表現がなされている。また、東京都が 2019 年に公開した『東京都中小企業振興ビジョン〜未来の東京を創る V 戦略〜』でも、「多摩地域のイノベーションの活性化に向け、中小企業が大手企業や大学などと交流する場やネットワークづくりのための勉強会を開催する」といった記述がなされている。このように、現在の多摩地域の製造業を語るにあたっては、大手製造企業、中小製造企業だけでなく、産業支援機関、大学にも目を向ける必要性がある。

　以上が、多摩地域の製造業の歴史的な変遷の概要である。これらの変遷を踏まえて、次節では主に経済産業省『工業統計表』のデータを用いながら、現在の多摩地域における製造業の特徴を定量的に捉えていく。

2. 多摩地域の製造業の定量的把握

　本節では多摩地域の製造業の現状と近年の変化を定量的に把握していく。前節で述べたように、大手製造企業の事業所の閉鎖や移転が本格化したのは 1990 年代後半以降である。そのため、2000 年代初頭と現在を比較する。

（1）全国、東京都区部、多摩地域の製造業の比較

　多摩地域の製造業の全国の製造業における位置づけをみる。地域の製造業の規模は、製造品出荷額、事業所数、従業者数の 3 つの指標から複眼的に考えていかなければならない。後述するが、東京都は全国的にも製造業の小規模な事業所が多い。そのため、本章では経済産業省『工業統計表』の従業者数 4 人以上と従業者数 3 人以下のデータを接続して用いることにする。ただし、データの特性上、東京都と都区部の製造品出荷額、事業所数、従業者数しか把握できない。そのため、東京都の製造品出荷額、事業所数、従業者数から都区部のそれらを引いたものを多摩地域の製造業のデータとして用いている。この場合、多摩地域に島嶼部の数値が組み込まれることになる。島嶼部自治体のうち、『工業統計表』の地域別統計表に記載があるのは大島町、利島村、新島村、神津島村、三宅村、八丈町、青ヶ島村、小笠原村の 2 町 6 村になる。当該自治体における製造業の従業者 4 人以上

の事業所数は 34 社、従業員数は 332 人である。また、製造品出荷額に関しては、大島町、新島村、三宅村、八丈町以外は秘匿値となっている。これらの 2 町 2 村の製造品出荷額の合計は 21 億 8602 万円と少ない。秘匿されている利島村、神津島村、青ヶ島村、小笠原村の製造品出荷額も寡少であると推察できる。島嶼部の製造業は極めて規模が小さいため、多摩地域の製造業の規模を算出するに上記の計算方法を用いても、大勢に影響がないと判断した。

　まず、製造品出荷額からみてみる。**表 3-1** では、上記の計算方法を用い、東京都を都区部と多摩地域に区分した上で、2018 年の都道府県の製造品出荷額のランキング表に組み込んでいる。東京都の製造品出荷額は 784 億 9453 万円で、全国の 2.35％ を占め、都道府県第 16 位である。そして、多摩地域の製造品出荷額は 469 億 8597 万円で、全国の製造業の 1.4％ を占め、第 24 位である。多摩地域の製造業は新潟県や宮城県と同等の製造品出荷額の規模を有している。一方、都区部の製造品出荷額は 315 億 856 万円であり、全国の 0.94％ を占め、都道府県第 30 位になる。多摩地域の製造品出荷額は都区部の 1.49 倍になる。逆にいえば、都区部の製造品出荷額は多摩地域の 67.1％ とおよそ 3 分の 2 にすぎない。以上より、製造品出荷額の観点からは、多摩地域の製造業は都区部に対して、優位性を有しているといえる。ただし、製造品出荷額の観点からは、多摩地域の製造業の規模は全国のなかで、必ずしも大きくないことに留意する必要がある。

　次に多摩地域における製造業の規模の変化をみてみる。**表 3-2** は、2003 年、2008 年、2018 年の全国、東京都、都区部、多摩地域の製造品出荷額を比較したものである。それぞれ、現在と 15 年前、10 年前を比較している。2018 年の全国の製造品出荷額は 2003 年と比較して、21.16％ の増加となっている。すなわち、全国の製造業の規模は拡大している。また、2008 年と比較しても、0.94％ の減少とほとんど変化がない。一方、2018 年の東京都の製造品出荷額は 2003 年と比較してマイナス 32.48％、2008 年と比較して、マイナス 25.11％ である。とくに都区部での減少率が高い。

　都区部の 2018 年の製造品出荷額は 2003 年比較でマイナス 42.92％、2008 年比でマイナス 35.62％ である。都区部の製造業の規模は 15 年間でおよそ 4 割の減少となっているのである。多摩地域の 2018 年の製造品出荷額は 2003 年比較でマイナス 23.05％、2008 年比でマイナス 15.91％ となっている。以上より、東京都の製

表 3-1　都道府県の製造品出荷額のランキング（2018 年）

順位	全国計	製造品 出荷額（万円）	構成比
	全国計	334,680,377	100%
1	愛知	48,982,869	14.64%
2	神奈川	18,570,007	5.55%
3	大阪	17,905,185	5.35%
4	静岡	17,663,934	5.28%
5	兵庫	16,639,139	4.97%
6	埼玉	14,344,002	4.29%
7	千葉	13,211,787	3.95%
8	茨城	13,094,401	3.91%
9	三重	11,259,666	3.36%
10	福岡	10,301,883	3.08%
11	広島	10,105,314	3.02%
12	栃木	9,257,096	2.77%
13	群馬	9,201,085	2.75%
14	岡山	8,390,663	2.51%
15	滋賀	8,102,410	2.42%
16	東京	7,849,453	2.35%
17	山口	6,721,344	2.01%
18	長野	6,528,715	1.95%
19	北海道	6,413,631	1.92%
20	京都	5,992,412	1.79%
21	岐阜	5,967,390	1.78%
22	福島	5,281,172	1.58%
23	新潟	5,121,183	1.53%
24	多摩地域	4,698,597	1.40%
25	宮城	4,691,228	1.40%
26	大分	4,453,193	1.33%
27	愛媛	4,286,137	1.28%
28	富山	4,060,627	1.21%
29	石川	3,184,119	0.95%
30	都区部	3,150,856	0.94%

出所：経済産業省『工業統計表』より筆者作成。

表 3-2　全国、東京都、都区部、多摩地域の製造品出荷額の変化

（単位：万円）

	2003 年	2008 年	2018 年	2003/2018 の増減率	2008/2018 の増減率
全国	276,230,156	337,863,997	334,680,377	21.16%	-0.94%
東京都	11,625,940	10,481,878	7,849,453	-32.48%	-25.11%
都区部	5,520,254	4,894,447	3,150,856	-42.92%	-35.62%
多摩地域	6,105,686	5,587,431	4,698,597	-23.05%	-15.91%

出所：経済産業省『工業統計表』より筆者作成。

造業は日本全国と比較して、大きく縮小傾向にある。とくに都区部の製造業が縮小している。多摩地域の製造業も縮小傾向にあるが、都区部ほどではない。そのため、全国の製造業という観点からは、多摩地域の製造業の存在感は減退している一方、東京都の製造業の観点からは、多摩地域の存在感が向上しているという構図になる。後述するが、多摩地域の製造業を俯瞰的に捉える場合、「東京都内の位置づけ」、「都区部との比較」が重要な視点になる。

　それでは東京都の製造業の特徴とは何なのだろうか。それは事業所数の多さである。**表 3-3** は、東京都を都区部と多摩地域に区分し、2018 年の都道府県の事業所数のランキング表に組み込んだものである。すると、日本全国の事業所数 34 万 8322 件に対して、東京都の事業所数は 2 万 6479 件で 7.60% を占め、大阪府、愛知県に次ぐ全国 3 位になる。特筆すべきは都区部の事業所数である。都区部の事業所数は 2 万 1741 件で、日本全国の 6.24% を占める。また、東京都の事業所数の 82.1% を占めることになる。表現を変えれば、都区部は東京都を入れれば事業所数のランキングで、全国 4 位、東京都を入れなければ全国 3 位となる。一方、多摩地域の製造業の事業所数は 4738 件で、全国の 1.36% を占めるにすぎない。また、東京都の事業所数に占める割合も 17.9% のみである。事業所数の観点からいえば、多摩地域の製造業の規模は東京都全体の 2 割に満たず、岡山県や富山県と同規模になる。

　多摩地域の製造業を従業者数の観点からもみてみる（**表 3-4**）。東京都の製造業の従業者数は全国 8 位の 27 万 9557 人である。その内訳は都区部 16 万 2907 人、

表 3-3　都道府県の製造業の事業所数ランキング（2018 年）

順位	全国計	事業所数	構成比
	全国計	348,322	100%
1	大阪	30,971	8.89%
2	愛知	27,560	7.91%
3	東京	26,479	7.60%
4	都区部	21,741	6.24%
5	埼玉	20,659	5.93%
6	静岡	15,645	4.49%
7	兵庫	13,876	3.98%
8	神奈川	13,026	3.74%
9	岐阜	11,289	3.24%
10	京都	10,333	2.97%
11	新潟	9,792	2.81%
12	長野	8,932	2.56%
13	福岡	8,820	2.53%
14	群馬	8,703	2.50%
15	茨城	8,660	2.49%
16	北海道	8,318	2.39%
17	千葉	8,215	2.36%
18	広島	7,800	2.24%
19	栃木	7,579	2.18%
20	石川	6,075	1.74%
21	三重	6,070	1.74%
22	福島	5,968	1.71%
23	岡山	5,428	1.56%
24	多摩地域	4,738	1.36%

出所：経済産業省『工業統計表』より筆者作成。

多摩地域 11 万 6650 人と、事業所数ほどの特筆すべき差はない。ただし、1 事業所数あたりの平均従業者数では、都区部と多摩地域の製造業の間に明瞭な差異が現出する（**表 3-5**）。都区部の製造業における 1 事業所あたりの平均従業者数は 7.49 人であり、これは全国でも最小である。一方、多摩地域の製造業の 1 事業所あたりの平均従業者数は 24.62 人、全国 24 位であり、全国平均を上回っている。すなわち、都区部と多摩地域の製造業とでは事業所の従業員規模が大きく異なるので

表3-4　都道府県の製造業の従業者数ランキング（2018年）

順位	全国計	従業者数	構成比
	全国計	8,098,456	100%
1	愛知	887,771	10.96%
2	大阪	481,724	5.95%
3	静岡	426,290	5.26%
4	埼玉	418,207	5.16%
5	兵庫	376,498	4.65%
6	神奈川	367,057	4.53%
7	茨城	280,747	3.47%
8	東京	279,557	3.45%
9	福岡	229,711	2.84%
10	広島	226,402	2.80%
11	群馬	221,211	2.73%
12	千葉	218,550	2.70%
13	岐阜	215,766	2.66%
14	栃木	213,548	2.64%
15	長野	212,684	2.63%
16	三重	209,724	2.59%
17	新潟	197,836	2.44%
18	北海道	176,918	2.18%
19	滋賀	165,365	2.04%
20	福島	165,260	2.04%
21	都区部	162,907	2.01%
22	京都	156,311	1.93%
23	岡山	154,857	1.91%
24	富山	130,664	1.61%
25	宮城	121,507	1.50%
26	多摩地域	116,650	1.44%

出所：経済産業省『工業統計表』より筆者作成。

ある。都区部の製造業は大田区や墨田区に代表される都市型複合集積のことであり、小規模な町工場によって構成されている。一方、多摩地域の製造企業の従業員規模は地方部と同じように大きく、都市型複合集積の色彩は薄い。

　最後に、多摩地域の製造業の業種構成割合をみてみる。**表3-6**では、比較対

表 3-5 都道府県の製造業の 1 事業所あたり平均
　　　　従業者数ランキング（2018 年）

順位	全国計	1 事業所数あたりの 平均従業者数
	全国計	23.25
1	都区部	7.49
2	東京	10.56
3	沖縄	11.48
4	高知	14.36
5	京都	15.13
6	大阪	15.55
7	和歌山	16.70
8	奈良	17.13
9	福井	17.97
10	石川	18.31
11	長崎	18.53
12	鹿児島	18.79
13	岐阜	19.11
14	新潟	20.20
15	埼玉	20.24
16	山梨	20.76
17	北海道	21.27
18	香川	21.78
19	愛媛	21.81
20	秋田	21.83
21	島根	22.39
22	徳島	23.74
23	長野	23.81
24	宮崎	23.86
25	青森	24.36
26	多摩地域	24.62

出所：経済産業省『工業統計表』より筆者作成。

表 3-6　多摩地域の製造業の業種構成割合（2018 年）

	全国（除東京）	割合	都区部	割合	多摩地域	割合
1	輸送用機械器具製造業	21.02%	印刷・同関連業	21.32%	輸送用機械器具製造業	30.51%
2	化学工業	9.02%	化学工業	9.80%	電気機械器具製造業	14.44%
3	食料品製造業	8.96%	食料品製造業	8.99%	情報通信機器具製造業	11.30%
4	生産用機械器具製造業	6.70%	金属製品製造業	7.72%	食料品製造業	9.65%
5	鉄鋼業	5.67%	生産用機械器具製造業	7.15%	電子部品・デバイス・電子回路製造業	7.43%

出所：経済産業省『工業統計表』より筆者作成。

表 3-7　電気機械器具製造業、情報通信機械器具製造業、電子部品・デバイス・電子回路製造業の構成比（2018 年）

	全国（除東京）	都区部	多摩地域
電気機械器具製造業	5.54%	3.70%	14.44%
情報通信機械器具製造業	1.95%	0.69%	11.30%
電子部品・デバイス・電子回路製造業	4.83%	0.89%	7.43%

出所：経済産業省『工業統計表』より筆者作成。

象として、全国（除東京）と都区部も示している。全国（除東京）では、製造品出荷額全体に占める割合の上位 5 業種は、輸送用機械器具製造業、化学工業、食料品製造業、生産用機械器具製造業、鉄鋼業となる。一方、都区部の製造品出荷額全体に占める割合の上位 5 業種は、印刷・同関連業、化学工業、食料品製造業、金属製品製造業、生産用機械器具製造業になる。そして、多摩地域の製造品出荷額全体に占める割合の上位 5 業種は、輸送用機械器具製造業、電気機械器具製造業、情報通信機械器具製造業、食料品製造業、電子部品・デバイス・電子回路製造業となる。すなわち、多摩地域の製造業の最上位は輸送用機械器具製造業だが、これは全国（除東京）と同様である。また、食料品製造業は全国（除東京）と都区部でも上位 5 業種に含まれている。全国（除東京）や都区部の上位 5 業種に含まれないのが、電気機械器具製造業、情報通信機械器具製造業、電子部品・デバ

イス・電子回路製造業であり、多摩地域の製造業はこれら3業種に特徴づけられていることになる（**表3-7**）。全国（除東京）の製造業に占めるこれら3業種の割合は、電気機械器具製造業5.54%、情報通信機械器具製造業1.95%、電子部品・デバイス・電子回路製造業4.83%になる。また、都区部では、電気機械器具製造業が3.70%、情報通信機械器具製造業0.69%、電子部品・デバイス・電子回路製造業0.89%でしかない。多摩地域の電気機械器具製造業14.44%、情報通信機械器具製造業11.30%、電子部品・デバイス・電子回路製造業7.43%とは大きな差がある。

以上のように多摩地域を全国、東京都、都区部と比較すると、多摩地域の製造業の特徴は以下のようにまとめられる。

① 都区部と多摩地域の双方ともに製造品出荷額は減少している。しかし、多摩地域の減少幅のほうが緩やかである。そのため、東京都における多摩地域の製造業の存在感が相対的に高まっている。

② 都区部の製造業は多数の小規模な事業所によって構成されている。一方、多摩地域の製造業は都区部にくらべて、より少数のより規模の大きい事業所によって構成されている。

③多摩地域の製造業の業種としては、電気機械器具製造業、情報通信機械器具製造業、電子部品・デバイス・電子回路製造業の割合の高さが特徴的である。

（2）市町村の製造業の定量的把握

多摩地域は30市町村により構成されている。そして、各々の市町村が固有の歴史や地理的特徴を有している。よって、多摩地域の製造業をより深く理解するためには、市町村レベルの視点からもみていく必要がある。本項では、前項と異なり、経済産業省『工業統計表』の従業者数4人以上のデータのみを用いる。これは市町村の製造業に関しては、従業員数3人以下のデータを得ることができないからである。そのため、前項と数値が一致しない部分が存在する。

表3-8は多摩地域30市町村の2002年と2018年の製造業の事業所数、従業者数、製造品出荷額を示したものである。市町村の並びは、2018年の製造品出荷額による。**表3-8**からは、製造業の事業所数は多摩市以外の29市町村で減少していることがわかる。従業者数も23市町村で減少している。また、2002年と比較して、2018年の製造品出荷額が増加している市町村が3分の1、減少している市町村が

3 分の 2 と混在している。中央線沿線の典型的なベッドタウンである武蔵野市（マイナス 94.5%）を筆頭に、西東京市（マイナス 87.2%）、奥多摩町（マイナス 86.7%）、小平市（マイナス 81.4%）、三鷹市（マイナス 83.1%）などで大幅に縮小している。一方、瑞穂町（89.5%）、昭島市（82.4%）、立川市（61.2%）、羽村市（49.9%）、町田市（43.0%）など製造品出荷額が大幅に伸長している市町村も存在する。このように多摩地域の製造業と一括りに捉えてしまうと、実態との間に離齬が生じる。多摩地域は広く多様であり、30 市町村の製造業の有り様にもさまざまな差異が強く存在するといえる。

　多摩地域の製造業は特定の市町村に偏在しているともいえる。**表 3-9** は、多摩地域の製造品出荷額に対する各市町村の構成比と累積構成比を示したものである。上位 3 市町村（府中市、羽村市、瑞穂町）で、累積構成比 45.65% とおおよそ半分を占めていることがわかる。昭島市、八王子市を加えた上位 5 市町村で累積構成比 65.15%、日野市、青梅市、東久留米市、町田市、小平市を加えた上位 10 市町村で累積構成比 84.76% になる。これは事業所数と従業者数でも同様である（**表 3-10**、**表 3-11**）。事業所数は上位 3 市町村（八王子市、青梅市、瑞穂町）で累積構成比 38.85%、従業者数は上位 3 市町村（八王子市、府中市、日野市）で累積構成比 36.30% とおよそ 4 割を占めることになる。加えて、双方の指標ともに上位 5 市町村でおよそ 5 割、上位 10 市町ではおよそ 7 割になるのである。多摩地域の製造業は府中市、羽村市、瑞穂町、八王子市、昭島市、日野市などに偏在しているとも表現できる。これらの市町村では、製造業企業の有り様は異なり、とくに事業所規模に顕著な差が生じている。たとえば、『工業統計表』から計算すると、2018 年の府中市の 1 事業所あたり平均従業者数は 117.80 人、羽村市は 80.65 人である。対して、八王子市は 30.86 人である。府中市、羽村市と八王子市の製造業を比較すると、前者は大手製造企業、八王子市は中小製造企業の色彩が相対的に強いといえる。

　さらに、府中市、羽村市、八王子市、昭島市、日野市の製造業における最大業種を**表 3-12** に示す。府中市は情報通信機械器具製造業（55.13%）、羽村市は輸送用機械器具製造業（86.41%）、昭島市は電子部品・デバイス・電子回路製造業（42.05%）、八王子市は生産用機械器具製造業（23.08%）、日野市は電気機械器具製造業（49.58%）とそれぞれの市町村ごとに最大業種が異なり、多様である。また、

表3-8　多摩地域30市町村の製造業の事業所数、従業者数、製造品出荷額（2002年と2018年）

順位	市町村名	2002			2018			2002/2018の増減率		
		事業所数	従業者数（人）	製造品出荷額（万円）	事業所数	従業者数（人）	製造品出荷額（万円）	事業所数	従業者数	製造品出荷額
1	府中市	178	12,835	94,578,598	110	12,958	77,049,539	-38.2%	1.0%	-18.5%
2	羽村市	117	9,436	50,815,144	68	8,272	76,184,833	-41.9%	-12.3%	49.9%
3	瑞穂町	301	6,529	31,235,087	207	6,686	59,185,253	-31.2%	2.4%	89.5%
4	昭島市	183	8,975	27,779,910	116	9,829	50,666,970	-36.6%	9.5%	82.4%
5	八王子市	819	22,493	74,184,538	503	15,523	40,057,118	-38.6%	-31.0%	-46.0%
6	日野市	125	14,318	84,752,455	59	12,092	36,507,407	-52.8%	-15.5%	-56.9%
7	青梅市	332	14,592	57,137,750	225	7,153	18,881,634	-32.2%	-51.0%	-67.0%
8	東久留米市	82	3,932	12,892,615	48	3,413	14,538,269	-41.5%	-13.2%	12.8%
9	町田市	216	5,691	7,865,812	131	4,616	11,247,216	-39.4%	-18.9%	43.0%
10	小平市	131	7,814	54,255,817	66	3,063	10,095,299	-49.6%	-60.8%	-81.4%
11	立川市	134	3,257	6,132,091	75	3,823	9,884,101	-44.0%	17.4%	61.2%
12	武蔵村山市	187	4,880	8,719,618	120	4,444	9,747,008	-35.8%	-8.9%	11.8%
13	東村山市	146	4,011	7,921,412	76	3,149	8,884,361	-47.9%	-21.5%	12.2%
14	東大和市	78	2,260	9,118,480	38	1,212	8,290,181	-51.3%	-46.4%	-9.1%
15	調布市	167	4,367	12,149,654	83	2,049	4,879,952	-50.3%	-53.1%	-59.8%
16	日の出町	61	1,574	4,704,326	49	1,696	4,671,079	-19.7%	7.8%	-0.7%
17	あきる野市	145	3,016	6,539,892	77	1,963	4,620,034	-46.9%	-34.9%	-29.4%
18	三鷹市	162	7,252	18,645,334	71	1,611	3,152,523	-56.2%	-77.8%	-83.1%
19	西東京市	116	4,625	24,017,687	30	969	3,067,352	-74.1%	-79.0%	-87.2%
20	稲城市	115	2,383	4,290,600	62	1,773	2,865,057	-46.1%	-25.6%	-33.2%
21	多摩市	19	807	1,722,225	21	878	2,312,701	10.5%	8.8%	34.3%
22	福生市	61	1,500	3,102,666	36	1,105	2,064,149	-41.0%	-26.3%	-33.5%
23	国分寺市	47	1,354	2,825,489	25	970	1,950,607	-46.8%	-28.4%	-31.0%
24	清瀬市	38	931	1,466,944	20	950	1,903,297	-47.4%	2.0%	29.7%
25	狛江市	51	1,400	2,749,938	21	401	1,206,604	-58.8%	-71.4%	-56.1%
26	武蔵野市	56	4,245	9,320,351	25	347	513,001	-55.4%	-91.8%	-94.5%
27	国立市	32	383	631,701	18	357	405,058	-43.8%	-6.8%	-35.9%
28	小金井市	36	819	1,180,250	14	320	388,718	-61.1%	-60.9%	-67.1%
29	檜原村	12	154	212,043	5	63	103,922	-58.3%	-59.1%	-51.0%
30	奥多摩町	15	264	431,202	8	78	57,189	-46.7%	-70.5%	-86.7%

出所：経済産業省「工業統計表」より筆者作成。

表 3-9　各市町村の構成比と累積構成比（製造品出荷額）/ 2018 年

	製造品出荷額	
	構成比	累積構成比
府中市	16.56%	16.56%
羽村市	16.37%	32.93%
瑞穂町	12.72%	45.65%
昭島市	10.89%	56.54%
八王子市	8.61%	65.15%
日野市	7.84%	72.99%
青梅市	4.06%	77.05%
東久留米市	3.12%	80.17%
町田市	2.42%	82.59%
小平市	2.17%	84.76%

出所：経済産業省『工業統計表』より筆者作成。

表 3-10　各市町村の構成比と累積構成比（事業所数）/ 2018 年

	事業所数	
	構成比	累積構成比
八王子市	20.90%	20.90%
青梅市	9.35%	30.25%
瑞穂町	8.60%	38.85%
町田市	5.44%	44.29%
武蔵村山市	4.99%	49.28%
昭島市	4.82%	54.10%
府中市	4.57%	58.67%
調布市	3.45%	62.12%
あきる野市	3.20%	65.32%
東村山市	3.16%	68.48%

出所：経済産業省『工業統計表』より筆者作成。

表3-11 各市町村の構成比と累積構成比（従業
者数）（2018年）

	従業者数	
	構成比	累積構成比
八王子市	13.89%	13.89%
府中市	11.59%	25.48%
日野市	10.82%	36.30%
昭島市	8.79%	45.09%
羽村市	7.40%	52.49%
青梅市	6.40%	58.89%
瑞穂町	5.98%	64.87%
町田市	4.13%	69.00%
武蔵村山市	3.98%	72.98%
立川市	3.42%	76.40%

出所：経済産業省『工業統計表』より筆者作成。

表3-12 府中市、羽村市、八王子市、昭島市、日野市の製造業にお
ける最大業種（2018年）

	最大業種	構成比
府中市	情報通信機械器具製造業	55.13%
羽村市	輸送用機械器具製造業	86.41%
昭島市	電子部品・デバイス・電子回路製造業	42.05%
八王子市	生産用機械器具製造業	23.08%
日野市	電気機械器具製造業	49.58%

出所：経済産業省『工業統計表』より筆者作成。

羽村市は最大業種である輸送用機械器具製造業の占める割合が86.41％だが、八王子市は最大業種である生産用機械器具製造業の割合が23.08％になる。羽村市の製造業では1業種に依存しているが、八王子市の製造業は他業種に跨っているといえる。多摩地域の製造業は各市町村での業種構成も多様であり、一律には捉えられないのである。

　上記をまとめると、多摩地域の製造業は特定の市町村に偏在している。すなわち、多摩地域では住宅地と製造業が明確に区分されるようになっている。その上で、市町村ごとに、

① 規模の拡大 / 縮小傾向

② 事業所規模

③ 最大業種と構成割合

などの面で明確な特徴がある。

　以上より、多摩地域の製造業には地域全体を捉え、全国や東京都、都区部と比較した際に浮かび上がってくる姿がある。また、多摩地域を一律に捉えず、基礎自治体としての市町村からみた姿がある。すなわち、多摩地域の製造業には多様な姿と見方が存在するのである。

3.　多摩地域の中小製造企業のケーススタディ

　第 1 節では、多摩地域の製造業を歴史的な文脈から捉えた。第 2 節では、多摩地域の製造業を定量的な視点から、全国、東京都、都区部との時系列的な比較と地域内の 30 市町村の時系列的な比較から捉えた。本節ではよりミクロな視点、具体的には多摩地域の製造業の構成要素としての中小製造企業および企業経営者の事例から捉えることにする。本節で提示する事例は 3 つである。事例 1 では大正時代に都区部で創業、その後に多摩地域に量産機能および本社機能を移転したムラコシ精工の事例を提示する。事例 2 では 1990 年に八王子市で創業、2 代目経営者への事業承継を経て、国際化したピエゾパーツの事例を提示する。事例 3 では 2006 年に東村山市で創業、公的機関との連携の下、事業成長したキーナスデザインの事例を提示する。

（1）事例 1：株式会社ムラコシ精工 [7]

　株式会社ムラコシ精工（小金井市）[8] は第 1 節で述べた多摩地域の製造業の歴史と強く重なり合っている。言葉を変えれば、多摩地域の中小製造企業の歴史を体現しているともいえる。創業以来、多摩地域の製造業の歴史と歩みを同じくしながら、経営環境の変化に柔軟に対応し、民生ねじ、軍用ねじ、ミシン部品、自

動車部品、住インテリアと新たな市場を開拓してきた。同社は現在、ファインコンポーネンツ事業部（FC事業部）と住インテリア事業部の2つの事業部を持ち、FC事業部は自動車の重要保安部品である「ブリーダースクリュー」をはじめブレーキ関連の製造・販売、住インテリア事業部は「木工用ジョイント、家具用・住宅内装用機能金具」の開発・製造・販売を手掛けている。

　ムラコシ精工は初代社長の村越政右衛門が1918年に創業した「村越鉄工所」を出発点としている。創業の地は東京都品川区大崎で、のちに渋谷区鶯谷町に移り、民生ねじの製造・販売を手掛けていた。その後、渋谷区の工場が手狭になったため、1938年に小金井市に小金井工場を設立した。すなわち、都区部から多摩地域に量産展開をしたのである。そして、戦中は日本最大・世界有数の航空機メーカーである中島飛行機の協力工場として、戦闘機のねじなどの製造を開始した。戦中、同社の工場は軍需によりフル稼働だった。しかし、終戦の日を境に、戦時中の需要が一気に蒸発する。3代目社長・現会長の村越政雄氏は「製造業の経営の見地からみると、終戦時の経済ショックはその後の経済危機とはくらべ物にならないほどの一大事だった」と語っている（2021年2月のヒアリングによる）。こうしたなかで、終戦後すぐにムラコシ精工の小金井工場の近くに、蛇の目ミシン（当時、帝国ミシン）の小金井工場があったことをきっかけにして、ミシンねじの下請生産を開始する。その上で、1940年代後半にはリッカーやブラザー工業など全国のミシンメーカーと取引をするようになり、ミシンねじの製造企業として日本最人になるまで売上を拡大した。

　村越政雄氏は1941年に渋谷区で出生、杉並区を経て、終戦とともに小金井市に移り住んでいる。日本大学理工学部を卒業した後、1965年からドイツに赴き、ケルンの工作機械メーカー・シュッテ社の製造現場でインターンを行った。ムラコシ精工では当時、シュッテ社の自動旋盤機を用いていたことが縁になった。その後、シュツットガルトの企業で、セールス・エンジニアの養成講座も受講する。このときに得た国際経験が、後述するムラコシ精工の国際化につながることになる。村越政雄氏は1980年に3代目社長、2016年に会長に就任している。

　日本のミシンメーカーは1960年代半ばから、安価な労働力を求めて海外展開を開始している。当時の中小の下請けメーカーには、海外展開をするノウハウも資金力もなかった。ムラコシ精工も顧客企業に追随しての海外生産展開は行わな

かった。そのため、ミシン産業の空洞化に直面し、ミシンねじの受注量が激減することになった。村越政雄氏はこのときを回想して、次のように述べている。

「ミシンねじの製造で培った精密加工技術を用いることで、下請生産の範囲を広げようと考えた。当時、日本の自動車生産台数は昭和 40 年には 100 万台を超えていて、今後も自動車産業が伸びていくと考えた。しかし、自動車産業には強固な系列関係が存在し、大量生産の部品を新規に受注するのは難しい。そのため、小ロット生産のサービス部品を複数の企業から受注することを考えた。その結果、目を付けたのが重要保安部品である、オイルブレーキ用の「ブリーダースクリュー」だった。」（2021 年 2 月のヒアリングによる）

　ムラコシ精工は既存の系列関係を乗り越え、複数の自動車メーカーからの受注を獲得した。大規模生産と品質管理も実現し、自動車部品の売上を伸長させた。その結果、1973 年には売上全体に占める割合は、自動車部品が 80% まで伸張、ミシン部品が 20% まで縮小した。現在では国内ブレーキメーカー全てと取引し、ブリーダースクリューに関しては国内市場のシェアが 60-70% になっている。

　日本の製造業の経営環境は 1973 年のオイルショックで急速に悪化した。これはムラコシ精工も同様だった。村越政雄氏は下請依存から脱却するため、自社製品開発を志向する。その際に目を付けたのが父親である 2 代目社長の村越一雄氏が開発した木工用ナット「鬼目ナット」だった。鬼目ナットは「組立構造方式家具の部材を接合する金具[9]」である。鬼目ナットを使えば、家具をバラバラのピースとして出荷し、現場で組み立てられる。いわゆるノックダウン家具が可能になる。バラバラのピースにすれば、そうしないよりも多くの家具を運搬することができる。そのため、鬼目ナットにより、家具の流通コストが劇的に低減することになる。ムラコシ精工は 1970 年代後半から自社製品である鬼目ナットにより、住インテリア業界への参入を実現している。また、当時の家具の本場はアメリカおよびヨーロッパだった。そのため、村越政雄氏はアメリカ・ヨーロッパの家具の見本市に単身で出展し、鬼目ナットの実演販売などを行った。その上で、カナダに営業拠点を設立したり、カナダ、アメリカに代理店を設置したりしている。また、ドイツ、イタリア、イギリスなどヨーロッパの企業と販売提携や技術提携

写真 3-2　ムラコシ精工の外観

出所：筆者撮影。

を締結している。

　現在のムラコシ精工は研究開発型企業としての色彩を強くしている。1977年には製造機械を開発するムラコシ工機を設立している。また、阪神淡路大震災を契機として、過去の地震を再現する3次元加振試験機などの高度な実験設備を用いて、耐震金具を開発している。さらに多摩地域の国立大学との産学連携を推進したり、北海道安平町にメガソーラー基地を有し、太陽光発電などのグリーンパワー事業も手掛けたりしている。1965年に福島県に工場を設立したのを始め、1984年に山梨県に工場を設立、2000年に小金井工場を閉鎖し福島・山梨に集約するなど、多摩地域から全国各地に量産機能を移転している。一方、本社機能は一貫して多摩地域に置いている。これはグループ全体の指令本部として、東京特有の情報インフラを積極的に活用するためである。村越政雄氏は、「「新しい働き方」の普及から、より多摩地域の重要性は高まっていく。そのため、今後も多摩地域にこだわっていきたい」と語っている（2021年2月のヒアリングによる）。

（2）事例2：ピエゾパーツ株式会社（八王子市）[10]

　ピエゾパーツ株式会社は1990年に八王子市美山町で創業した。創業者は2代目・現社長の早川祐介氏の父親である早川春男氏で、主たる事業は光学部品などのための膜厚モニター水晶の製造・販売・リサイクルである。早川春男氏は新潟県の出身であり、ピエゾパーツも新潟県に工場を有している。光学機器、たとえば、カメラやスマートフォンのレンズにはAR膜（Anti-Reflection Film：反射防止膜）が付いている。カメラのレンズが光を反射すると、写真にフレアやゴーストが発

生する。そのため、光が反射するのを防止する AR 膜を、レンズ表面に成膜する必要がある。AR 膜は真空蒸着法により、レンズ表面に蒸着材料を付着させることで成膜する。そして、レンズ表面の AR 膜の特性を得るために、「膜の厚さ」（＝膜厚）を計測する必要があり、それを可能にするのが、ピエゾパーツの膜厚モニター水晶なのである。膜厚モニター水晶は有機EL[11] ディスプレイの有機材料の蒸着や基板表面の光学フィルタの膜厚の測定にも用いられている。

　早川春男氏は調布市の水晶デバイスメーカーに就職した後、1970 年代半ばに同僚と八王子市で水晶振動子メーカーを設立する。同社は当時、アメリカからの輸入に依存していた膜厚モニター水晶を OEM 供給[12] するようになった。その延長線上として、早川春男氏はピエゾパーツを創業し、膜厚モニター水晶の製造・販売を手掛け始めたのである。

　早川祐介氏は 2011 年に代表取締役に就任している。大学で化学工学を専攻した後、半導体デバイス製造装置メーカーに就職する。液晶事業部の装置検査部門に配属され、韓国や台湾の大手メーカーを顧客とし、海外出張を重ねていた。当該業務のなかで、現在の伴侶である台湾人女性とも出会っている。そして、2006 年にピエゾパーツに入社し、八王子市の後継者育成塾などで、経営のあり方を学んだ。その当時、顧客であるカメラやスマートフォンといった光学機器メーカーが、中国などに海外展開していた。そのため、台湾を中心とした海外市場開拓を企図する。早川祐介氏は台湾の展示会に参加し、妻と一緒に関連する台湾企業を数多く訪問する。そして、2009 年には台湾支店である星晶科技有限公司を開設した。当時の台湾では、アメリカ製や中国製の膜厚モニター水晶が用いられていた。ピエゾパーツは膜厚モニター水晶の製造に関して、高い研磨技術を有していた。これは国内顧客企業との取引で培った技術である。そのため、アメリカ企業や中国企業とくらべて、高品質の膜厚モニター水晶を、一つひとつに差がなく、安定的に供給できるという優位性があった。膜厚モニター水晶は光学部品の膜厚を測定するための消耗品である。よって、一つひとつの膜厚モニター水晶に差があると、膜厚の測定値に歪みが生じることになるのである。

　現在、ピエゾパーツは台湾の大手光学機器関連メーカーや有機ＥＬディスプレイメーカーなどおよそ 30 社と取引し、売上の半分を台湾の顧客企業が占めるまでに至っている。その上で、より付加価値の高い新製品開発を行ったり、アメリ

カやマレーシアといった海外の大学との共同研究も企図したりしている。

(3) 事例３：キーナスデザイン株式会社（東大和市）[13]

キーナスデザイン株式会社は2006年に創業された、電子機器に特化した冷却・温調装置の設計・製造・販売を手掛ける企業である。大手の自動車メーカー、電機メーカー・精密機器メーカー、大学、研究機関を顧客としている。元々は東村山市で創業したが、2011年に東大和市に事務所を移転している。同社の製品には半導体の熱負荷試験や定温管理をデスク上で行える「デスクトップ温調機PELNUSシステム」などがある。

創業者・現社長の橘純一氏は神奈川県平塚市出身で、芝浦工業大学を卒業後、神奈川県横浜市の中小企業で、特殊環境用テレビカメラロボットの開発を手掛ける。その後、外資系の大手測定器メーカーに転職し、半導体テスターの開発に従事した。しかし、親会社の事業再編と分社化により、当該開発部門は2005年に閉鎖されることになった。橘純一氏は開発部門の閉鎖を契機にして、キーナスデザインを創業し、東村山市の自宅の4畳半の部屋で事業を開始したのである。2008年に東村山市内にて、事務所を開設するもリーマンショックとそれに続く半導体不況により、売上を急減させる。こうした苦境を乗り越えるため、橘純一氏は経営支援を受けることを模索し、さまざまな団体にコンタクトをとっていった。そのなかで、東京都の経営革新計画に承認される。これを契機として、キーナスデザインは新たな顧客の獲得のため、2010年の次世代照明技術展に出展するようになる。こうしたなかで、橘純一氏は東京都中小企業振興公社や首都圏産業活性化協会、東京中小企業家同友会、東大和市商工会といった多摩地域の組織とのネットワークも構築し、さまざまな経営支援を受け、事業を拡大していく。エレクトロニクス開発・実装に関する専門展示会や公的機関主催の商談会に参加し、東京都中小企業振興公社から海外販路開拓の支援も受け、台湾の展示会にも出展している。さらに、東京都立産業技術研究センターとの共同研究も展開する。

その上で、キーナスデザインは近年、国際化をより一層、進展させている。2016年5月には台湾の検査受託会社から受注し、台湾の商社と専売契約も締結している。そして現在まで、台湾企業やシンガポール企業と定期的な取引を行っている。スイスのLEMSYS社との間に、販売代理契約も結んでいる。人材面でも、

ネパール人などの海外人材の活用を進めている。また、橘純一氏は多摩地域内の活動に傾注しており、2018 年以来、都内 2200 名の中小企業経営者が参加する異業種の中小企業経営者の団体である東京中小企業家同友会[14] の三多摩支部・支部長を務めている。

　以上、多摩地域の中小製造企業 3 社の事例を提示した。事例 1 のムラコシ精工の事例からは、多摩地域の中小製造企業がどのような変遷を辿ってきたのか、その具体的な姿が理解できる。ムラコシ精工は都区部で創業し、戦前に多摩地域に量産機能を移転する。その上で、軍需産業に携わった。戦後は、多摩地域に量産機能を移転していたミシンメーカーと取引し、技術力を伸張させる。そうした技術力を基盤に、自動車産業に参入する。また、脱下請を企図し、製品開発と住インテリア産業への参入も実現した。すなわち、多摩地域の製造業の歴史的な変化に付帯して、中小製造企業がどのような発展を遂げてきたか、その姿が映し出されているのである。

　事例 2 のピエゾパーツは、多摩地域で、内発的に創業された中小製造企業である。そこで、多摩地域の製造業がどのように新たな中小製造企業を生み出したのかが描写されている。また、ピエゾパーツの 2 代目経営者は自社製品である膜厚モニター水晶を用いて、海外市場開拓、国際化を遂行している。すなわち、2 代目経営者による事業承継後のイノベーション、言葉を変えれば、第 2 創業が映し出されている。

　事例 3 のキーナスデザインは多摩地域の製造業における創業者の事例である。キーナスデザインの経営者は多摩地域外の出身で、多摩地域の外資系大手メーカーを経て、創業している。創業後は、多摩地域の公的機関や団体との連携から、経営支援を受け、事業成長を果たしている。多摩地域の製造業の特徴は、大手製造業、中小製造企業、金融機関、大学・公的機関が幾重ものネットワークを張り巡らせていることである。キーナスデザインはそうしたネットワークを基盤として、事業成長を果たしたのだといえる。また、キーナスデザインの橘純一氏は東京中小企業家同友会三多摩支部・支部長を務めており、自身が多摩地域のネットワークのハブになっているとも指摘できる。

　多摩地域の中小製造企業は、多摩地域全体の変化に対峙しながら、自社や地域

に蓄積された技術やネットワークなどの資源を活用し、自社を柔軟に変化させ、事業を成長させている。そのなかで、中小製造企業自体も多摩地域の製造業における変化の発生点になっている。

おわりに

　本章では、まず、多摩地域の製造業の全体像を歴史的、定量的に捉えた。その上で、中小製造企業3社の事例を提示することで、多摩地域における中小製造企業や経営者の個々の営みを具体的に提示した。明治時代の養蚕業、製糸業、織物業から始まり、現在の電機機械、情報通信機械、電子部品、デバイス、電子回路に至るまで、多摩地域の製造業の顔は幾度も変化している。また、多摩地域を代表とする大手製造企業の顔ぶれも異なる。このように、多摩地域の製造業は歴史的な多様性を有している。

　その上で、全国、東京都、都区部と比較した、多摩地域の製造業の位置づけも異なる。多摩地域の製造業は全国の構成比からみれば縮小しているが、東京都のなかでは構成比が伸張し、存在感が増しているという2つの顔を有している。どの視点から捉えるかで、多摩地域の製造業の重要性も異なる。また、多摩地域内の30市町村のなかで、製造業は偏在している。製造業の偏在している市町村同士でも、業種が異なるなど、多摩地域は地理的にも製造業の顔が多様である。こうした多様性のなかで、個々の中小製造企業は変化に対応し、事業の継続と成長を実現しているのである。

注

1　八王子市HP「其の五　桑都八王子は織物のまち」＜ https://www.city.hachioji.tokyo.jp/kankobunka/003/monogatari/p026930.html ＞、2021年3月31日閲覧。

2　東京シルクHP＜ http://www.tokyosilk.jp/yousan_nouka/index.html ＞ 2021年6月29日閲覧。

3　澤井（2005）参照。

4　以下の各企業の記述は、当該企業のHPなどを参照している。

5　東京都（2013）『新たな多摩のビジョン』東京都総務局行政部HP＜ https://www.soumu.metro.tokyo.lg.jp/05gyousei/sinkou/tama_aratanavision/vision.pdf ＞ 2021年4月9日閲覧。

6　小金井精機製作所HP＜ http://www.koganeiseiki.co.jp ＞ 2021年3月31日閲覧。

7 事例 1 では、ムラコシ精工会長の村越政雄氏への複数回のインタビュー（2021 年 2 月〜3 月）に加え、『商工ジャーナル』2017 年 10 〜 12 月号に掲載された、村越政雄の自伝「我が人生、我が事業」および『モノ・マガジン』（2018 年 2 月 16 日）のムラコシ精工の特集を参照している。

8 ムラコシ精工は創業時の村越鉄工所、1961 年からの株式会社村越精螺製作所、1975 年からの株式会社ムラコシ、1976 年にムラコシから鬼目ナットを手掛ける部門を分社化した株式会社ムラコシ精工、2010 年のムラコシとムラコシ精工の合併、2014 年の持株会社である株式会社ムラコシ・ホールディングスの設立と、社名や業態が変容している。ここでは、冗長性のある記述を避けるため、ムラコシ精工の表記を用いる。

9 ムラコシ精工オンラインショップ＜ https://murakoshishop.com/murako0330/9.3/59045/ ＞2021 年 3 月 31 日閲覧。

10 事例 2 は、早川祐介氏へのインタビュー（2021 年 2 月）に加え、筆者が過去に作成した東京経済大学 地域連携センター・多摩信用金庫（2014）『多摩地域の中小企業経営者のプロフィールと企業経営に関するアンケート調査報告書』に所収されているピエゾパーツの事例に基づいている。

11 有機 EL（Electro-Luminescence：エレクトロルミネッセンス）とは、「発光物質に蛍光性の有機化合物を用いたもの」のことである（仲田 2000）。

12 Original Equipment Manufacturing の略。受注先のブランドを用いた受託製造のこと。

13 事例 3 は筆者のこれまでのインタビューに加え、橘純一氏の講演資料（2014 年 7 月および2019 年 7 月）を参照している。詳しくは、本書の姉妹本である尾崎・李編（2021）『「21 世紀の多摩学」研究会記録』（東京経済大学地域連携センター）を参照されたい。

14 東京中小企業同友会パンフレットを参照。

参考文献

・上西英治（2016）「日本の絹産業から見た富岡製糸場の歴史意義」『地域政策研究』第 18 巻

・上山浩次郎（2012）「「大学立地政策」の「終焉」の影響に関する政策評価的研究—「高等教育計画」での特定地域における新増設の制限に注目して—」『教育社会学研究』第 91 集

・大坂谷吉行（1979）「大学等の郊外立地の現状と問題点：南関東地域の場合」『都市計画論文集』第 14 巻

・児玉俊洋（2002）「TAMA（技術先進首都圏地域）における産学及び企業間連携」RIETI Discussion Paper Series 02-J-012

・澤井栄一郎（2005）「多摩織」『繊維学会誌』第 61 巻 7 号

・関満博（1993）『現代ハイテク地域産業論』新評論

・仲田仁（2000）「有機 EL 素子が実用化に至るまで」『応用物理』第 69 巻 9 号

・福生市史編さん委員会（2014）『福生市史 下巻』福生市

・星野朗（1998）「昭和初期における多摩地域の工業化」『駿台史學』第 105 巻

【謝辞】

　本研究は科学研究費補助金 基盤 C(19K01872)「中小企業の海外市場参入プロセスにおける従業員の企業家行動の促進・阻害要因と自律性」(研究代表者 山本聡)の支援を受けている。記して、感謝する。

第4章

多摩の商業
—新たな生活「街」を描く—

鈴木 恒雄

　街を構成する核となる商業集積は、どのように成立してきたのか。かつて「街の顔」となってきた商店街がみるみる衰退するなかで、台頭してきた巨大資本や新業態。商業環境が激変する今日、いかなる商業振興があり得るのか。（国分寺市内の商店街とイベント）

はじめに

　「百川海に朝す」、あらゆる川は海に向かって流れるという様から、利益のある
ところには自然と人が集まることを喩えたことわざが相応しいかもしれない、「東
京一極集中」。ヒト、モノ、カネといった経営資源が全国から東京圏に流れ込む
構図である。とくに、東京都の人口に関していえば、他道府県からの転入超過[1]（社
会増）は 1997 年から続いており、バブル崩壊後の景気回復局面において、地域
間格差が問題視されるようになって表出したものである。『多摩学のすすめ』シ
リーズ（序章参照）が刊行された 1990 年代を経て、2002 年 2 月から 08 年 2 月ま
で続いた戦後最長の「いざなみ景気」に続き、リーマンショックなどによる一時
的な景気の落ち込みはあったものの、戦後 2 番目に長いといわれる 2012 年から
の景気回復局面に支えられ、東京全体および多摩地域の人口増加とともに、商業
環境が大きく変化したことは容易に想像できる。とかく、商業において、基礎的
なデータとなる足元の商圏人口が多いほど経営活動に際して有利に働くからであ
る。政府は「地方創生」を旗印に掲げ、地方都市に「人口のダム」としての機能
拡充を図っているものの歯止めがかかっておらず、人口の「東京一極集中」は暫
く止まりそうにない。2008 年をピークに総人口の減少や少子高齢化の問題などに
直面している日本において、地方から東京圏への若者を中心とした転入超過[2]が招
いている人口動態の構図には批判も根強い。

　大消費地となった東京都のなかでも、多摩地域は島嶼部を除く東京都面積の約
6 割を占め、26 市、3 町、1 村の自治体を擁し、豊かな自然と都市の調和がとれ
たエリアである。これだけ広大なエリアだけに、地域によって商業の生い立ちは
多様である。多摩地域の商業の未来を語るうえで、歴史的な背景を踏まえて地域
特性の違いを把握しておく必要がある。そういった意味では、自然発生的に商店
が集積した商店街[3]にスポットを当てて追いかけるのが相応しい。その地で事業
が成立すると判断した人たちが、比較的自由に商売を営み始め、商売人たちによっ
て組織化され、ソフト面・ハード面において多面的な商業振興策を講じてきたか
らである。

　さらに、多摩地域の商業集積地区[4]においては、大型商業施設の存在も忘れては

ならない。ただし、これら商業施設の進出にあたっては合理的かつ計画的な判断のもとで大資本が投下されている。つまり、商業施設は商店街と同様に商業活動を担う主体であるが、地域の永続的な発展に責任を持って取り組まないといけないのは、商業施設の資本家たちよりも地域で生業としている人たちのほうであることを理解しておかなければならない。大型商業施設では刻々と変化している商業環境に対応するため、商店街の個店よりも先進的なマーケティング手法を巧みに取り入れ、集客に余念がない。

　一方、地元資本の商店街においては、地域ないし自治体によって商業振興施策への力の入れ具合やハンドリングなどが異なるため、商業環境の変化への対応力に地域間でばらつきが生じてくる。総じて商業集積の高い商業エリアというのは、変化への対応力に優れ、大型商業施設と地元資本の商店街が一体となって街の魅力を向上させており、他地域から顧客を吸引する力が増してくるのである。逆に、繁栄していた往時の商店街の姿を追い求めて従来のやり方を続けているだけでは、行政によるテコ入れがあっても変化に対応しきれず、他地域に顧客を吸引されてしまうのである。また、地域によっては、市街地から外れた郊外における大型商業施設自体が買い物拠点になって、集客力を牽引しているケースもあるだろう。交通機関の利便性によっては、街よりも大型商業施設での買い物に依存せざるを得ないといった立地特性も見極める必要がある。

　本章では、『多摩学のすすめ』シリーズが刊行された後、今日までの商業環境の変化について整理しておきたい。およそ25年間における街づくり関係の法律の改正、人口や年齢構成の推移、ICT進展などが、人々の消費行動やライフスタイル、社会環境を変化させ、多摩地域の商業集積にどのような影響を及ぼしてきたかを商店街にスポットを当てて考察する。また、統計データを用いて客観的に市町村の状況を検討し、地域別に商店街の現状に迫るとともに、各自治体では商業振興施策として商店街向けに各種の補助事業が用意されているのであわせて紹介する。

　「東京一極集中」は永遠に続くわけではない。まして、東京都特別区部（以下、区部）の商業力に水をあけられている状況において「東京一極集中」が終焉を迎えた場合、真っ先に多摩地域の商業から衰退が始まってくることが推察される。とくに、商業機能を商店街よりも大型商業施設に大きく依存した地域では、撤退

リスクも抱えているため、大きな打撃を受けるだろう。それゆえ「東京一極集中」の先に待ち構える大きな変化に直面しつつあるなか、各々の自治体が「街」の魅力を再認識する必要がある。最後に、多摩地域の商業の未来に向けて、「街の顔」である商店街（商業集積）に期待する「あるべき姿」についても考えていく。

1．多摩地域の商業を形成した歴史的な背景

　東京都内総生産（名目 GDP）約 106 兆円のうち、非製造「卸売・小売業」が全国平均を上回る約 2 割[5] と最大の構成比を占めており、東京の経済における「卸売・小売業」の存在感の大きさがうかがえる。大消費地である東京を背景にした「卸売・小売業」の販売力は、「経済センサス」（2016 年）によると、年間商品販売額については日本全体の約 545 兆円に対し、東京都は約 186 兆円（34％）を占め、全国最大規模を誇る。この実態をさらに踏み込んで、島嶼部を除く東京都を区部と多摩地域に区分して数値を集計してみるとエリア特性が如実に浮き彫りにされる。**表 4-1** からは、東京都の年間商品販売額の約 96％は区部の事業者がもたらしており、その大半は卸売業であることがわかる。エリア間で事業所数や従業者数に大きな開きがあり、多摩地域は 4％ に満たないのである。さらに、卸売業と小売業別に年間商品販売額の構成比をみると、多摩地域の卸売業についてはわずか 2％ しか数値に貢献していない。

　一方、小売業については、多摩地域は約 21％ を占めており、「東京一極集中」が騒がれているなかで、多摩地域において、この数値に成長の伸びしろがあるのかを考えてみたい。東京の商業について、卸売業は区部の事業者が経済活動を牽引してきたと言わざるをえない。小売業においても、区によって格差はあるものの、区部が占める数値は大きい。しかし、都の人口の 7 割を区部が占めていることを考慮すれば、多摩地域の小売業は奮闘しているようにみえる。人口約 420 万人を擁する多摩地域を 1 つの都市と仮定すれば、2 番目に人口の多い横浜市（人口約 370 万人）の小売業年間商品販売額約 4 兆円[6] とほぼ同規模であることから、全国でトップレベルのポテンシャルを秘めていると考えられる。

　以下、本節では小売業に着目して、多摩地域における商業のルーツを探る。

第 4 章　多摩の商業―新たな生活「街」を描く―

表 4-1　区部・多摩地域における卸売業と小売業別の事業所数、従業者数、年間商品販売額（2016 年）

（単位：事業所、人、百万円）

区市町村	総数			卸売業			小売業		
	事業所数	従業者数	年間商品販売額	事業所数	従業者数	年間商品販売額	事業所数	従業者数	年間商品販売額
総数（島嶼除く）	109,152	1,470,700	185,982,197	37,242	788,806	166,912,937	71,910	681,894	19,069,262
区部	86,582	1,239,446	178,216,243	32,903	745,172	163,139,573	53,679	494,274	15,076,670
構成比	79.3%	84.3%	95.8%	88.3%	94.5%	97.7%	74.6%	72.5%	79.1%
市・郡部（島嶼除く）	22,570	231,254	7,765,954	4,339	43,634	3,773,364	18,231	187,620	3,992,592
構成比	20.7%	15.7%	4.2%	11.7%	5.5%	2.3%	25.4%	27.5%	20.9%

出所：「経済センサス」（2016 年）より筆者作成。

105

（1）商店街の生い立ちを考える

　前項で商店街を「自然発生的に商店が集積」と書いたが、商売を営むにあたって、その地を「消費地」と判断した人たちが集まってきた「場」が商店街の起源であると考える。ちなみに、現在の商店街「組織」という概念が用いられるようになったのは、近代になって「中小企業等協同組合法」が制定された1924年頃からだと考えられる。

　かつて、「働く」と「住む」が同じ場所であった時代では自給自足があたり前だった。この時代における商店の集積が、生活や生計を立てるために必要な「モノ」を提供していくことで人々の暮らしに豊かさを加え、地域独自の文化をつくり生活空間に溶け込んできた姿は、今の商店街を形成していくうえでの原点となっていると筆者は理解している。以下では、時系列に人口密集地の足跡をたどりながら、時代の移り変わりとともに隆盛してきた多摩地域の産業を背景に、地の利を生かしつつ発展してきた商業の原点を地域ごとに探る。

（2）街道の「宿場」を起点に街（まち）へ

　まずは多摩地域の商業を江戸時代から紐解く。「江戸時代の多摩地域は、甲州街道、青梅街道、五日市街道など、東西方向を軸とした交通体系が整備された。これらの街道は、江戸城改修の際の石灰や江戸の暖房用の木炭のほか、多摩地域の新田開発が進むと江戸へ出荷する農業産品などの輸送に利用された。このころの多摩地域は、江戸の後背地として、大都市への資源供給地としての役割を担っていた」（東京都市長会事務局企画政策室 2016：8）。鉄道のない時代、人の往来の多かった街道では、現在でいう「駅」のような機能をもった「宿場」が多摩地域の各所に置かれ、宿場を中心に町（宿場町）が形成されたことから、多摩地域の商業が始まったと考えられる。多摩地域を東西に横断する主要な街道を北側からみていくと、青梅街道は「江戸城大改修に必要な御用石灰を青梅の成木方面から輸送するため」に整備され、田無宿（西東京市）、箱根ヶ崎宿（西多摩郡瑞穂町）、青梅宿（青梅市）、氷川宿（西多摩郡奥多摩町）があった（清水・津波 1999：95）。さらに南側の甲州街道は徳川家康の江戸入府後、江戸幕府によって江戸日本橋を起点とした五街道[7]の1つとして整備され、国領宿（調布市）、下布田宿（調布市）、上布田宿（調布市）、下石原宿（調布市）、上石原宿（調布市）、府中宿（府

中市）、日野宿（日野市）、横山宿（八王子市）、駒木野宿（八王子市）[8] があった。
このほかにも街道は整備されたが、これだけでも多摩地域には数多くの宿場が存
在し、町人の生活物資などの提供をはじめ、旅路の街道通行人や参勤交代のお休
み処としてさまざまな商いがなされていたことになる。多摩地域のなかでも、滝
山城や八王子城があった八王子は城下町として栄え [9]、後に甲州街道が整備されて
から宿場町として発展した。甲斐方面からの防衛・交通・交易の拠点として、横
山宿は本陣 2 軒や脇本陣 4 軒を構え、旅籠 34 軒、総家数 1548 軒にもおよび（大
高 2011）、「八王子は、甲州街道 1、2 を争う大きな宿場町」（山口 2009）だった。

　上に挙げた市町村が、宿場町に始まる商業の原点といわれてもピンとこない人
も多いだろう。現在、これら宿場町の多くは時代とともに姿を大きく変え、当時
の面影を残す地域は少なくなっている。ヒトやモノの移動に街道が使われていた
時代、多摩地域は江戸への資源供給を担ういくつもの街道が整備され、人口密集
してきた場から漸次的に商業が始まってきたものと考えられる。

（3）街道から「市」を起点に

　「明治以来、多摩地域の主要な産業は、養蚕製糸と織物業であった」（東京都市
長会事務局企画政策室 2016：8）。幕末開国後、生糸を輸出するため、産地・集積
地であった八王子から町田を経由して横浜港へ運ぶ街道が新たに整備された。馬
や荷車で繭や生糸などを運ぶ商人の往来が多くなり、横浜で生糸を降ろした帰り
には、乾物などの保存しやすい海産物や肥料（干鰯）や舶来品などを仕入れて戻っ
た。さらに、横浜港に駐留していた外国人との交流が始まり、外国の思想や文化
も運ばれてきた。中継地点であった町田では、定期的に開催されていた「市（いち）」
が賑わいを見せ始め、商業が発達したともいわれている [10]。このように、地場産業
と密接に関連した物流経路から派生して商業が始まるケースもあった。

（4）街道から「駅」を起点に

　明治期に入ると鉄道が開通、移動手段が鉄道へシフトし始めると、多摩地域に
おける人口密集地は街道沿いから駅を中心とした鉄道沿線へ変わり始めたとみら
れる。

　「1930 年の昭和恐慌後、織物業が大打撃を受けると、かわって多摩地域では航

空機関連産業が著しく伸び」（東京都市長会事務局企画政策室 2016：8）、立川飛行場（立川、昭島）の周辺に軍関連施設が増えていった[11]。なかでも立川は、明治中期の甲武鉄道（現・JR中央線）の開通と立川駅の開業によって、当時、甲州街道沿いにあった立川村の中心が立川駅に移され、商業発展の端緒となった[12]。大正期に陸軍の立川飛行場が開設され、終戦後、米軍が軍事施設を接収・進駐し、復興期では、駅北口に露店や闇市が立ち並び、1950年に「朝鮮戦争」が始まると米兵を相手とする商売で好景気となった[13]。人口が集まりやすい全国の都市部の駅周辺に存在していた闇市は、GHQ（連合国軍総司令部）の圧力により消滅したが、商売の場は今の商店街へ形を変えていくケースもあり、街区のなかに「横丁」として面影を残していたりする。代表例として、上野の「アメヤ横丁」は有名だが、多摩地域では吉祥寺の「ハモニカ横丁」が知られている（井上 2015）。

2. 高度経済成長期以降における多摩商業の形成期

　図4-1は、「商業統計立地環境特性別調査」（2018年）より、小売業の立地地区の構成比について区部と市・郡部（多摩地域）を比較したものである。多摩地域は「住宅地区[14]」の構成比が非常に高いことがわかる。前節で述べた、近代になって「駅」を起点に人口集中し、商業が自然発生的に集積した流れとは別に、多摩地域では「駅」から離れた場所に「住宅地区」を意図的につくり、市街地を形成する過程で商業が集積した側面も大きい。このような今日における多摩地域商業の特性に大きく影響したであろう高度経済成長期を振り返る。この時期における人口の増加要因を背景に、経営基盤となる商圏人口を着実に捉えながら変革し続けた商業集積（商店街）のダイナミズムについて考える。

（1）ワンストップショッピングの実現
　①団地開発にともなう商業集積
　高度成長期以降における多摩地域は、1956年に制定された「首都圏整備法」によって住宅地、工業地ともに大きく変貌を遂げることとなった。「市街地開発区域」に指定された八王子・日野地区、青梅・羽村・福生地区、相模原・町田地区（東京都市長会事務局企画政策室 2016）、さらには府中市や調布市において、工場誘

図 4-1　区部と市・郡部における小売業の立地地区の比較

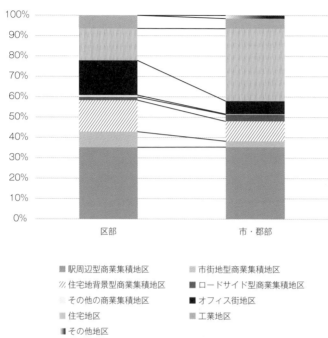

出所：経済産業省「平成 26 年商業統計（立地環境特性別）」より筆者作成。

致が積極的に行われた。一方、住宅地の開発については、市町村が都市化を進め
るなかで、国は「計画的な市街化として整備し、あわせて緑地を保全する必要が
ある区域」として「近郊整備地帯」を規定し、無秩序な市街地の拡大を規制した。
1950 年代後半から急激な人口増加がもたらした住宅不足を解消するため、各自治
体は日本住宅公団（UR 都市機構の前身）に誘致を働きかけ、多摩地域では大規
模な団地の建設ラッシュとなった。代表例を挙げると、武蔵野市や三鷹市などで
公団緑町団地や桜堤団地、牟礼団地（多摩地域で初の公団賃貸団地）の建設など
がある。さらに、東久留米市から西東京市にまたがる公団住宅ひばりヶ丘団地が
建設され、1960 年代は西東京市や小平市、東久留米市などで急激に人口が増加し
た。また 1958-60 年にかけての公団多摩平団地の建設により日野市で人口が増加
し、1970 年代には、柏町団地・幸町団地・若葉町団地など大規模団地が建設され
ることにより、立川市周辺で人口が急増した（**図 4-2** 参照）。市域の人口増加に

図4-2　多摩地域人口10万人以上（2005年）都市の人口総数推移

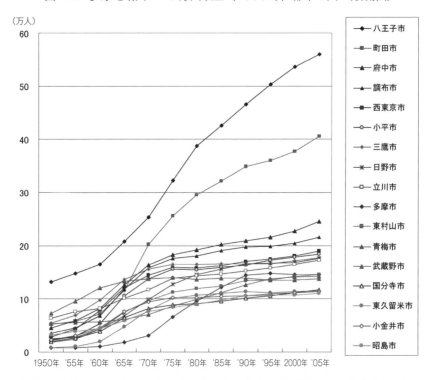

出所：公益財団法人東京都市町村自治調査会（2011）『人口減少期における多摩地域の「縮む」未来図』7頁。

ともない、多摩地域の主要なターミナル駅周辺に百貨店の進出が始まり、武蔵野市、立川市、八王子市、町田市は拠点都市として都市集積を高め始めた（公益財団法人東京市町村自治調査会2011）。

　筆者の理解によれば、当時、これら団地内には居住者の買い物ニーズに対応するため、複数の小売店や飲食店などが集積したショッピングセンターも併せて開発された。団地周辺の既成市街地にあった商店街は、商圏人口の増加にともない、店舗数も拡大して商業集積を高めていった。これにより、商店街は多様な業種の店舗で構成することができ、周辺住民にとって、商店街で買い物すれば全てのものが揃えられる「ワンストップショッピング」を実現し、生活インフラを支える場として認知されるようになった。

②商売人増加の背景とビジネスモデルの確立

以上のように多摩地域ではもともと商業の土壌がなかった新天地にもかかわらず、流入人口の増加にあわせて商売を始める人も増えた背景がある。筆者の理解によれば、第二次世界大戦後の日本は、復員兵や戦災者の雇用確保や食料確保などのため国策として農地開拓を推し進め、地方では農村人口が急増した。1960年に池田内閣による「所得倍増計画」が打ち出され、経営状態の悪い農家を中心に、「離農促進政策」により離村して都市部への移住を促した。第1次産業の就業人口を第2次産業や第3次産業へ移すことで、産業構造が大きく変化していくことになった。移住者のなかには、サラリーマンとして就業する人ばかりではなく、移住先で資本をそれほど必要としない「零細小売業」を始める人も多かった。

さらに、市街地の開発とともに商店が急増した背景には、1973年に創設された固定資産税[15]の住宅用地特例の存在も付け加えておかねばならない。移住先に店舗部分と住宅部分を兼ね添えた店舗併用住宅（居住部分[16]が2分の1以上）を建築すれば、固定資産税を住宅用地並みの課税に軽減する措置を受けることができる。そのため、市街地では、1階を商店、2階を住宅とする店舗併用住宅が軒を連ねた商店街が数多く生まれたと筆者は理解している。「零細小売業」は身の丈にあった経営をしていかなければ維持・継続はできない。商店街は小さな商圏を基盤として、日常の高頻度の買い物できっちりと稼ぐような「ビジネスモデル」を確立してきたのである。

(2) 市街地開発にともなう商業集積の組織化

①「点」から「面」へ市街地展開

1960年代になると、区部の地価上昇にともない、宅地開発の郊外化に拍車がかかった。多摩地域では、これまでの団地という局所的な「点」による住宅供給ではなく、広域な「面」での宅地開発が進められていく。民間事業者による無秩序な開発（以下、スプロール）を防止するとともに、稲城市、多摩市、八王子市、町田市の4市にまたがる南多摩の多摩丘陵に良好な住宅市街地の形成を目指して、大規模な「多摩ニュータウン構想」が計画された。商店街の設置は、計画段階から折り込まれていた。多摩ニュータウンは、1965年に事業決定され、1971年に、諏訪・永山地区で入居が始まった。以降、住宅市街地を拡大し続け、約8万戸の

住宅が供給され、人口は 21 万人に達した（東京都市長会事務局企画政策室 2016）。駅の周辺には百貨店などの大型商業施設を誘致し、居住地区周辺にはロードサイド型量販店やスーパーなどを配置した多機能複合都市に発展していった。

②商店街の存在意義の確立と高度化

市街地の形成に大きくかかわる都市計画法が 1968 年に改正され、「市街化区域と市街化調整区域[17]」の区分や開発許可制度が定められた。なぜなら当時、全国では人口および産業の都市集中にともない、都市およびその周辺地域において、市街地が無秩序に拡散し、都市の膨脹とスプロールが都市問題として浮上しており（第 5 章参照）、旧都市計画法による是正が困難だった背景がある。都市計画決定主体が大臣から都道府県知事に概ね移譲され、都市計画区域内を市街化すべき区域とその他の区域に線引き（区域区分）した。前者では適切な開発を誘導するための開発許可や、細分化した用途地域制による規制、後者では開発禁止などの土地利用規制を行えるようになった。これにより、中心街[18]から外へ拡散してしまった商業機能あるいは「自然発生」する商店を、指定した用途地域に誘導・集約できるようになった。大量の住宅供給にともなって市街地が拡大するなかで、規模の大小はあるが、「クラスター」となる商業集積（商店街など）拠点を配置することで、「ワンストップショッピング」による買い物の利便性が追求されたと筆者は理解している。

加えて、お店が集積した場に対し、集積のメリットを生かすため、共同して経済事業を行いつつ、当該地域の環境の整備改善を図るための事業を行うのに必要な「組織」としての概念を与える必要があったといえよう。これが、1962 年に制定された「商店街振興組合法」である。同法は組織化する場の範囲を「ワンストップショッピング」の実現に近づけ、商業集積たる商店街のあり方を定義したのが特徴の 1 つといえる。なお、商店街の主な法人格とは、「事業協同組合」と「商店街振興組合」である。

多摩地域では新興の市街地の拡大にともない、次々と商店街が生まれてくるなか、盤石な経営基盤を確立した商店街は法人化することで、商業空間を高度化させることができた。代表的な例でいえば、アーケードによるハード施設の街区整備が挙げられる。当時、小売業において大型商業施設との競争が激しかった吉祥寺、立川[19]、八王子の商店街で設置された。

（3）商店街の黄金期へ

　1950年代以降、多摩地域では、交通インフラの整備とともに急激に人口増加したことを受け、都心へのアクセスの良さからベッドタウンとして大量の住宅供給が行われてきた。新たに移り住んできた人々の買い物需要に対応するために商店街数が急激に増え、人口の増加とともに商業にも大きな発展をもたらした。**図4-3**によると、東京都における商店街の設立時期をみると、1946-1955年がピークとなっており、多摩ニュータウンなど大規模な宅地開発による人口増加が顕著だった1975年までの設立数が約7割を占めている。高度経済成長期、多摩地域の市街地が拡大・整備される過程で、商業は人々の生活インフラを支えるため、「ワンストップショッピング」を武器に、前述の「ビジネスモデル」を確立して黄金期を迎えたのである。

図4-3　都内商店街の設立時期[20]

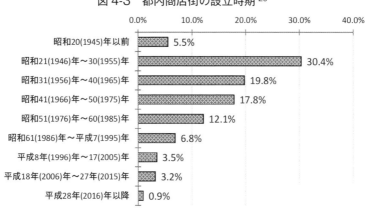

注：サンプル数は1067。
出所：東京都産業労働局「令和元年度東京都商店街実態調査報告書」33頁。

3．近年における商業集積と取り巻く商業環境

（1）商店街の変遷

　これまで、多摩地域における人口増加の要因をたどりながら商業の発展過程を振り返ってきたが、商業集積の中核として商店街の黄金期は永遠に続いたわけで

はなかった。近年、人口の流出傾向が続く地方都市では、中心街のシャッター街化が都市問題となっていることは周知の事実である。高度経済成長期の後、バブル崩壊などの不況期を乗り越え、多摩地域の人口は緩やかな増加傾向にあるにも関わらず、商店街は衰退の一途である。**図4-4**は都内における商店街数の推移を示したものだが、1998年から減少し続け、21年間で約16％におよぶ460件もの商店街が解散しており、苦戦している状況がうかがえる。商売に見切りをつけて退店していく商店が増え、商店街の加盟店が減少してしまい、商店街としての組織運営・存続が困難になったことが主な原因であろう。しかし、解散したからといって、商店が街区から一斉に消えるのではなく、残った商店は自力で生き残っていくしかなくなるのである。馴染みの顧客から「ワンストップショッピング」ができる日常の買い物拠点として認識されない限り、客はほかへ流出してしまい、さらに衰退していくことになる。

　図4-5の商店街の景況感より、区部より多摩地域の商店街のほうがそのような状況に陥る可能性が高まっていることがわかる。加えて、**図4-6**をみると、商店街における「不足業種」の上位に生鮮三品を扱う商店が挙がっており、これらが概ね商店街から姿を消していることがわかる。商店街に肉、魚、野菜といった鮮度の高さを要求される商品を扱う専門店があることで、そこを冷蔵庫代わりに

図4-4　東京都商店街数の推移（島嶼部含む）

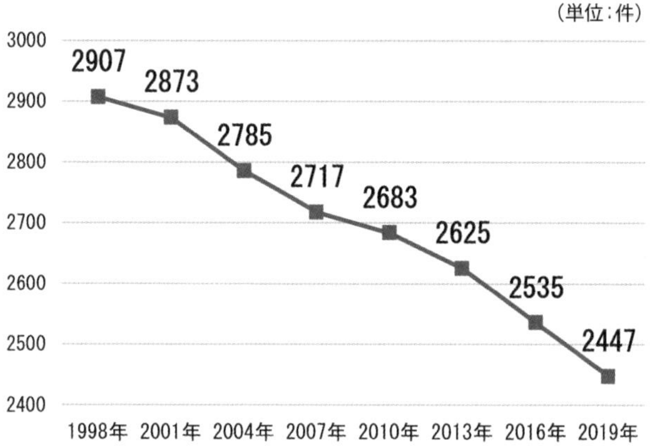

（単位：件）

出所：東京都産業労働局「平成19年度東京都商店街実態調査報告書」
　　　「令和元年度東京都商店街実態調査報告書」より筆者作成。

114

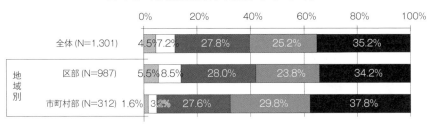

図4-5　地域別商店街の景況（2019年）[21]

出所：東京都産業労働局「令和元年度東京都商店街実態調査報告書」78頁。

していた地域生活者が高頻度で足を運んでいたのである。しかし、いまや商業環境が大きく変化し、商店街の存在意義であった「ワンストップショッピング」が武器にならず、これまでのビジネスモデルも通用しなくなったと考えるべきだろう。その原因となった新たな業態店の存在については後述したい。

　まずは、商店街が商業集積の組織として、どのような商業振興策を講じてきたのか、果たして地域商業の活性化に資する施策だったのかを検証していく。

　①都内における商業振興施策について

　商店街や商業関係団体をはじめ、街づくりに資する主体などを対象に、国、都道府県、市町村で各種の商業振興施策に関連する補助事業が用意されている。自前で商業振興事業を予算措置している商店街もあるが、補助事業のメニューが豊富な東京都の商店街においては、一般的には補助事業の活用を前提に商業振興施策を検討していると考えてよい。通常、補助事業の申請にあたって、ハードルは市町村から国にいくにつれて高くなるが、市町村独自の補助事業数は限定的である。商店街は事業内容や予算規模に応じて、使い勝手の良い補助事業を選択することになる。事業目的や補助対象主体がさまざまであるため、ここでは多摩地域ないし区部の商店街（任意団体含む）が通年事業として一般的に活用されている補助事業を紹介しながら、商業振興における問題点を探る。

　東京都では、イベント開催やマップ・ホームページ制作などの「ソフト事業」や街路灯・インバウンド対応施設など街区整備に係る「ハード事業」といった商業振興施策に対し、各種の補助事業を展開している。「ソフト事業」については、区・

図 4-6　東京都内（区部、市町村部）商店街内の不足業種（2019 年）[22]

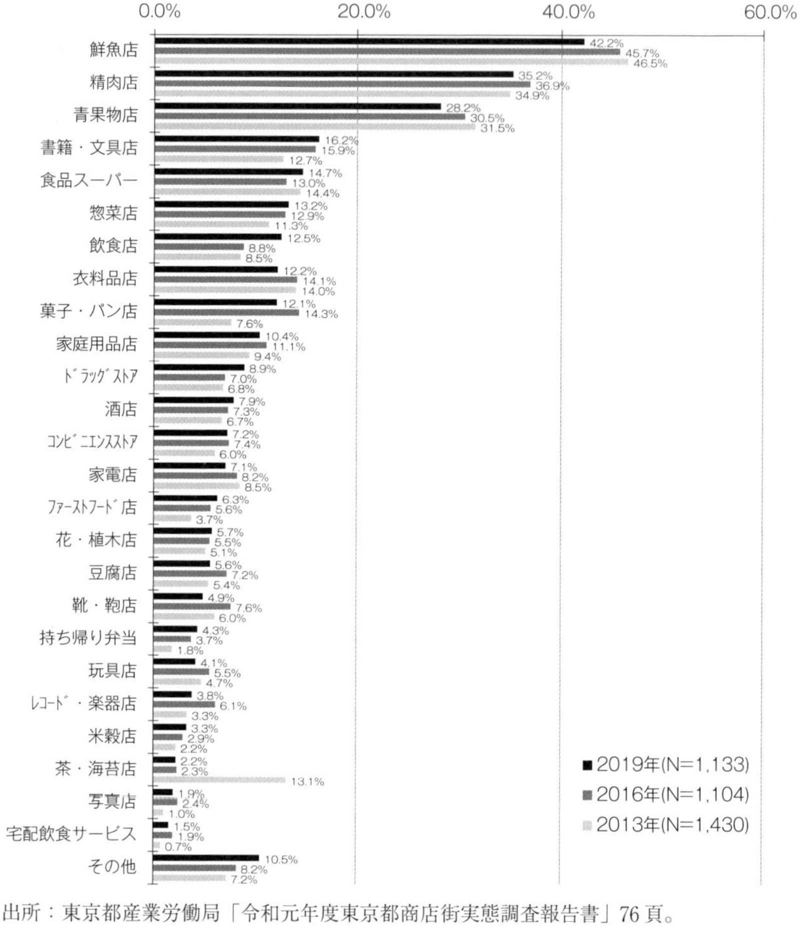

業種	2019年(N=1,133)	2016年(N=1,104)	2013年(N=1,430)
鮮魚店	42.2%	45.7%	46.5%
精肉店	35.2%	36.9%	34.9%
青果物店	28.2%	30.5%	31.5%
書籍・文具店	16.2%	15.9%	12.7%
食品スーパー	14.7%	13.0%	14.4%
惣菜店	13.2%	12.9%	11.3%
飲食店	12.5%	8.8%	8.5%
衣料品店	12.2%	14.1%	14.0%
菓子・パン店	12.1%	14.3%	7.6%
家庭用品店	10.4%	11.1%	9.4%
ドラッグストア	8.9%	7.0%	6.8%
酒店	7.9%	7.3%	6.7%
コンビニエンスストア	7.2%	7.4%	6.0%
家電店	7.1%	8.2%	8.5%
ファーストフード店	6.3%	5.6%	3.7%
花・植木店	5.7%	5.5%	5.1%
豆腐店	5.6%	7.2%	5.4%
靴・鞄店	4.9%	7.6%	6.0%
持ち帰り弁当	4.3%	3.7%	1.8%
玩具店	4.1%	5.5%	4.7%
レコード・楽器店	3.8%	6.1%	3.3%
米穀店	3.3%	2.9%	2.2%
茶・海苔店	2.2%	2.3%	13.1%
写真店	1.9%	2.4%	1.0%
宅配飲食サービス	1.5%	1.9%	0.7%
その他	10.5%	8.2%	7.2%

出所：東京都産業労働局「令和元年度東京都商店街実態調査報告書」76 頁。

市町村が街づくりの視点から策定した商店街振興プランに基づき、商店街などが行うイベント事業および活性化事業に対し、必要な補助金を交付している。申請主体や使途、補助対象経費などによって補助率は異なるが、イベント事業に関しては東京都と市町村が按分して総事業費の約3分の2[23]を補助金として交付している。つまり、総事業費の約3分の1を自己負担すればよい。市町村が申請窓口になっており、事業開始年度の前年度下期に申請すれば、事業費をはじめ、主催

や共催といった開催形態などをチェックしたうえで概ね交付決定される。1つの商店街単会につき、共催を含めると年間3回程度のイベントなどの事業開催に活用を可能としており、都道府県レベルでみても非常に手厚く商業振興施策を講じている。

「ハード事業」においても同様に市町村と按分で補助金を拠出し、環境、防災・防犯、福祉、国際化対応といった街づくりの観点から、多彩な商業振興策を打ち出せるようになっている。**図4-7**でみるように、2019年時点で都内の商店街で補助事業を活用している割合は約7割に達しており、イベントを中心に各種の商業振興を図ろうと取り組んでいる。

図4-7　東京都商店街チャレンジ戦略支援事業（区・市町村への間接補助金）の利用有無（2019年）

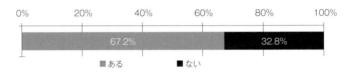

注：サンプル数は1233。
出所：東京都産業労働局「令和元年度東京都商店街実態調査報告書」133頁。

②商業振興施策から垣間みえる商店街の実像

以上述べたように、商店街は民間事業者の集合体ではあるが、自前で総事業費を全額拠出することなく、公金を入れて共同で経済事業を行うことができる。

ここからは、データに現れない部分もあるため、筆者の本業である商店街支援の実務家として、各地の商店街の現場で支援している立場から、主観的な意見も織り交ぜて述べたい。公金を活用して商業振興策を展開しているからには、公金の額に見合った事業の効果がともなっているかを検証する観点は大切である。行政や支援機関などは、効果の測定軸に「通行量」「空き店舗数」「売上高」などを主に用いているが、これらのうち1つでも数値の推移を実際に把握している商店街は多くないのが実情だろう。せめて商店街自身が活性化の独自指標を定めて取り組む姿勢は必要だと感じる。公金を使うことに対する意識が薄くなってしまい、創意工夫することなく過去から同じ事業を繰り返し、その効果を意識していない

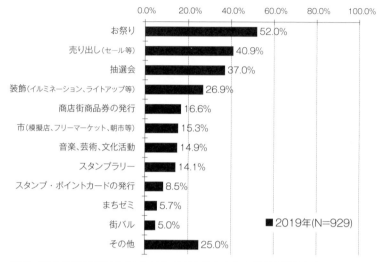

図4-8　東京都内（区部、市町村部）商店街におけるイベントの主な内容（2019年）

お祭り	52.0%
売り出し（セール等）	40.9%
抽選会	37.0%
装飾（イルミネーション、ライトアップ等）	26.9%
商店街商品券の発行	16.6%
市（模擬店、フリーマーケット、朝市等）	15.3%
音楽、芸術、文化活動	14.9%
スタンプラリー	14.1%
スタンプ・ポイントカードの発行	8.5%
まちゼミ	5.7%
街バル	5.0%
その他	25.0%

■2019年（N=929）

出所：東京都産業労働局「令和元年度東京都商店街実態調査報告書」121頁。

状態になっていないだろうか。

　図4-8はイベントの開催内容であるが、「お祭り」約5割、「売り出し」や「抽選会」約4割が多くを占めている。これらについて、商店街の現場で支援している立場から目に付く点がある。代表的な例を挙げると、イベントにつきものの「ゲスト」に依存した一過性の賑わいで満足するケースである。大方のイベント内容はブース出店を主体に構成されているため、マンネリ化を回避しようとすると、ゲストにこだわり始め、行きつく先はファン数の多い人気ゲストを招聘していき、おのずと主演料がかさんでいく。本来の商業振興策として、「来街」をいかに「来店」へ繋げていくかを創意工夫すべきであるが、「主役」におくべき商店主よりも「客寄せ」のゲストによる一過性の賑わいで終わっていることに無自覚な商店街が少なくないのである。

　「売り出し」・「抽選会」についても同様である。景品表示法の関係で一昔前ほど豪華な景品を出せなくなったが、抽選会を目当てに売り出し期間中だけ商店街利用が増えるだけの一過性で終わっているケースが多い。かつて地域生活者が高頻度に商店街を利用していた時代には、日頃のご愛好を感謝して共同の売り出し

イベントが有効に機能していた。現在は、売り出しイベントをやめる商店街も多くなったが、とくに平常の利用者が減った商店街については、イベントに相応しい効果がともなっているかを検証すべきだろう。

　筆者は決して「お祭り」「売り出し」「抽選会」の否定派ではないが、商業環境が刻々と変化していくのであれば、時代に即した事業へ創意工夫を重ねてアレンジしていく「対応力」に磨きをかけていく必要がある。人口が増え続けている多摩地域において、序章で示した住民の高齢化とともに、新しい住民層に入れ替わっていくなかで、旧住民層で盛況だった事業が永遠に通用するわけではない。

　しかし、商店街は一方で「地縁」で結ばれた人的結合組織という側面もあり、年功序列が根づいてしまい、実質的な権限移譲が進んでいない状態にあるケースも散見する。意思決定が属人的になり、若手の意見がなかなか反映されず、重鎮による「鶴の一声」で物事が決まってしまうことさえある。**図4-9**、**図4-10**より確認できるように、高齢化が進むと同時に後継者不足に悩むなか、今さら重い腰を上げて事業を見直そうと取り組む商店街も少なくなっているといった構造的な問題が浮かび上がってくる。既述の多摩地域における商店街の衰退状況をみる限り、大型商業施設進出の影響以前に、組織内的な事情も衰退要因と考えられる。近年、補助事業の申請時に、マンネリ化した事業へのテコ入れを始めた市町村もあり、事業の回数や規模の大小ではなく、事業の「質」が重視される傾向に変わってきている。

図4-9　区・市町村別×商店街役員の平均年齢（2019年）

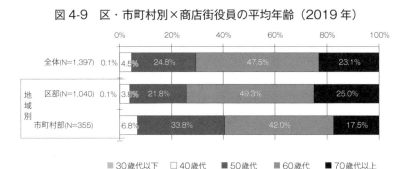

出所：東京都産業労働局「令和元年度東京都商店街実態調査報告書」44頁。

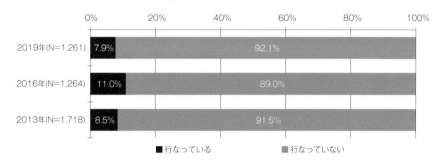

図4-10　東京都内(区部、市町村部) 商店街における後継者不足対策の実施状況(2019年)

出所：東京都産業労働局「令和元年度東京都商店街実態調査報告書」92頁。

③業種構成の変化からみえる商店街の実像

　商店街を取り巻く商業環境の変化につれて、商店街のランドスケープは様変わりした。かつては零細小売業が軒を連ねていたが、駅前の商店街を中心に、退店したテナントにコンビニをはじめとした各種チェーン店の進出が目立ち始めてきた。たとえ路面店が連なっていてシャッター街化はかろうじて食い止めていても、商店街の組織運営は一向に改善されていかないのが実情である。なぜならチェーン店の商店街加入率は必ずしも高くないからである（**図4-11**）。とりわけ多摩地域におけるチェーン店の商店街加入率は、区部より低い水準にある。アルバイトを主体に店舗連営されているチェーン店は、もし商店街に加入しても事業活動

図4-11　地域別チェーン店の商店街組織への加入率（2019年）

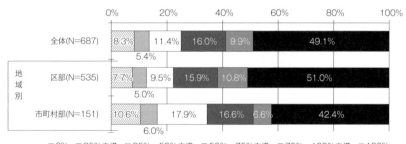

出所：東京都産業労働局「令和元年度東京都商店街実態調査報告書」75頁。

図 4-12　東京都内（区部、市町村部）商店街における業種別平均店舗割合（2019年）[24]

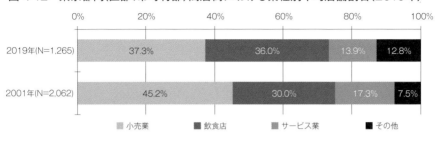

出所：東京都産業労働局「令和元年度東京都商店街実態調査報告書」13 頁。

への協力はあまり期待できないのが現実である。また、チェーン店の多くは飲食店（居酒屋など含む）が占めており、小売から飲食への業種構成の変化という問題もある（**図 4-12**）。商店街が商業振興事業を有益に活用しようにも、すでに触れた商店街役員の高齢化や後継者不足といった問題も加わって、事業活動の担い手不足が一向に解消されていない状況にある。

（2）大手資本の台頭

　商店街が衰退してきた要因について、さらに踏み込んでいく。多摩地域の市街地人口の増加にともない、拡大する市場に目をつけていたのは商店街だけでなく、大手資本によるスーパーマーケット（以下、スーパー）やコンビニエンスストア（以下、コンビニ）も同様である。国は「百貨店の競争手段を抑え、中小小売商の活動を保護することを目的として」（城田 2007：73）、1937 年に「百貨店法」を公布し、店舗面積などによる出店規制を始めていた。1973 年に制定された「大規模小売店舗法」（大店法）でさらに出店規制を強化していくなかで、「セルフサービス方式[25]」を導入して成長した業態店がスーパーとコンビニである。百貨店・スーパー・コンビニの売上高の推移を示した**図 4-13**より、『多摩学のすすめ』シリーズが刊行された当時、スーパーが百貨店の売上規模を超え、その後にコンビニが追いかける様がわかる。多摩地域で百貨店が出店している地域は限定的だが、スーパーやコンビニ業界の成長は、多摩地域に限らず、全国各地の商店街へ大きな影響を及ぼすことになった。

図4-13　全国における百貨店、スーパー、コンビニの売上推移

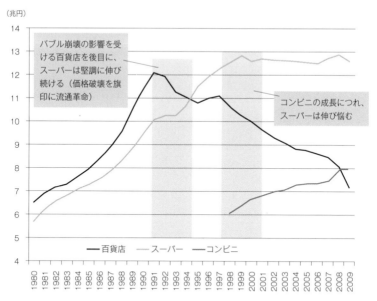

出所：経済産業省「商業動態統計調査」より筆者作成。

①商店街の牙城を崩したスーパー・コンビニ

　スーパーは、市街地であっても比較的省スペースで出店できるうえ、多店舗展開することで大量仕入れ・大量販売によるスケールメリットを生かした低価格販売を武器にしている。商店街に隣接、あるいは商店街エリア内に出店するケースが多く、商店街ではスーパーと競合関係となった食料品小売業種、とくに生鮮三品を扱う商店は大きな打撃を受け、商店街から消えていった。生鮮三品などの購入先は、商店街からスーパーへ移り、スーパーが地域生活者にとって日常の買い物拠点となっていった。スーパーは、駐車場が完備されており、車利用を促すことで客単価を上げるとともに商圏を拡大させた。「衣・食・住」をフルラインで扱う「総合スーパー」や「食料品スーパー」から、専門性を高めた「衣料品スーパー」や「ドラッグストア」、低価格を訴求した「ディスカウントストア」などへと派生し、市街地あるいはロードサイドにそれぞれ進出していった。

　コンビニは、コンビニエンス＝「便利」を徹底的に追求した品揃えやサービス

を提供することで、消費者に受け入れられてきた。コンビニが急速に大量出店した動きは「ドミナント戦略」と、零細小売業者の業態転換を加速させた「フランチャイズチェーン方式」から読み解くことができる。ドミナントとは「優勢」「支配的」という意味通り、コンビニ各社がチェーン展開をする際に地域を特定し、その特定地域内に集中した店舗展開を行うことにより経営効率を高める一方で、地域内でのシェアを拡大し、他小売業の優位に立つことを狙う戦略である。初期の展開にあたっては、コンビニ本部が直営する店舗よりも、商店街にある既存の小売店をフランチャイズ方式で業態転換させていくほうが効率的だった。商店街に存在した酒屋などを中心に、コンビニへの看板かけ替えが進んだ。商店街の金看板である専門店を集積させた「ワンストップショッピング」が、コンビニ1店で概ね成立してしまい、会員同士の連帯が乱れ、商店街は内部から打撃を受けることになった（新 2012：141）。

　スーパー、コンビニは、足元の商圏で高い占有率を確保し、高頻度利用で事業の成立性を担保することで、立地によっては地域における商業機能の一翼を担うほどにまで台頭してきた。

　②商業集積の「巨人」―大型店の進出

　大型店の出店を規制していた「大店法」が、海外からの圧力もあって 1990 年頃から規制緩和された。これを機に、多摩地域の駅周辺に百貨店や電鉄系列の運営会社などによる大型商業施設が増加した。さらに、2000 年に「大規模小売店舗立地法」が施行されたことにより、店舗面積による規制は廃止され、郊外型の大型商業施設の出店が加速した[26]。多摩地域郊外では外国資本の郊外型量販店・専門店の進出もみられた。

　ちなみに、大型商業施設とは、多様な業種の専門店を建物に集積させた「ショッピングセンター」[27]である。商店街が路面店を「横」に集積させたのに対し、ショッピングセンターは建物の中で「縦」に集積させた。施設内には、集客力のある大手専門店や飲食スペースやアミューズメント施設なども備わり、「ワンストップショッピング」の実現に加え、「時間消費」に最適な商業空間を創り出している。もともと前述のような法律改正の動きは、大型駐車場を完備した郊外型の大型商業施設の進出により、中心市街地の空洞化が進んでいる地方の都市問題を是正するための措置であった。多摩地域においては、そのような空洞化現象に陥った地

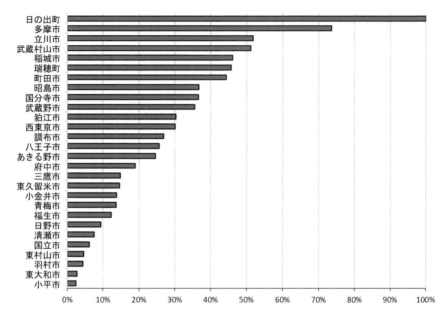

図 4-14　商業集積地区の小売事業所数における大規模小売店舗内事業所構成比（2014年）

出所：経済産業省「平成 26 年商業統計　立地環境特性別調査」より筆者作成。

域は見当たらない。そのため、ターミナル駅のある自治体は駅周辺の大型商業施設を拡充して商業集積度を一層高めていく一方、商業集積が少なかった自治体は郊外型大型商業施設の進出で商業集積度を高めていくことになった。

　図 4-14 は 2014 年「商業統計調査」のデータより、商業集積地区[28]（商店街）の小売業事業所数における大規模小売店舗（店舗面積 1,000 平方メートル超）内事業所数の構成比を市町村別にグラフ化したものである。市町村別に商業集積地区の事業数をグラフ化した**図 4-15** とあわせてみると、元々、商業集積の少なかった日の出町、武蔵村山市、瑞穂町では、郊外型大型商業施設の存在が大きいことがわかる。さらに、買い物を含めた日常における移動手段の足として、自動車のほうが利便性の高い地域を確認する。100 人あたりの乗用車保有台数および乗用車台数あたりの道路延長を示した**図 4-16** より、この 3 つの自治体は公共交通機関よりも自動車の利用が比較的多い自治体であることがわかる。多摩ニュータウンの新興開発地である多摩市、稲城市においても商業集積が高まっている。駅前

図 4-15　市町村別の商業集積地区における小売事業所数（2014 年）

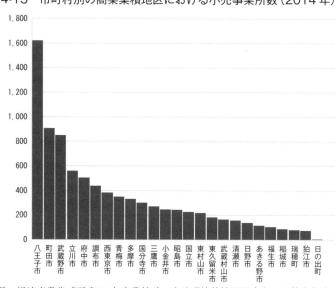

出所：経済産業省「平成 26 年商業統計　立地環境特性別調査」より筆者作成。

図 4-16　100 人あたりの乗用車台数および乗用車台数あたりの道路延長（2019 年）

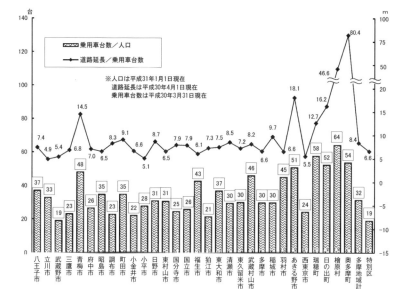

出所：公益財団法人東京市町村自治調査会　『多摩地域データブック 2019 年度』29 頁。

や周辺の集積を高める方向に行ったのは、立川市、町田市、国分寺市、武蔵野市となっている。多摩地域で最も事業所の多い八王子市は、市域が広いため、中心街や郊外といった局所的に商業集積度が高まったと考えられる。

(3) 商業機能の担い手—3つ巴に取り巻く商業環境

　地域における商業機能の担い手である商店街、スーパー・コンビニ、大型商業施設といった3者による3つ巴の争いが各所で繰り広げられてきた。いずれ、多摩地域の人口減少が顕著になれば、市場は飽和状態を迎えることになる。「都市間競争」という言葉をよく耳にするが、都市化を推進する各市町村が都市の魅力を向上させていくためにも、商業集積は重要な役割を担っている。そのために各自治体は都市計画マスタープランをはじめとした商業振興計画などの推進、さらには条例などを用いて商業機能の拡充に躍起となっている。

　ここでは、市町村別の統計データから商業環境などを客観的に分析し、そこから都市に秘める商業のポテンシャルを考察する。

　①人口集中地区（DID）の人口推移

　多摩地域の全体人口は緩やかに増加しているが、果たして各自治体においても同様なのか。日本の人口がピークを迎えた2008年頃から、市町村別に人口の推移を確認しておきたい。市域の広い自治体もあるため、商業集積に来店する可能性のある地理的な範囲となりえる「人口集中地区（以下、DID）[29]」に絞り、市町村別に当該地区の人口をみてみる。「国勢調査」による2005年から2015年までの10年間における人口増減率では、**表4-2**に示したとおりであり、福生市、青梅市、羽村市、瑞穂町といった多摩地域の西部では人口減少が始まっていることがわかる。4自治体以外は人口が増加している。なかでも上位の日の出町と武蔵村山市は、2007年と2006年にオープンした大型商業施設周辺の住宅開発の効果が大きかったと推察される。日の出町についてはDID面積も2桁増加しており、大型商業施設が地元の市街地開発に与える影響は大きい。稲城市と町田市の人口の増加は多摩ニュータウン予定地とその外縁にあたる地域の新興開発にともなうものである。**図4-17**より、市内の定住人口[30]の増減率と比較して、DIDに人口増加する傾向を確認すると、傾向線の上部にある、市域の広い町田市や八王子市、日の出町では人口増加分の多くがDIDに集中していることがわかる。

表 4-2　人口集中地区の人口増減率（2005-2015 年）

上位		下位	
日の出町	15.18%	福生市	-4.55%
稲城市	12.37%	青梅市	-2.36%
町田市	10.64%	羽村市	-1.30%
武蔵村山市	7.67%	瑞穂町	-0.98%

出所：「国勢調査」（2005 年、2015 年）より筆者作成。

図 4-17　定住人口増減率からみた人口集中地区における人口増加傾向（2005-2015 年）

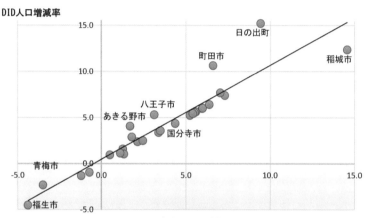

出所：「国勢調査」（2005 年、2015 年）より筆者作成。

②昼間人口からみえる商業環境

　買い物利用に大きくかかわる昼間の時間帯における市町村別の昼間人口[31]を確認する。**図 4-18** は、夜人口（定住人口）を 100 とした場合の昼間人口の割合を表したグラフである。100 を超えると、昼間は会社員や学生が増え、夜人口を上回っている地域となる。区部の平均 130 に対し、多摩地域の多くの市町村では、夜より昼間の人口のほうが下回っている。エリア特性上、事業所数などの多さに大きく左右されてしまうのである。

　ただし、自治体単位で出した平均数値なので、地理的に細部まで確認すると違っ

図 4-18　市町村別の昼夜間人口比率と昼間人口密度（2015 年）

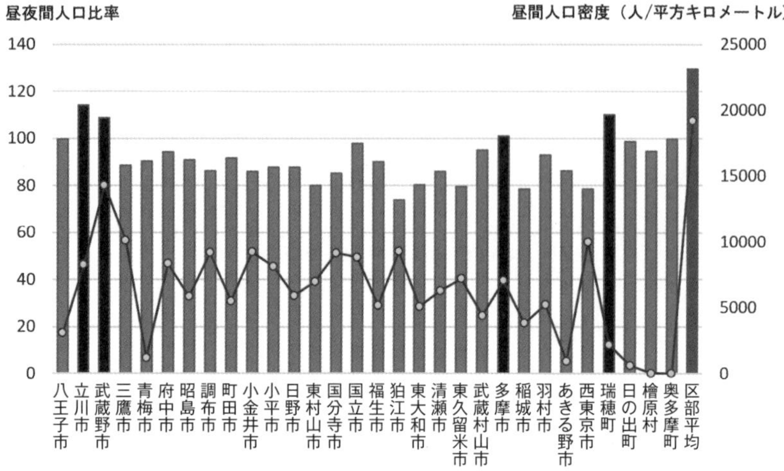

出所：「国勢調査」（2015 年）より筆者作成。

　てくることを付け加えておく。多摩地域で昼間人口のほうが多いのは、立川市、武蔵野市、多摩市、瑞穂町の 4 自治体だけである。さらに、**図 4-18** では、商業集積にとって一定の来街数が期待される昼間人口密度（人／平方キロメートル）を重ねてみると、昼間人口密度も高い立川市や武蔵野市はターミナル駅を有しており、比較的有利な商業環境にあることがみえてくる。

　③小売吸引率からみえる商業集積のあり方

　次に商業統計データを用いて、商業環境を考察する。市内の商業集積が、市内および周辺地域だけでなく、他市など広い範囲からも利用されているのか（小売吸引）を確認するため、市町村別の「小売吸引率」を導き出す。「経済センサス」（2016年）より、市町村別に「年間商品販売額」を都民 1 人あたりの年間小売販売額で除することで「商業人口」を割り出し、「定住人口」に対する割合を算出した。つまり、「定住人口」を 1 とし、それを超えた数値ならば他地域からも利用され、下回った数値ならば顧客が他地域へ流出していることになる。

　区部の「小売吸引率」の中央値が 1.15 に対し、多摩地域で 1 を超えているのは、立川市、武蔵野市、瑞穂町、日の出町の 4 自治体のみであった（**図 4-19**）。駅前や周辺の商業集積の高い市、そして、車利用を前提とした郊外の商業集積の高

図 4-19　小売吸引率×昼夜間人口比率から見える多摩の商業集積（2015 年、2016 年）

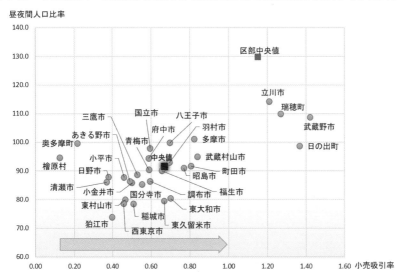

出所：「経済センサス」（2016 年）、「国勢調査」（2015 年）より筆者作成。

い町の 2 タイプに分けられる。残りの市町村は顧客が域外へ流出していることになる。

　図 4-19 では、街における潜在顧客割合の目安にもなる「昼夜間人口比率」を縦軸にした。上記の「小売吸引率」が 1 を超える 4 つの自治体は、「昼夜間人口比率」も高い傾向にあることがわかる。つまり、昼間人口の買い物需要を満たせるだけの商業集積があるともいえる。他方、「小売吸引率」が 1 に満たない自治体は、昼間人口が多くても買い物需要を満たせるほどの商業集積がないとも読み取れる。ここで、方向性に対する 1 つの考え方として参考にしてほしい。各軸の中央値を置くと、中央値周辺の自治体、さらには前述の 4 市町の自治体にある程度分類される。横軸の「小売吸引率」は、「商業人口」／「定住人口」なので、「年間商品販売額」を上げれば、分子である商業人口も上昇してくる（都民 1 人あたりの年間小売販売額を一定と仮定）。よって、「年間商品販売額」を上げるには、市域にある「駅前」、「市街地」、「郊外」のうち、どこの商業集積にテコ入れするかというハンドリングが重要になるが、実際には再開発事業を行わない限り、大手資本の大型商業施設やスーパーの出店コントロールは難しいため、結果的に商

店街へのテコ入れが中心になってくる。

　一方、縦軸の「昼夜間人口比率」を上げようとしても、自治体の都市計画（用途地域の制限）との関係もあり、企業や学校を誘致するなど簡単にいくものではない。大型商業施設を造れば、「昼間人口比率」だけでなく「小売吸引率」も上げられると考える向きもあるが、前述の通り、撤退リスクもあるため慎重に考える必要がある。

　筆者は、「昼間人口比率」は、自治体の特性と割り切って、変えていくものではなく、結果として変わっていくものと考えている。「昼間人口」／「定住人口」の関係から自治体は分母である「定住人口」増加の方に力を入れがちだが、むしろ、前述の4市町の方向に寄せるならば、横軸方向（「小売吸引率」を1以上に向けて）を意識すべきである。つまり、「昼夜間人口比率」が100を下回っていても、日常の人口移動には必ず「出・入り」がある。たとえば、商機を昼間に限定せず、朝と夜の時間帯に目を向けて考える手もある。営業時間に制約される大型商業施設では難しいが、個店を集積した商店街ならば可能である。自由度の高さを生かせば、「モーニング・エコノミー」「ナイト・エコノミー」から新たな街の価値が生まれてくるかもしれない。

　④支持人口からみえる多摩地域の競争環境と街の再認識

　市内の人口から小売業1店舗あたりの潜在顧客数の目安となる「支持人口」を導き出す。「経済センサス」（2016年）の市町村別の定住人口を、「事業所数」と「売場面積（平方メートル）」のデータで除して、数値を割り出した。数値が大きければ市内に競合も少なく、市場の受容性が高いと捉えることができ、逆に、数値が小さいと競争の激しい環境におかれていることになる。**図4-20**では市町村別に比較するため、横軸に「事業所支持人口」、縦軸に「売場面積支持人口」にしてプロットした。

　多摩地域において、駅前商業集積の高い立川市と武蔵野市、そして郊外商業集積の高い日の出町と瑞穂町、武蔵村山市は、すでに競争の激しいエリアにあることがわかる。前項の「小売吸引率」の高さとも関係している。図の右斜め上方向に向かって市場の受容性が高くなってくる。換言すれば、商業集積の伸びしろが大きく残されている自治体とも受け取れる。これらの市町村が商業集積を高めていくためには、大型店と個人店の事業所数のバランスもみておかなければならな

図 4-20　市場の競争環境（市場の受容性）（2015 年、2016 年）

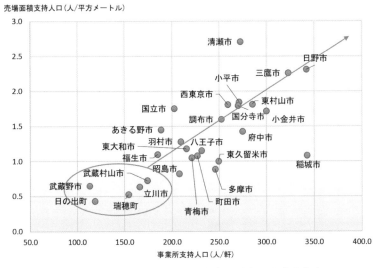

出所：「経済センサス」（2016 年）、「国勢調査」（2015 年）より筆者作成。

い。大型店のウェイトが大きい自治体は、「売場面積支持人口」が比較的低い数値になるので、横軸寄りにプロットされる。大型店と競合する可能性が高くなるため、零細な個人店であれば競争優位性を高めたお店を出店しないと、生存確率は高まらない。とはいえ、商業集積を高めていくにも前述した高度経済成長期の商店街における創業ラッシュは今後望めそうにない。

　なぜなら、経済産業省によると、物販の EC[32] 化率が 6.22%（2018 年）まで上昇し続けており、EC の市場規模は急成長しており、商業集積にも大きな影響を与えている（図 4-21 参照）。インターネット上の「仮想商店街」に出店したほうが、路面店よりもイニシャルコストやランニングコストを低く抑えることができ、立地特性や商圏とも無関係でいられる。ただし、インターネットを介した消費者との接点は画一的になりがちで、EC 市場の競争環境のなかで差別化を図るのが難しいという事情はある。路面店の創業支援の現場では、往時の「ザ・小売店」（既成の販売方式をとる業種店）といった形態は少なく、むしろ、EC サイトや SNS（ソーシャル・ネットワーキング・サービス）を巧みに駆使して、店舗へ誘客する「インバウンド」型の店舗が目立つ。その意味で、今後の商店街の生き残り策を考え

図 4-21　BtoC[33]・EC の市場規模および EC 化率の経年推移

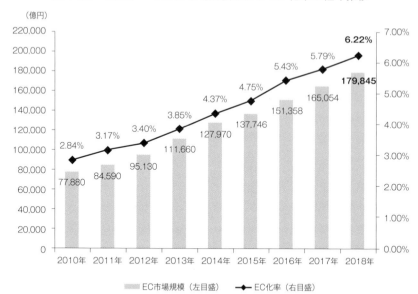

（億円）

	2010年	2011年	2012年	2013年	2014年	2015年	2016年	2017年	2018年
EC市場規模	77,880	84,590	95,130	111,660	127,970	137,746	151,358	165,054	179,845
EC化率	2.84%	3.17%	3.40%	3.85%	4.37%	4.75%	5.43%	5.79%	6.22%

▮ EC市場規模（左目盛）　◆ EC化率（右目盛）

出所：経済産業省商務情報政策局情報経済課「平成 30 年度我が国におけるデータ駆動型社会に係る基盤整備（電子商取引に関する市場調査）」7 頁。

るなら、「客待ち」をしているだけではなく、お店自らが魅力などを情報発信できる「個性の光る個店」を増やしていけるかが重要なポイントになってくる。

　市場の受容性が高い地域というのは、創業の芽を育みやすい土壌でもある。多摩地域における市町村の役割としては、既存店舗による商業振興策に加え、創業を準備期間から創業期にかけて一気通貫して伴走型でサポートできる仕組みも構築すべきだろう。多くの自治体では相談やセミナーなどの「特定創業支援等事業[34]」を地元の金融機関、商工会あるいは商工会議所などに依頼しているが（第6章参照）、経営知識の習得や創業資金面の支援だけでなく、商店街との連携も必要である。空き店舗情報の提供に加え、創業後も出店先の商店街が「チューター」として経営の不安定な創業期をサポートできる体制も必要である。あわせて、「この地でお店を開業したい」、あるいは、「支店を出店したい」と思ってもらえるような、創業の地に相応しい「街」の魅力が不可欠になってくる。だからこそ、「街

の顔」である商店街の存在意義についても再認識すべきであろう。

4. 多摩商業の未来に向けた新しい商業集積の形

　近年、買物の場としての商店街の位置づけは徐々に低下してしまったものの、これからの多摩地域の商業を変えていくきっかけもまた商店街にある。ただ、後継者不足など構造的な問題も抱え、前述した「仮想商店街」ともいうべきネット通販の台頭も少なからず影響を受けている。だが別の観点からみてみると、商店街は、買物を介して人との心通うコミュニケーションが行える「リアルな場」でもある。商店街が地域にとって必要な存在であり続けていくには、「商店の街」から、「人々のライフスタイルに応じられる街」へ商業振興の「パラダイム（枠組み）」転換が必要である。今後の方向性のヒントになりうる多摩地域の住民側からの地域ニーズなどを考察し、最後に多摩地域のあるべき街の姿を語りたい。

（1）多摩地域の住民意識

　多摩地域の住民が日常生活で大切にしていることや意識、行動に関して、東京都市長会では、2015年度に都内在住の20歳以上69歳以下の男女6000人を対象に、インターネットによる「多摩地域居住者の意識調査」を行った[35]。その調査結果によれば、**表 4-3** のように「ライフスタイルについての考え・行動」の上位回答については、「住んでいるまちに愛着がある」が過半数を超えて占めており、「ずっとこのまちに住み続けたいと思う」「きっちりしたものよりゆるい雰囲気が好きである」が続いている。多くの住民は、街に愛着があって、住み心地の良さ

表 4-3　ライフスタイルについての考え・行動

多摩地域居住者の回答（上位3つ）n=3,103	①「住んでいるまちに愛着がある」51.0% ②「ずっとこのまちに住み続けたいと思う」48.4% ③「きっちりしたものよりゆるい雰囲気が好きである」48.0%

出所：東京都市長会事務局企画政策室（2016）『多摩地域における誇るべき生活文化とは─生活文化のさらなる発展・深化を目指して─』42頁。

表 4-4　住んでいるまちの好きなところ

多摩地域居住者の回答 （上位 3 つ）　n =3103	東京 23 区居住者の回答 （上位 3 つ）　n =3102
①「自然やみどりが豊か」69.8%	①「交通の便や買い物の便がよい」63.6%
②「閑静で落ち着きがある」43.0%	②「閑静で落ち着きがある」29.0%
③「交通の便や買い物の便がよい」39.4%	③「安心・安全である（防犯・防災上）」24.5%

出所：東京都市長会事務局企画政策室（2016）50 頁。

を感じており、街に対する関心も高いことがわかる。

　表 4-4 によれば、「住んでいるまちの好きなところ」の上位回答については、「自然やみどりが豊か」が 7 割を占め、次いで、「閑静で落ち着きがある」、「交通の便や買い物の便がよい」の順であった（序章も参照）。区部は交通や買い物の利便性の良さに回答が集中しているのに対し、多摩地域の住民は、豊かな自然に恵まれた都市環境のなかで、生活の豊かさや質にこだわっている人が多いことがわかる。多摩地域には都市農業にも力を入れている自治体もあり、商業と農業施策の親和性は比較的高く、街への愛着を醸成していくための素材になりうる。また、ライフスタイルにこだわりがあって、近場で買い物を済ませるだけでなく、多少不便でもお気に入りの店を利用する傾向が読み取れる。

（2）商店街の新たな存在意義へ

　商店街を意識して買い物する住民はどれだけいるのか。駅周辺は、複数の商店街が連たんや隣接し合っているため、各商店街の街区の範囲までわかる人はあまりいないだろう。かつては、各々の商店街が「縄張り」を決め、「ワンストップショッピング」を武器に競い合ってきたわけだが、その武器が通用しなくなった今、利用者にとって商店街の縄張り争いなどどうでも良いことである。地域生活者をはじめとした利用者の多くが認識している「街」とは、商店街がかつて定めた街区単位で収まるとは限らない。むしろ利用者は、駅周辺のような複数の商店街が隣接しているエリアを一括りに「街」と認識している。ところが、商業地域内ではライバル関係にある商店街同士が共同歩調をとることなく、各々が「商店街の活性化」を旗印に掲げ、今までバラバラに事業展開してきたのであり、まさに「同

床異夢」状態であって、本来期待する集積効果が発揮されているとはいえない。

　つまり、従来のテコ入れ施策アプローチでは時代とともに変化し続ける、利用者側の期待する街のニーズに対応していくことは限界であり、その延長線上に活路を見出していくことは厳しい。それでは街の「部分最適」にしかならないのである。そうである以上、街全体の波及効果をもたらす俯瞰的な共通目標を掲げ、同じ方向に向かって一体的な施策・事業を行える何らかの運営母体を置き、集積効果を発揮させていく必要があると考えられる。利用者本位で言い換えるならば、施策アプローチの軸足を「商店街の活性化」から「街の活性化」に移し、「買い物の場」から「生活を支える場」へ向けた商業集積地区の存在意義を見出していかねばならない。

（3）商店街から「生活街」へ

　商業の集積効果は、個店同士の競争を促す点では有益だが、前述のとおり、商業地域を構成する商店街組織同士の競争は「街」にとって弊害を生みやすい。商業地域を単位とする街の活性化には、運営組織が複数ある必要はなく、1つでいいのである。筆者としては、多世代にわたる地域生活者から多様なニーズに応えられる「生活を支える場」を創造、取り組むための組織体を提唱したい。これを将来に向けた、商店街ないし商業集積の新しい形として「生活街」と呼ぶことにしよう。

　あくまで理想系でいえば、「生活街」においては、商業地域という「街」を事業領域に、「生活を支える」ことを共通目的として、商店街という組織の枠を超え、地域生活者や自治会をはじめ、地域の活動主体との有機的かつ多面的な「地域連携」を実現できる体制をもっていることが条件になってくる。自治体による連携先をコーディネートするなどの側面支援も重要である。当然ながら、隣接する商店街との連携も含まれる。

　有意な人や団体などと連携することで街づくりの「プラットフォーム」が形成されれば、地域に寄り添った視点で生活者のニーズを掘り起こしていくことも可能になる。商店街組織同士の競争を回避し、協調路線へシフトさせていくことも副次効果として期待できるだろう。要するに、商業地域単位で事業を水平展開していくため、その推進母体となる「生活街」の存在が必要なのである。もちろん、

現状の商店街振興組合法は「ワンストップショッピング」を前提にしたスキームが残っており、商店街地区の拡大は容易ではない。加えて、現状では隣接の商店街や自治会などと良好な関係を築けていないなど、さまざまな課題をクリアしないと実現できないことはいうまでもない。任意団体であれば比較的自由度が高く、地域連携の受け皿となる部会も組織化しやすいだろうし、場合によっては組織改編も可能かもしれない。なお、現行の商店街スキームで「生活街」を実現していくための体制づくりにどう取り組めば良いのかについては後述する。

　次に、「生活街」は、どのような街を目指し、どのような施策を打ち出していけば良いのか。まずは、地域生活者に街への愛着を醸成していくため、ともに街づくりしていく姿勢が大切である。街区の空きスペースや空き店舗といった未活用のストックをオープンスペースとして地域の活動主体に貸し出し、地域生活者との交流を深められる催しが定期開催できるようになると素晴らしい。買い物以外の接点を増やしていく取り組みを続けていくことで、徐々に街が彩られてくる。加えて地元の農家による朝市、商工事業者によるマルシェや軽トラ市、医療機関や介護ヘルパーによる健康相談会やセミナー、スポーツサークルによる青空ヨガなども開催できれば、商業空間が生活空間の一部と認識されてくるであろう。多種多様な催しを通じて世代を超えた交流の場を創出することで、「生活街」は地域にとってなくてはならない存在になっていくはずである。

(4)「生活街」へ向けた布石

　最後に、「生活街」を現状の商店街において実現していくには、商店街組織内に地域連携の受け皿となる「別動隊」組織をつくり、企画段階から連携先と協働で街づくり活動を進めていける場をつくる必要がある。まずは商店街エリアに限定されてしまうが、商店街向けの補助事業のスキームが活用できるよう、商店街を中核に事業推進を可能とする連携組織づくりから始めるべきだろう。商店街が隣接しているならば、幹事商店街を決めて「別動隊」となるプラットフォーム組織を構成するのがよい。このように商業地域における運営組織階層を2層構成にすることで、商店街で構成された1層目は商業者の経済的地位の向上や商業道徳の高揚などを狙い、地域連携プラットフォーム「生活街」となる2層目は商業振興を軸に街づくりを展開していくというイメージである。

　ただし、留意点がある。多摩地域の商業集積には、前述した「駅前と周辺」、「市街地」「郊外」の３つの立地類型があり、「市街地」「駅前と周辺」に人口と商店街が集中している。立地特性が違えば、地域における課題解決の優先順位もおのずと変わってくるため、「生活街」のあり方についても「市街地」型と「駅前と周辺」型に分けられる。商業地域に１つあるいは複数の商店街が隣接している「市街地」型は前述の通りだが、「駅前と周辺」型は数多くの商店街や大型商業施設が乱立する中心街であり、商業地域も広域である。そのためには、商店街を中核とした「地域との多面的な連携」を前提に、商業地域単位で実態のある組織体（たとえば、協議会や実行委員会、連合組織など）を設置して推進機能を担保させておくことが相応しいと考える。もちろん、商店街同士の連携、さらにはネット通販という「共通の敵」をもった大型商業施設も連携先に加えるべきである。

　中心街は自治体の玄関口として都市機能の集約が求められるほか、社会環境やライフスタイルの変化に応じて、行政サービスの手が届かない社会課題を機動的に補完していくことが望まれている。近年、交通インフラの脆弱化、防犯・防災や高齢者支援の必要性の高まり、働き方改革の制約ともなりうる保育支援機能の不足など、さまざまな社会課題が指摘されるなかで、中心街には、コミュニティの生活支援といった機能・役割を期待する声が高まってきている。これら課題解決に資する活動団体との有機的な連携を図りつつ、街のグランドデザインを描き、「生活街」として駅と周辺の一体的な街づくりを進めていくのが理想的である。

（5）取り組み事例

　最近、多摩地域では、「生活街」といわないまでも、実行委員会を組織化して地域課題をテーマに取り組みを始めている商店街がある。これまで、「自前主義」を貫いてイベントを開催してきたが、会員の減少や高齢化によるマンパワー不足を補完するため、大学や地元NPO法人などと連携し始めている。また、「地方創生」に取り組む地方都市でも、社会環境の変化や地域課題に対応すべく、本章で提唱する「生活街」に準じる先駆的な事例も出始めている。たとえば、少子高齢化の進展や共働き世帯の増加が顕著な地域では、医療機関や保育所を商店街内に誘致した事例や寺小屋塾を開設した事例がみられる。また、働き方改革の進展をうけ、空き店舗をシェアオフィスやシェアキッチンとして活用する事例、さらに、

環境意識の高まりを受け、「SDGs宣言」を行い飲食店のフードロス削減に取り組む事例など、生活者の目線に立った取り組みに効果が出始めており、商店街に来街者が増えたことで、買い物利用が増えているのである。

　身近な事例を紹介しておく。立川駅南口商店街連合会では、地域生活者に向けて「立川南口まちづくり宣言」（2016年）を行った。宣言の具現化に向けて、商店街や住民をはじめ、大学生や活動団体を交えたまちづくり協議会を主体に、「立川駅南口高架下"TERASU"プロジェクト」を立ち上げた。なお、当協議会は前述の別動隊プラットフォーム組織として機能させている。立川南口前のうす暗く汚いイメージのモノレール高架下の空間を市民が誇れる、賑わいと安らぎの場にしようと、クラウドファンディングで事業資金の協力を呼び掛けた。集めた資金を元手に、多摩産の木材から東京経済大学の学生と手作りで「Tベンチ」（TACHIKAWAとTERASUの頭文字T）を制作し、高架下の歩道に期間限定で仮設置する社会実験を行い、繁華な駅前に憩い空間の創出に取り組んでいる。

　前述の通り、立川市は多摩地域において小売吸引率が高く、広域集客に成功している自治体であり、買い物の場としても十分機能している。とくに、立川駅南口は夜間性飲食店が集積した多摩地域有数の繁華街である一方、近隣の地域生活者にとっては「夜の街」のイメージが強く、日常生活空間において商店街の利用価値は低下し続けていた。このままでは足元に盤石な経営基盤を築くことができず、社会環境の変化にともなう衰退リスクが常につきまとう。そこで、「夜の顔」を一掃するのではなく、街の「懐」の深いところに残しつつ、「昼の顔」で日常に新たな価値を創造していくこと、つまり生活者の視点を積極的に取り入れながら重層化を進めていくことで、街の魅力に深みが生まれてくるのである。従前の商業振興策アプローチと違い、リアルタイムにお店の売上高へ直結する効果はないが、まずは、街に地域生活者を回帰させることが先決である。現状の商業環境においては、商業活性化の「特効薬」となるものは存在しないことを理解したうえで、「先義後利」の精神をもって取り組むしかないであろう。

　多摩地域の人口減少が目前に迫るなか、住民が街に愛着をもって住み続けてもらうには、生活者の目線に立った街づくりをしていかなければいけない。担い手である商店街は、地域生活者に共感してもらえるような街づくりの方向性を示し、地域と共生していく「生活街」へ具現されていくことを期待したい。

おわりに

　本章では、商店街にスポットをあてて商業集積の変遷について述べ、そして「生活街」という今後に向けた商業集積の形を提唱した。時代の流れとともに、商店街の役割も変化していく必要がある。他方、そのことに商店街側の意識変革が追い付いていない実情もある。足元の商圏で高い占有率を誇っていた往時の商店街を「あるべき姿」として追い求め続けても生き残れない。誰しも商業環境の変化から逃れることはできない。地域生活者の声を真摯に聞き入れて、自ら意識を変え、商業環境の変化を受け入れ、行政任せではなく、自ら行動を起こしていかないといけないことを自覚するしかない。

　最初から「生活街」という組織づくりを優先してしまい、商業関係者だけで組織という「器」を先に作っても期待通りに機能するとは限らない。むしろ、商店街が取り組んでいる従前の事業に街づくりという視点を取り入れ、連携先の拡充を図るなかで地域の生活者ニーズを把握し、協働で取り組みやすいパイロット・プロジェクトを組みながらたどり着いていくほうが現実的といえよう。

　これまで、「商店街は不要」という人が多いご時世で商店街関係者には厳しい話も書いてきたが、筆者は、商店街こそ必要な存在であり、改革の旗手になりうると本気で期待している。多摩地域商業の担い手として本領発揮するには、「生活街」という新しい商業集積の形を目指して、商店街自らが意識改革していくことも大事なのである。

注

[1] 「東京都住民基本台帳人口移動報告平成 30 年　第 1 表」東京都総務局統計部 HP ＜ https://www.toukei.metro.tokyo.lg.jp/jidou/2018/ji-data2.htm ＞ 2020 年 9 月 6 日閲覧。なお、「転入超過」とは、「転入と転出の差がプラスの場合」をいう（東京都総務局統計部 HP ＜ https://www.toukei.metro.tokyo.lg.jp/jugoki/2001/01qdj200002.htm ＞ 2021 年 4 月 4 日閲覧。

[2] 総務省統計局（2019）「住民基本台帳人口移動報告」総務省統計局 HP ＜ https://www.stat.go.jp/data/idou/2019np/kihon/youyaku/index.html ＞ 2020 年 9 月 6 日閲覧。

[3] 厳密には商店街振興組合法や中小企業等協同組合法などに基づき法人化した組織を指すが、本章では任意団体（「商店会」、「通り会」）なども含める。

4 都市計画法第8条に定める「近隣商業地域」および「商業地域」である。

5 「くらしと統計2020 経済活動別（産業別）GDP構成比（名目）の比較」東京都総務局統計部 HP ＜ https://www.toukei.metro.tokyo.lg.jp/kurasi/2020/ku20-12.htm ＞ 2020年9月6日閲覧。

6 経済産業省「経済センサス」（2016年）。

7 東海道、中山道、日光道中、奥州道中、甲州道中を指す。

8 「旧街道宿場一覧」HPより引用＜ http://www4.famille.ne.jp/~wanderer/syukuba.htm ＞ 2020 年12月19日閲覧。

9 三井住友トラスト不動産HP「写真でひもとく街のなりたち」より参照＜ https://smtrc.jp/ town-archives/city/hachioji/index.html ＞ 2020年12月20日閲覧。

10 三井住友トラスト不動産HP「写真でひもとく街のなりたち」より参照＜ https://smtrc.jp/ town-archives/city/machida/p02.html ＞ 2020年12月20日閲覧。

11 総務省HP「立川市における戦災の状況（東京都）」より参照＜ https://www.soumu.go.jp/ main_sosiki/daijinkanbou/sensai/situation/state/kanto_21.html ＞ 2020年12月31日閲覧。

12 三井住友トラスト不動産HP「写真でひもとく街のなりたち」より参照＜ https://smtrc.jp/ town-archives/city/tachikawa/p02.html ＞ 2020年12月31日閲覧。

13 総務省HP「立川市における戦災の状況（東京都）」より参照＜ https://www.soumu.go.jp/ main_sosiki/daijinkanbou/sensai/situation/state/kanto_21.html ＞ 2020年12月31日閲覧。

14 住宅地区には、都市計画法第8条に定める第一種・第二種低層住居専用地域、第一種・第二種中高層住居専用地域、第一種・第二種住居地域、準住居地域が含まれる。

15 土地や建物などの評価額に対して課税される地方税。

16 居住部分の割合とは、家屋の総床面積に対する居住部分の床面積の割合。

17 「市街化区域」とは、すでに市街地を形成している区域およびおおむね10年以内に優先的かつ計画的に市街化を図るべき区域（都市計画法7条2項）。「市街化調整区域」とは、市街化を抑制すべき区域（都市計画法7条3項）。

18 中心市街地を指す。ただし、中心市街地活性化法基本計画が承認されているのは、府中市と青梅市のみなので、本章では「中心街」と表記する。

19 立川駅北口銀座商店街（現・昭和記念公園商店会）、高松大通り商店街振興組合、高松町商店街振興組合の片側式アーケードは撤去済み。

20 集計結果のN数（サンプル数）は、母数である東京都内（区部、市町村部含む）の全商店街数（2447商店街、2019年10月現在）に対する有効回答数である。

21 集計結果のN数（サンプル数）は、母数である区部の商店街数（1882商店街、2019年10月現在）、市町村部の商店街数（576商店街、2019年10月現在）に対する有効回答数である。図4-9、4-11も同様。

22 集計結果のN数（サンプル数）は、母数である東京都内（区部、市町村部含む）の全商店街数（2019年：2447商店街、2016年：2535商店街、2013年：2625商店街）に対する有効回答数である。図4-10も同様。

23 イベント事業の場合、補助対象経費の規模に応じて、東京都および自治体からの補助率が異なる。なお、東京都は自治体を経由した間接補助金として交付する。自治体によっては独自の上乗せ補助事業を用意している場合もあり、補助対象経費に対する補助率が3分の2を超えるケー

スもある。

24 集計結果のN数（サンプル数）は、母数である東京都内（区部、市町村部含む）の全商店街数（2019年：2447商店街、2001年：2873商店街）に対する有効回答数である。

25 顧客が陳列している商品を自由に選び、レジで一括して代金を支払う販売形態。

26 後の改正都市計画法（2007年）により、大規模小売店の郊外への出店規制が強化された。

27 一般社団法人日本ショッピングセンター協会の定義によると、「ショッピングセンターとは、一つの単位として計画、開発、所有、管理運営される商業・サービス施設の集合体で、駐車場を備えるものをいう。その立地、規模、構成に応じて、選択の多様性、利便性、快適性、娯楽性等を提供するなど、生活者ニーズに応えるコミュニティ施設として都市機能の一翼を担うものである」（一般社団法人日本ショッピングセンター協会HP < http://www.jcsc.or.jp/sc_data/data/definition > 2021年4月4日閲覧）。

28 主に「都市計画法第8条に定める「用途地域」のうち、商業地域及び近隣商業地域であって、商店街を形成している地区をいう」（経済産業省HP < https://www.meti.go.jp/statistics/tyo/syougyo/result-2/h9/kakuho/ritch/chu-4.html > 2021年4月4日閲覧）。なお、定義および設定基準に基づき、「駅周辺型」「市街地型」「住宅地背景型」「ロードサイド型」「その他」に分けられる。

29 Densely Inhabited District の略で、人口集中地区の設定基準は、「国勢調査基本単位区及び基本単位区内に複数の調査区がある場合は調査区（以下「基本単位区等」という。）を基礎単位として、1）原則として人口密度が1平方キロメートルあたり4,000人以上の基本単位区等が市区町村の境域内で互いに隣接して、2）それらの隣接した地域の人口が国勢調査時に5,000人以上を有するこの地域を「人口集中地区」と」される（総務省統計局HP < https://www.stat.go.jp/data/chiri/1-1.html > 2021年4月3日閲覧）。

30 「国勢調査」（2015年）の人口を用いる。

31 「昼間人口とは、就業者または通学者が従業・通学している従業地・通学地による人口であり、従業地・通学地集計の結果を用いて算出された人口である」（東京都総務局統計部HP < https://www.toukei.metro.tokyo.lg.jp/tyukanj/2005/tj05yougo.pdf > 2021年4月4日閲覧）。

32 electronic commerce の略で、日本語では「電子商取引」という。インターネット上で行われるモノやサービスの売買を指す。

33 Business to Consumer の略で、企業(business)が一般消費者（Consumer）に向けてモノやサービスを直接提供するビジネス形態のこと。

34 産業競争力強化法（2014年施行）に基づいた、「経営、財務、人材育成、販路開拓など事業経営に必要な知識習得を目的とした創業支援事業」（多摩信用金庫HP < https://ask-tamashin.dga.jp/business_info/detail.html?id=3273 > 2021年4月4日閲覧）である。

35 調査結果は、東京都市長会事務局企画政策室（2016）より参照。

参考文献

・新雅史（2012）『商店街はなぜ滅びるのか』光文社
・井上健一郎（2015）『吉祥寺「ハモニカ横丁」物語』国書刊行会

・大高利一郎（2011）『街道を歩く―甲州街道』揺籃社

・清水克悦・津波克明（1999）『多摩の街道（上）―甲州街道・青梅街道編』けやき出版

・城田吉孝（2007）「百貨店法制定に関する研究」『名古屋文理大学紀要』第 7 号

・東京都産業労働局「平成 19 年度　東京都商店街実態調査報告書」

・東京都産業労働局「令和元年度　東京都商店街実態調査報告書」＜ https://www.sangyo-rodo. metro.tokyo.lg.jp/toukei/chushou/R1syoutengai-zittaityousa.pdf ＞ 2021 年 4 月 4 日閲覧

・東京都教育委員会（1995）『歴史の道調査報告書 第三集　青梅街道』

・山口徹（2009）『歴史の旅　甲州街道を歩く』吉川弘文館

・東京都市長会事務局企画政策室（2016）『多摩地域における誇るべき生活文化とは―生活文化のさらなる発展・深化を目指して―』＜ https://www.tokyo-mayors.jp/katsudo/pdf/tamasei katsu2016.pdf ＞ 2021 年 4 月 4 日閲覧

・公益財団法人東京都市町村自治調査会（2011）『人口減少期における多摩地域の「縮む」未来図』公益財団法人東京都市町村自治調査会 HP ＜ https://www.tama-100.or.jp/cmsfiles/ contents/0000000/204/jinkou.pdf ＞ 2021 年 4 月 4 日閲覧

第 5 章

多摩の農業
―「強い農業」を目指して―

李 海訓

　特殊な制度的枠組みにある「都市農業」。都市化との狭間で揺れ動く都市農地を活かした「強い農業」は可能なのか。多摩地域の農業・農業経営体の実情と経営実態の分析から、長期的に農業部門の担い手確保を実現する方策を探る。(住宅地に囲まれる都市農地)

はじめに

2018年10月13日から11月17日にかけて『日本経済新聞』に6回にわたる「気がつけば後進国」シリーズが紹介された。日本の国際的な位置づけの低下と日本国内のさまざまな分野における停滞・低迷に警鐘を鳴らす画期的な告発記事だったと理解される。

2回目に「気がつけば後進国（2）迷走続いた農政、強い農業描けず——2度の政権交代、補助金依存深める（平成の30年陶酔のさきに）」と題する文章が掲載された。平成時代に「強い農業」を実現するために、「零細な兼業農家と経営マインドを持つ農家を区別し、後者を重点的に後押しする方針を打ち出し」、農業経営の「家業から企業への脱皮」を目指したが、「民主党政権の誕生と自民党の政権復帰という2度の政変」によって、「強い農業」が実現することはなかったという（『日本経済新聞』2018年10月20日版）。

この記事において、「強い農業」に関する明確な定義は示されていない[1]が、「将来を担う経営感覚のある農家の支援を通した競争力の向上」を通じて「強い農業」を実現しようとしたとされる。その過程で認定農業者制度[2]が導入されたが、「認定農業者制度は残っているが、農家が作った計画を達成できなくても、計画を立て直せば更新できる緩い制度でしかない」というのが今日的な評価である（『日本経済新聞』2018年10月20日版）。

本章もこの記事の「強い農業」の考え方について概ね賛成であるが、多摩農業を考える際のキーワードとしての「強い農業」を、「農業所得を生活資金にするために、農業を職業として選択し、かつ長期的に農業部門に従事しようとする青壮年担い手が確保できる状態の農業」と定義しておく。「強い農業」が実現すれば、「経営マインドを持つ農家」の確保も可能である。

多摩地域の農業は多くの場合、いわゆる「都市農業」（後述）であるが、日本の農業のなかで、都市農業は特殊である。かつての制度的枠組において、都市農地・農業は「宅地化すべきもの」とされてきた。しかし、いまや都市の農地・農業は「あるべきもの」として制度的に位置づけられるようになり、都市農業振興基本計画（2016年）においても「都市政策においては、農業を都市において発展すべき産

業とは位置づけてこなかったが……（中略）都市の重要な産業と位置づけること
が必要」と認識されている。さらに、高齢化・人口減少による宅地需要の低下や
空き家問題から、宅地の農地としての有効利用も期待される[3]（安藤 2020a）。

　しかし、農業・農地そのものは担い手が存在してはじめて維持可能なものであ
る。担い手を確保することができなければ農地も維持できないことは、「耕作放
棄地の増加」という事実によって証明されている。農地の維持以上に重要なのが、
農地を使いこなせる人材（担い手）なのである（生源寺 2011）。市民農園[4]や農
業体験農園[5]、援農ボランティア（後述）なども担い手として取り上げられる場
合が多いが、多摩地域の農業を考える際に、本章は上記の「強い農業」に注目する。
多摩地域の農業は、立地条件からして、近くに東京、横浜といった巨大マーケッ
トが存在するため、「強い農業」の実現は十分に可能である。

　こうした認識の下で、本章においては、まず多摩農業の現状を把握すべく、東京・
多摩の農業はどのように変化してきたのかを制度面と実態面から確認する。1 節
では、都市農業をめぐる制度の変化について整理し、2 節では多摩農業の実態面
での変化、すなわち農地と農家・農業経営体の変化を、多摩農業が東京都全体に
占める位置づけを確認しながら整理する。3 節では、多摩・東京農業と大阪農業
の比較を通じて多摩農業・農業経営体の特徴をあぶり出し、4 節では、多摩農業
の「強い農業」について議論する。

1．都市農業をめぐる制度的枠組の変遷

（1）都市農業と生産緑地制度

　時代や制度の観点からみて都市（市街化区域）農地の位置づけは、① 1968 年
の都市計画法における「宅地化されるべき」もの、② 1991 年の改正生産緑地法
では農地の生活環境確保機能は評価、農業の生産機能は未評価、③都市農業振興
基本法（2015 年）と都市農業振興基本計画（2016 年）では農業生産機能も評価、
との 3 つの時期に区分される（後藤 2018）。ただし、以下に述べるように、③の
農業生産機能の評価に至る過程において「2022 年問題」（後述）が強く影響して
いる。

　序章で触れた『多摩学のすすめ』シリーズの第 I 巻（1991 年）と第 II 巻（1993

年）においても、多摩の農業は取り上げられた。その当時は②の時期と重なり、いまは③と重なる時期であることに留意されたい。以下、都市農地・農業をめぐる制度の変遷について整理する。

「都市農業」の法的概念としては、都市農業振興基本法（後述）において、「市街地及びその周辺の地域において行われる農業」と定義されているが（都市農業振興基本法第2条）、必ずしも明確な定義ではない。それまでの「都市農業」という概念は、「市街化区域の農業」として限定的に使われる場合もあったが、「一般的には市街化区域，市街化調整区域両方の農業を合わせて都市農業」と理解されてきた（蔦谷2005）。しかし、近年は「都市農地」と「都市農業」が区別され、「都市農地」は、「市街化区域内農地（生産緑地・宅地化農地）」とされ、「都市農業」は「「都市農地」に加え、市街化区域外農地、非農地での農業も含め、都市住民が農産物の生産・流通・販売で係わる農業を含む概念」として定義されるようになっている（公益財団法人東京市町村自治調査会2018）。

ここでいう「市街化区域」、「市街化調整区域」とは、1968年の都市計画法[6]第7条「都市計画区域について無秩序な市街化を防止し、計画的な市街化を図るため必要があるときは、都市計画に、市街化区域と市街化調整区域との区分……（中略）を定めることができる」という条文に由来する区域区分であり、「市街化区域は、すでに市街地を形成している区域及びおおむね十年以内に優先的かつ計画的に市街化を図るべき区域」であり、「市街化調整区域は、市街化を抑制すべき区域」である（都市計画法第7条）。

この都市計画法の背景には1950-60年代における都市部人口の増加がある。人口の増加により農地に住宅が建てられるようになり、スプロール化をともないながら市街地が拡大した。そのため、「都市の健全な発展と秩序ある整備を図り、もつて国土の均衡ある発展と公共の福祉の増進に寄与することを目的」（都市計画法第1条）として、1968年の都市計画法が施行された。市街化区域内農地の管轄省庁は農林省（現在の農林水産省）から建設省（現在の国土交通省）に代わり、また市街化区域内農地は、事前に届出を行えば転用可能となり、農業政策の対象外となった[7]。1972年になると、市街化区域内農地は、宅地並みの課税対象となった（後藤2010；蔦谷2009；榊田2020；北沢ほか2019）。

しかし、当時の市街化区域内農地で農業を営む農家のなかには営農意欲の高い

農家が多く残されていた。地価が高騰しており、農地の固定資産税や都市計画税が宅地並みに徴収されると農業経営が成り立たなくなるため、全国的に反対運動が起こり、結果的に1974年に生産緑地法が制定されることとなった。これにより、市街化区域内農地であっても生産緑地としての指定を受ければ、宅地並みの課税対象外（すなわち農地課税）となった（榊田2020；北沢ほか2019）。

　1975年には相続税納税猶予制度が導入された。この制度は農地全般を対象とする制度であり、市街化区域内農地もその対象だった。農地評価額を超える部分については相続税の納税が猶予され、農業経営を20年間継続した場合は、猶予された相続税が免除される。こうした制度の調整により反対運動は収まることとなった（蔦谷2009；北沢ほか2019）。

　その後、1982年には長期営農継続農地制度が創設された。これは、市街化区域内農地の固定資産税の納税猶予制度であるが、長期営農継続農地の認定が得られると、宅地並みの課税と農地課税との差額分は徴収猶予になり、5年経過後に農業経営の継続が確認されたらこれが免除されるというものであり、何度でも継続することができるとされた。長期営農継続農地制度は、生産緑地以外の市街化区域内農地における農業経営にも有利な制度であるが、結局1992年に廃止された。都市計画上、長期営農継続農地の位置づけが明確なものではなく、土地所有者の意思によって農業的利用か非農業的利用かが決まることが廃止の理由の1つとされる（後藤2010；蔦谷2009）。

　並行して1991年に生産緑地法が改正され、翌1992年から市街化区域内農地は、「宅地化する農地」（宅地化農地）と「保全する農地」（生産緑地）に区分されるようになった。その背景には1980年代後半の3大都市圏を中心とした地価の上昇があり、市街化区域内農地の宅地化が強く求められるようになったためである（農林水産省2020）。1992年以降、3大都市圏特定市（1991年1月1日現在3大都市圏の190市）においては、「一団で500㎡以上の規模」や「30年営農継続」という条件を満たす市街化区域内農地は、土地所有者の申請を経て市町村長により生産緑地に指定された（榊田2020）。ただし、生産緑地の指定解除条件が厳しく、①生産緑地指定から30年後、または②主たる従事者が死亡ないし国土交通省令が定める従事することのできない故障[8]になった場合のみ、土地所有者が自治体に生産緑地の買い取りの申し出を行うこと（すなわち指定解除）が可能となる（生

表 5-1　　3 大都市圏特定市における生産緑地の税制

			相続税納税猶予制度	固定資産税
市街化区域	三大都市圏特定市	生産緑地	適用（終身営農を条件）	農地評価 農地課税
		生産緑地以外	適用廃止	宅地並み評価 宅地並み課税
	それ以外の地域		適用（20 年営農を条件）	宅地並み評価 農地に準じた課税
市街化区域以外			適用（20 年営農を条件）	農地評価 農地課税

出所：農林水産省「都市農業を巡る経緯と施策の現状」＜ https://www.maff.go.jp/j/nousin/
kouryu/tosi_nougyo/t_seido/pdf/genjou.pdf ＞、2021 年 1 月 30 日閲覧。

産緑地法第 10 条）。生産緑地の指定解除には、こうした自治体の買い取り以外の
方法はなかった。

　税制面では、**表 5-1** で確認できるように、3 大都市圏特定市において、生産緑
地以外（宅地化農地）の場合、固定資産税が宅地並みに課税され、相続税の納税
猶予制度は不適用とされるなど宅地化が促された一方、生産緑地は固定資産税が
農地課税となり、相続税納税猶予制度は「終身営農を条件」に適用された。（蔦
谷 2009；農林水産省 2020）。

　「特定市」とは、「首都圏整備法・近畿圏整備法・中部圏開発整備法に規定する
①東京特別区（23 区）、②市の区域の全部または一部の区域、③首都圏・近畿圏・
中部圏内の政令指定都市のいずれかに該当する市町村のことを指」しており（北
沢ほか 2019：32）、東京都の場合は、特別区部（以下、区部）以外に八王子市、
立川市、武蔵野市、三鷹市、青梅市、府中市、昭島市、調布市、町田市、小金井市、
小平市、日野市、東村山市、国分寺市、国立市、福生市、狛江市、東大和市、清
瀬市、東久留米市、武蔵村山市、多摩市、稲城市、羽村市、あきる野市、西東京
市が含まれ、多摩地域の自治体では、奥多摩町、檜原村、日の出町、瑞穂町以外
はすべて「特定市」に含まれる[9]。

(2)「2022 年問題」と都市農業振興基本法の制定

　1992 年に指定を受けた生産緑地が 2022 年になると 30 年を迎えることを「2022 年問題」という。全国の約 1.3 万ヘクタールの生産緑地のうち 8 割を占める約 1 万ヘクタールが 2022 年に 30 年を迎えるとされる（湯澤 2018）。生産緑地の制度においては、上述のように生産緑地指定から 30 年後に土地所有者が自治体に買い取りを申し出る（生産緑地指定の解除）ことが可能となるが、自治体からすれば財政的負担が大きすぎる。結果的に生産緑地が民間デベロッパーにながれる可能性が高く、すなわち、宅地が一気に急増することになるが、人口減少および空き家問題が課題となっているいまの日本においては、地価の下落と空き家のさらなる増加を招きかねない。こうした「2022 年問題」を背景に、2015 年に都市農業振興基本法が制定されることになり、国土交通省も前向きだった（榊田 2020）。

　都市農業振興基本法の基本理念からは、「宅地化されるべき」とされてきた都市農地・農業の位置づけが、多様な機能をもつものとして「あるべきもの」に代わったことを確認できる。同基本理念には「都市農業の振興は、都市農業が、これを営む者及びその他の関係者の努力により継続されてきたものであり、その生産活動を通じ、都市住民に地元産の新鮮な農産物を供給する機能のみならず、都市における防災、良好な景観の形成並びに国土及び環境の保全、都市住民が身近に農作業に親しむとともに農業に関して学習することができる場並びに都市農業を営む者と都市住民及び都市住民相互の交流の場の提供、都市住民の農業に対する理解の醸成等農産物の供給の機能以外の多様な機能を果たしていることに鑑み、これらの機能が将来にわたって適切かつ十分に発揮されるとともに、そのことにより都市における農地の有効な活用及び適正な保全が図られるよう、積極的に行われなければならない」と明記されている（都市農業振興基本法第 3 条）。

　2016 年には都市農業振興基本計画（以下、「基本計画」）が閣議決定された。「基本計画」は、農林水産省と国土交通省が共同で作成したもので、「担い手の確保」と「農地の確保」の観点から都市農業の振興に関する新たな施策の方向性が提示された。その後の都市農地の使用に関する制限の緩和につながる法律「都市緑地法等の一部を改正する法律」（2017 年）および「都市農地の賃借の円滑化に関する法律（都市農地賃借法）」（2018 年）が国会で成立し、関連する税制改正も行われた。

「都市緑地法等の一部を改正する法律」の関連では、都市緑地法、生産緑地法、都市計画法、建築基準法などが改正され、施行された（湯澤 2018）。生産緑地法改正のポイントをまとめると、「①下限面積要件を五〇〇平方㍍から三〇〇平方㍍に緩和（市町村の条例制定が条件）、②道連れ解除への配慮（隣接する生産緑地との合計面積で面積要件を満たしていた場合、隣接農地の指定が解除され要件を満たせなくなっても、近隣農地と合わせて一団とみなすことを認める）、③用途制限の緩和（農産加工施設、共同直売所、農家レストランなどの建設を条件付きで認可）、④「田園居住地域」の創設（緑豊かな居住空間保全として、同区域内の農地開発は市町村の許可制に）、⑤特定生産緑地制度の創設」（榊田 2020）との 5 点である。

　特定生産緑地制度とは、生産緑地の指定から 30 年経過した後も、それまでの 30 年間と同様な農業経営の環境を確保しようとする制度で、生産緑地の土地所有者が生産緑地の指定から 30 年になる前に申請し、買い取り申し出期限を 10 年ごとに延長できる制度である。特定生産緑地の指定を受ければ、税制措置は従来と同様となる。しかし、特定生産緑地の指定を受けなかった場合はいつでも自治体に買い取り申し出ができるが、固定資産税は激変緩和期間としての 5 年が経過した後は宅地並み課税となり、相続税については、納税猶予制度の対象外となる（榊田 2020；北沢ほか 2019）。

　都市農地賃借法の制定による変化についてみると、農地を貸し付けたとしても相続税納税猶予制度の適用を受けることが可能になった。特定生産緑地の農地賃借を通して担い手を確保しようとする意図がある。上記のようなさまざまな制度を改正したとしても、担い手が確保できないと都市農地の維持は厳しい。実際、都市農地の所有者も高齢化が進んでおり、自らの農業経営は難しくなっている場合が少なくない。都市農地貸借法の制定により、農家や企業に農地を貸すことや、市民農園や農業体験農園といった形での農地の維持も可能となった（農林水産省 2020；榊田 2020；北沢ほか 2019）

　こうした制度改革を受け、多摩地域の各自治体においてもさまざまな動きがある。日野市では、後継者のいない生産緑地所有者に農地の貸出を勧め、立川市や稲城市、東村山市では新制度への移行の周知のために説明会を開いた。30 年期限を迎える生産緑地の所有者が自治体に対して買い取りを申し出た場合、自治体は

買い取る必要があり、その財政的負担が大きいため、農地利用の継続を勧めることで、買い取りを抑えようとしている（『日本経済新聞』2018 年 10 月 3 日）。近年は、30 年期限を迎える生産緑地の買い取りを抑えるために、東村山市、府中市、武蔵野市では、所得が不十分な農家を補助金で支援する制度を導入している（『日本経済新聞』2020 年 3 月 25 日）。

　このような自治体の行動を踏まえて、都市農地・農業をめぐる諸制度改正を考えると、実は農地・農業のもつ多面的機能のために都市農業を発展させようとしているわけではないのではないかと疑いたくなる。何の対策もせずに 2022 年を迎えた場合、大量の生産緑地が指定解除を申し出ることになるが、自治体は財政的に買い取ることが不可能であるため、宅地が一気に急増し、地価の下落と空き家のさらなる増加を招きかねない。こうした流れを止めるためには、とにかく生産緑地が宅地に変更される事態を止める必要があり、こうした現実問題があるがゆえに、農地・農業を都市に「あるべきもの」として位置づけなおし、その根拠として、「新鮮な農産物の供給」、「災害時の防災空間」、「良好な景観の形成」、「国土・環境の保全」、「農業体験・学習、交流の場」、「都市住民の農業への理解の醸成」などが挙げられるようになったのではないか。都市農地の農業生産機能が評価されるようになったのも「2022 年問題」を回避するための戦略の 1 つではないか。

2.　多摩地域の農地面積・農家数の縮小と　東京都における多摩農業の位置づけ

（1）農地および生産緑地

　生産緑地の指定が始まってから多摩の農業はどのように変化してきたのか。そして東京都における多摩農業の位置づけはどのようなものなのか。まず、農地面積の推移をみよう。**表 5-2** には、東京都農地面積の推移および 2018 年時点における地域別農地面積を示した。

　東京都全体の農地面積は 1990 年の 1 万 1500 ヘクタールから 2018 年の 6790 ヘクタールへと、28 年間に 4 割減少した。地目別にみると、田の面積は、2018 年現在、農地面積全体の 4% 以下で、1990 年の田面積にくらべ 6 割減少した。畑の面積は、田の面積にくらべ圧倒的に多いものの、1990 年時点にくらべると 4 割程度減少した。

表 5-2　東京都農地面積の推移

（単位：ヘクタール）

	農地面積	田	畑	樹園地
1990 年	11,500	629	8,634	2,237
1995 年	9,980	490	7,590	1,900
2000 年	9,000	396	6,674	1,930
2005 年	8,340	325	6,194	1,830
2010 年	7,670	299	5,685	1,690
2015 年	7,130	277	5,240	1,620
2018 年	6,790	256	4,964	1,570
2018 年 区部	522	1	521	
2018 年 多摩地域	5,169	254	4,909	
2018 年 島嶼	1,098	0	1,092	

出所：東京都産業労働局農林水産部（2019）「東京都の農林水産統計データ（令和元年度版）」、
2頁により筆者作成（一部修正）。

　地域別にみると、2018 年時点で多摩地域が東京都農業の中心地域であることが
確認できる。多摩地域の農地面積（5169 ヘクタール）は東京都全体の 76% を占め、
田面積（254 ヘクタール）と畑面積（樹園地含む 4909 ヘクタール）はそれぞれ東
京都全体の 99%、75% を占める。

　2018 年時点で東京都の市街化区域内農地面積が 3833 ヘクタール（**表 5-3**）な
ので、市街化区域内農地面積が東京都農地面積の 56.5% を占めることになる。**表
5-3** は、東京都の市街化区域内農地、生産緑地、宅地化農地面積の推移を区部合
計、市部合計、区部・市部合計別に示したものである。1993 年時点と 2018 年時
点をくらべると、①市街化区域内農地面積が 7158 ヘクタールから約半分の 3833
ヘクタールに減少し、宅地化農地も生産緑地も減少した。② 1993 年には宅地化
農地（3085 ヘクタール）が市街化区域内農地の 43% を占め、生産緑地（4073 ヘ
クタール）が 57% を占めていたが、2018 年には宅地化農地（733 ヘクタール）が
市街化区域内農地の 19% にまで減少し、生産緑地（3100 ヘクタール）の割合は
81% に増加した。宅地化農地のほうが生産緑地にくらべて縮小が激しく、生産緑
地制度が市街化区域内農地面積の維持に寄与していると判断される。ただ上記の

表 5-3　東京都の市街化区域内農地・生産緑地・宅地化農地の面積の推移

（単位：ヘクタール）

	市街化区域内農地			生産緑地			宅地化農地		
	区部合計	市部合計	区部・市部合計	区部合計	市部合計	区部・市部合計	区部合計	市部合計	区部・市部合計
1993 年	1,383	5,775	7,158	593	3,480	4,073	790	2,295	3,085
1998 年	1,036	5,029	6,065	546	3,425	3,970	490	1,604	2,095
2003 年	805	4,498	5,303	523	3,257	3,780	282	1,241	1,523
2008 年	692	4,059	4,751	488	3,121	3,609	204	938	1,142
2013 年	584	3,712	4,296	452	2,937	3,388	132	775	908
2018 年	502	3,331	3,833	413	2,687	3,100	89	644	733

注：市部は、奥多摩町、檜原村、日の出町、瑞穂町を除く多摩地域のすべての自治体の合計値。
出所：東京都都市整備局「東京の土地 2017（土地関連資料集）」、「東京の土地 2018（土地関連資料集）」＜ https://www.toshiseibi.metro.tokyo.lg.jp/seisaku/tochi/index.html ＞、（2021年 2 月 2 日閲覧）により筆者作成。

ように生産緑地の指定解除は簡単ではないものの、それでも 1993 年の生産緑地面積の約 4 分の 1 程度は減少している。生産緑地指定からまだ 30 年経っていない現状からすると、主たる従事者の死亡や故障が原因とみられる。

　生産緑地面積の内訳をみると、区部にくらべ多摩地域（市部）の割合が圧倒的に大きく、東京都生産緑地の 8 割以上は多摩地域にある。すなわち、1993 年時点で東京都の生産緑地面積（4073 ヘクタール）のなかで多摩地域（3480 ヘクタール）は 85％ を占めていたが、2018 年にも多摩地域には 2687 ヘクタールの生産緑地があり、東京都全体の 87％ を占めている。

　また、**表 5-2** でみるように、2018 年における多摩地域の農地面積は 5169 ヘクタールであるから、多摩地域の生産緑地面積（2687 ヘクタール）は農地面積の半分以上（52％）を占めていることになる。

　他方、多摩地域の宅地化農地は生産緑地にくらべ量的に圧倒的に少ないものの、東京都の宅地化農地全体（733 ヘクタール）の 88％ を占めている。

（2）農家数および農業経営体数

　「農林業センサス等に用いる用語の解説」[10] によれば、農家とは、「調査期日現在で、経営耕地面積が 10a 以上の農業を営む世帯又は経営耕地面積が 10a 未満で

あっても、調査期日前1年間における農産物販売金額が15万円以上あった世帯をいう」。ここでいう「農業を営む」とは、「営利又は自家消費のために耕種、養畜、養蚕、又は自家生産の農産物を原料とする加工を行うことをいう」。農家は、販売農家と自給的農家に区分され、販売農家は、「経営耕地面積が30a以上又は調査期日前1年間における農産物販売金額が50万円以上の農家」を指し、自給的農家は、「経営耕地面積が30a未満かつ調査期日前1年間における農産物販売金額が50万円未満の農家をいう」。これ以外に農林業センサス上の「農家」に含まれない「土地持ち非農家」と呼ばれる「耕地及び耕作放棄地を5a以上所有している世帯」が存在する。

　表5-4には、東京都の農家数の推移を掲げた。1990年に2万戸以上だった農家数が2020年には1万戸以下に減少したことがわかる。2020年時点で、東京都の販売農家は4602戸、自給的農家は4963戸であるが、これは1990年にくらべそれぞれ64％と38％減少した数字である。1990年に東京都総農家数の6割以上を占めていた販売農家（1万2676戸）は、2020年には半分以下（4602戸）に減少しており、自給的農家（4963戸）が東京都総農家数の半分以上を占めるようになった。

　地域別にみると、東京都の9565戸の農家のうち多摩地域の農家が8割（7560戸）を占めており、さらに、多摩地域の農家のうちの9割（6851戸）は、多摩地域の市部、すなわち生産緑地の指定の可能な首都圏特定市の農家である。多摩地域市部の農家の場合も、すでに販売農家（3296戸）は農家全体の半分以下になっており、自給的農家（3555戸）が半分以上を占めるようになった。

　ただし、農家のみが農業の担い手であるわけではなく、「農業経営体」の概念についても理解しておく必要がある。農業経営体とは、「農産物の生産を行うか又は委託を受けて農作業を行い、（1）経営耕地面積が30a以上、（2）農作物の作付面積又は栽培面積、家畜の飼養頭羽数又は出荷羽数等、一定の外形基準以上の規模（露地野菜15a、施設野菜350㎡、搾乳牛1頭等）、（3）農作業の受託を実施、のいずれかに該当するもの」（『平成28年度食料・農業・農村白書』）であり、農作業の受託業者も「農業経営体」に含まれるが、上記のように「経営耕地面積が30a未満」である自給的農家は農業経営体に含まれない。農業経営体の（1）と（2）は、販売農家の定義と類似しており、（1）は販売農家の定義と同じ表現であるが、

表 5-4　東京都の農家数推移および多摩地域の農家数

（単位：戸）

	総農家数		
		販売農家	自給的農家
1990 年	20,679	12,676	8,003
1995 年	17,367	10,527	6,840
2000 年	15,460	9,033	6,427
2005 年	13,700	7,353	6,347
2010 年	13,099	6,812	6,287
2015 年	11,222	5,623	5,599
2020 年	9,565	4,602	4,963
2020 年 区部合計	1,250	697	553
2020 年 多摩地域合計	7,560	3,462	4,098
2020 年　市部合計	6,851	3,296	3,555
2020 年　郡部町村合計	709	166	543

注：1）市部は、奥多摩町、檜原村、日の出町、瑞穂町を除く多摩地域のすべての自治体の合計値。
　　2）郡部町村は、奥多摩町、檜原村、日の出町、瑞穂町。
　　3）多摩地域合計は、市部と郡部町村との合計値。
出所：農林水産省「農林業センサス累年統計‐農業編‐（明治 37 年～平成 27 年）」< https://
　　　www.e-stat.go.jp/ > 2021 年 2 月 2 日閲覧、「2020 年農林業センサス結果の概要（概数 値）」
　　　< https://www.maff.go.jp/j/tokei/kouhyou/noucen/index.html#y > 2021 年 2 月 2 日閲覧、
　　　「2020 年農林業センサス（農林業経営体調査）東京都分調査速報（概数値）」< https://
　　　www.toukei.metro.tokyo.lg.jp/nourin/2020/ng20s10000.htm > 2021 年 2 月 2 日閲覧 、に
　　　より筆者作成。

（2）は販売農家のように「1 年間における農産物販売金額が 50 万円以上の農家」
の表現にはなっていない。それは、「経営体として同じ生産規模があるにもかか
わらず調査対象期間の農産物価格の変動に左右され調査対象であるか否かが変
わってしまうので」[11]、「農産物販売金額 50 万円に相当する作付面積、飼養頭羽
数等」[12] の物的指標が示されたためである。露地野菜、施設野菜、搾乳牛以外にも、
果樹は栽培面積 10 アール以上、露地花きは栽培面積 10 アール以上、施設花きは
栽培面積 250 平方メートル以上、肥育牛は飼養頭数 1 頭以上、豚飼養頭数は 15
頭以上、採卵鶏の飼養羽数は 150 羽以上、ブロイラーの年間出荷羽数は 1000 羽
以上が物的指標になっており、そのほかにも「1 年間における農業生産物の総販
売額 50 万円に相当する事業の規模」が物的指標になっている（「農林業センサス

等に用いる用語の解説」)。

　農業経営体は、家族経営体と組織経営体に区分され、家族経営体とは、「農業経営体のうち個人経営体（農家）及び１戸１法人（農家であって農業経営を法人化している者）」（『平成28年度食料・農業・農村白書』）であり、組織経営体とは、「農業経営体のうち家族経営体に該当しない者」（『平成28年度食料・農業・農村白書』）であり、法人化している農事組合法人、会社（株式会社、合名・合資会社、合同会社、相互会社）、各種団体（農協、森林組合、その他の各種団体）、その他の法人以外に、地方公共団体・財産区も含まれる（「農林業センサス等に用いる用語の解説」）。これらさまざまな農業経営体の2020年の数字を示したのが、**表5-5**である。

　表5-5から確認できるのは、2020年時点で、東京都全体からみても、多摩地域全体からみても、多摩地域市部の状況からみても、さまざまな農業経営体が存在しているものの、農業経営体として圧倒的な存在感をみせているのが法人化していない個人経営体、すなわち農家である。東京都全体の場合、個人経営体（5041）が農業経営体全体（5117）に占める割合は98.5%であり、多摩地域全体および多摩地域の市部、多摩地域の郡部町村は、それぞれ99%、99.1%、97.6%を占める。個人経営体以外にさまざまな法人経営体が存在しているものの、多摩農業の担い手として立場の確立はできていないのである。冒頭の記事でいう「農業経営の家業から企業への脱皮」の実現が期待される。

　次に、東京都の個人経営体における年齢別基幹的農業従事者[13]数を確認したい。**表5-6**には、6つの年齢階層に分けて東京都の基幹的農業従事者数を示した。上述のように、多摩地域は東京都のなかで農地および農家数の約8割を占めることから、基幹的農業従事者数（6023人）も東京都全体（7964人）の76%を占めている。年齢別基幹的農業従事者数について、東京都全体からみても、多摩地域全体からみても、多摩地域市部の状況からみても、いずれも、70歳以上の年齢層が全体の4割以上を占めることが最大の特徴である。60代と70歳以上の年齢層を合わせると、基幹的農業従事者数全体の7割に近い割合になる。一方で、29歳までの基幹的農業従事者数は、全体の1%程度であり、30代は全体の5%程度である。東京都の農業、多摩地域の農業も、日本全体の農業と同様に担い手の高齢化が進む一方で、青壮年農業従事者が少ないことがわかる。

表 5-5　東京都の組織形態別農業経営体数（2020 年）

（単位：農業経営体）

	合計	法人化している														法人化していない	
		計	農事組合法人	会社					各種団体					その他の法人	地方公共団体・財産区		個人経営体
				小計	株式会社	合名・合資会社	合同会社	相互会社	小計	農協	森林組合	その他の各種団体					
東京都合計	5,117	71	5	58	56	-	2	-	1	-	-	1	7	2	5,044	5,041
区部合計	809	19	-	18	17	-	1	-	1	-	-	-	1	-	790	790
多摩地域合計	3,801	35	-	30	30	-	-	-	1	-	-	1	4	1	3,765	3,763
市部合計	3,629	31	-	26	26	-	-	-	1	-	-	1	4	1	3,597	3,595
郡部町村合計	172	4	-	4	4	-	-	-	-	-	-	-	-	-	168	168

注：区部、多摩地域、市部、郡部町村については、表5-4の注を参照。
出所：「2020年農林業センサス（農林業経営体調査）東京都分調査速報（概数値）」（東京都総務局統計部HP）、＜https://www.toukei.metro.tokyo.lg.jp/nourin/2020/ng20s10000.htm＞2021年2月2日閲覧、により筆者作成。

表 5-6　2020 年の東京都年齢別基幹的農業従事者数（個人経営体）

（単位：人）

	合計	29 歳まで	30-39 歳	40-49 歳	50-59 歳	60-69 歳	70 歳以上
東京都合計	7,964	111	431	715	1,229	1,998	3,480
	100%	1.4%	5.4%	9.0%	15.4%	25.1%	43.7%
区部合計	1,370	18	74	132	233	340	573
	100%	1.3%	5.4%	9.6%	17.0%	24.8%	41.8%
多摩地域合計	6,023	85	342	536	943	1,539	2,578
	100%	1.4%	5.7%	8.9%	15.7%	25.6%	42.8%
市部合計	5,811	81	332	513	912	1,482	2,491
	100%	1.4%	5.7%	8.8%	15.7%	25.5%	42.9%
郡部町村合計	212	4	10	23	31	57	87
	100%	1.9%	4.7%	10.8%	14.6%	26.9%	41.0%

注：区部、多摩地域、市部、郡部町村については、表 5-4 の注を参照。
出所：表 5-5 と同じ。

　ここまでの農地、農家・農業経営者にかかわる内容を東京都全体と多摩地域を中心にまとめておくと、①耕地面積や農家数からみると、多摩地域は東京都農業全体の 8 割を占める地域であり、② 1991 年の改正生産緑地法以降においても、多摩地域または東京都全体では、農地面積と農家数が減少し、③多摩地域の生産緑地も減少した。④多摩地域または東京都全体の農家の半分以上は自給的農家であり、販売農家は農家全体の半分以下である。⑤多摩地域および東京都全体の農業経営体のなかで圧倒的に多いのは個人経営体であるが、個人経営体は高齢化が進んでおり、全体の 4 割以上が 70 歳以上の年齢層であり、60 代と 70 歳以上の年齢層を合わせると、基幹的農業従事者数の 7 割近い割合を占める。

3.　多摩農業・農業経営体の特徴

　さて、2020 年時点における多摩農業・農業経営体の特徴を、東京都と非関東圏の都市農業の事例としての大阪府と比較しながらあぶり出しておこう。

　表 5-7 からは、2020 年における多摩地域の農産物販売金額規模別経営体数を確認することができる。多摩地域の農産物販売金額規模「販売なし・50 万円未満」

表 5-7　多摩地域の農産物販売金額規模別経営体数（2020 年）

（単位：経営体）

	計	販売なし・50万円未満	50万円－500万円未満	500万円－1,000万円未満	1,000万円－3,000万円未満	3,000万円以上
多摩地域合計	3,801 100%	1,405 37.0%	1,816 47.8%	369 9.7%	168 4.4%	43 1.1%
東京都合計	5,117 100%	1,789 35.0%	2,569 50.2%	490 9.6%	211 4.1%	58 1.1%
大阪府合計	7,673 100%	4,664 60.8%	2,361 30.8%	358 4.7%	224 2.9%	66 0.9%

出所：農林水産省「2020 年農林業センサス結果の概要（概数値）」＜ https://www.maff.go.jp/j/tokei/kouhyou/noucen/index.html#y ＞ 2021 年 2 月 2 日閲覧、「2020 年農林業センサス（農林業経営体調査）東京都分調査速報（概数値）」＜ https://www.toukei.metro.tokyo.lg.jp/nourin/2020/ng20s10000.htm ＞ 2021 年 2 月 2 日閲覧 、により筆者作成。

階層経営体は、全体の 37％ を占めるが、この階層が農業所得で生計を維持していないことは明らかである。

　農産物販売金額規模「50 万円－500 万円未満」[14] 階層は、全体の 47.8％ を占めるが、この階層にも、農業だけでは生活が維持できない農業経営体が多いだろう。農産物販売金額は粗収益ともいわれるが、粗収益から農業経営費を差し引いた残りである農業所得が粗収益に占める割合（農業所得率）が最も大きい施設野菜や果樹の場合でも 40％ 程度である（**表 5-9**）。ただし、多摩地域の農業においては、後に述べるように消費者への直接販売が多く、出荷価格が割高であるため、農業所得率が全国レベルである 40％にくらべ高いと推測される。多摩地域の農業所得率を 50％だと仮定すると、農産物販売金額 500 万円だとしても、農業所得は 250 万円であり、農外所得の獲得が必要とされるレベルである。

　農産物販売金額規模「500 万円－1000 万円未満」階層には、農業所得だけで生活可能な経営体が多いと思われる。ただし、上記のように農業所得率を 50％だと仮定し、農産物販売額 1000 万円だとしても、農業所得は 500 万円なので、魅力的な職業だとは評価されにくい。

　魅力的な職業として評価されるようになるのは、農産物販売金額規模が「1000 万円－3000 万円未満」レベルになってからであろう。農産物販売金額規模が「3000 万円以上」[15] レベルになると、雇用労働力に依存せざるを得ない企業的農業経営だと理解される。この場合は、企業に従事することになるので、農業所得ではなく、

表 5-8　多摩地域の農産物販売金額１位の部門別経営体数（2020 年）

（単位：経営体）

	農産物の販売のあった経営体	稲作	麦類・雑穀・いも類・豆類	工芸農作物	露地野菜	施設野菜	果樹類	花き・花木	その他の作物	畜産
多摩地域合計	3,279	55	146	33	1,738	214	577	337	112	67
	100%	1.7%	4.5%	1.0%	53.0%	6.5%	17.6%	10.3%	3.4%	2.0%
東京都合計	4,495	71	183	67	2,212	327	720	687	146	82
	100%	1.6%	4.1%	1.5%	49.2%	7.3%	16.0%	15.3%	3.2%	1.8%
大阪府合計	5,836	3,254	48	2	982	438	743	254	74	41
	100%	55.8%	0.8%	0.0%	16.8%	7.5%	12.7%	4.4%	1.3%	0.7%

出所：表 5-7 と同じ。

表 5-9　2018 年（全国）におけるタイプ別の１ヘクタールあたり労働時間と所得

	水田作	露地野菜作	施設野菜作	果樹作	露地花き作	施設花き作	酪農	養豚	採卵養鶏
粗収益（万円）	110	307	545	403	372	896	237	5,472	12,607
経営費（万円）	87	190	331	244	234	649	188	4,602	11,790
農業所得（万円）	23	117	214	159	138	247	49	870	817
労働時間（時間）	348	1,424	2,318	1,975	2,081	3,648	241	4,478	17,618
農業所得率	21.0%	38.2%	39.3%	39.6%	37.0%	27.6%	20.7%	15.9%	6.5%

注：農業所得＝粗収益－経営費。　農業所得率＝農業所得÷粗収益× 100%。
出所：農林水産省「農業経営統計調査平成 30 年営農類型別経営統計（個別経営）」により筆者作成。

給与水準が職業を選択する際の判断基準となるため、詳細な議論はひかえたい。

　農産物販売金額規模が 500 万円未満の経営体は、大阪農業においては経営体全体の９割以上を占めており、多摩地域は大阪農業にくらべ少ないものの 85% も占めている。こうした農業経営体が教育費や固定資産税を含む生活費用がまかなえるのは、アパート、駐車場、貸店舗などの不動産経営を行う在宅兼業を行っている [16] ためである（北沢 2020）。在宅兼業の場合、不動産収入による生活基盤が安定しているため（北沢ほか 2019）、なかには農業を趣味として行ったり、税金対策として行ったりする経営体もいることは容易に推測される。

　農産物販売金額規模 500 万円以上の経営体は多摩地域の経営体全体の 15% を占める。東京都全体と大阪府と比較してみると、東京都全体の場合も 15% 程度であるが、大阪府のそれは 1 割未満である。これは多摩・東京農業と大阪農業との 1 つの差異であるが、この差異の原因として挙げられるのが販売している農産物の種類の違いである。

　表 5-8 には、2020 年における多摩地域、東京都、大阪府の農産物販売金額 1 位の部門別経営体数を掲げた。最も明確な差異は、多摩地域の場合は農産物販売金額 1 位の部門が露地野菜・施設野菜・果樹作・花き・花木である経営体が全体の 9 割を占めているのに対し、大阪府では、農産物販売金額 1 位の部門が稲作である経営体が全体の 56% を占め、農産物販売金額 1 位の部門が露地野菜・施設野菜・果樹作・花き・花木である経営体は全体の 4 割程度にすぎないことである。大阪に農産物販売金額規模 500 万円以上の経営体が比較的少ないのは、大阪農業を代表する稲作の場合、露地野菜・施設野菜・果樹作・花きにくらべ、販売金額（粗収益）が圧倒的に少ないためである。この点、**表 5-9** で確認できる。

　表 5-9 は、2018 年における全国の農業タイプ別 1 ヘクタールあたりの粗収益、経営費、農業所得、労働時間を示したものである。水田作は、稲作がメインであるが、小麦や大豆が生産される場合もある（生源寺 2018）。粗収益の面でみると、水田作と施設花き作の間には 8 倍の差がみられ、農業所得の面からみると水田作と養豚の間には 40 倍の差がみられる。

　労働時間を指標としてみると、水田作は野菜作、果樹作、花き作にくらべ圧倒的に少ないことが日本農業の実態である。これには稲作の機械化が進んでいることも関連する。多摩地域で盛んに行われている野菜作、果樹作、花き作は、いずれも水田作にくらべ労働時間が圧倒的に長く、その分、所得も多くなる。ビニールハウスなどの施設で栽培される野菜や花きのほうが、露地野菜や露地花きにくらべ経営費は多くなるが、労働時間や粗収益、農業所得も多い。それは、1 年を通しての農業経営が可能であるため労働時間が長くなり、その分所得も増えるからである。多摩地域においては、露地野菜が施設野菜にくらべ圧倒的に多く（**表5-8**）、まだ農業所得を引き上げられる余地はあるが、大阪農業にくらべると現時点においても農業所得も農業所得率も稲作より多い野菜作、果樹作、花き作が多摩農業のメインであることが多摩農業の強みであるといえる。

表5-10　多摩地域の農産物販売金額1位の出荷先別経営体数（2018年）

（単位：経営体）

	農産物の販売のあった経営体	農産物の販売金額1位の出荷先別						
		農協	農協以外の集出荷団体	卸売市場	小売業者	食品製造業・外食産業	消費者に直接販売	その他
多摩地域合計	3,279	540	147	333	338	29	1,588	304
	100%	16.5%	4.5%	10.2%	10.3%	0.9%	48.4%	9.3%
東京都合計	4,495	852	222	583	402	48	2,001	387
	100%	19.0%	4.9%	13.0%	8.9%	1.1%	44.5%	8.6%
大阪府合計	5,836	2,490	334	492	314	95	1,530	581
	100%	42.7%	5.7%	8.4%	5.4%	1.6%	26.2%	10.0%

出所：表5-7と同じ。

　多摩の農業のもう1つの強みは、企業家的な農業経営体が比較的多いことである。**表5-10**で確認できるように、多摩地域の農産物販売金額1位の出荷先別の経営体数をみた場合、「消費者に直接販売」する経営体が最も多く、全体の48.4%を占め、多摩の農業経営体の約半数は農業の生産のみならず、販売活動にも力を入れていることになる。

　一方、大阪においては、「消費者に直接販売」する経営体数は全体の26.2%を占める。大阪では、農産物販売金額1位の出荷先が農協である経営体が最も多く、経営体数の42.7%だった。こうした多摩農業と大阪農業の出荷先の違いは、メインの作物が野菜作・果樹作・花き作なのか、それとも稲作なのかという差異に影響されると思われるが、多摩の農業のほうが大阪の農業にくらべ、消費者の評価が生産者に伝わりやすい形態であることは確かである。

　消費者への直接販売は、都市部においてはよくみられる取り組みの1つであり、無人店舗、庭先直売以外にも、農産物直売所での販売や宅配を利用した消費者への直接販売がみられる（八木2018）。多摩地域の消費者の農産物購入方法が、スーパーや生協などがメインであるとすれば、学校給食を含めて、野菜や果樹の鮮度や安全性を理解している近所の消費者に直接販売することはすき間市場狙いだと評価されよう。

　ここまで述べてきたように、大阪府の農業経営体にくらべると、多摩の農業経

表 5-11　2020 年 多摩地域の経営耕地面積規模別経営体数

（単位：経営体）

	合計	経営耕地なし・0.3ヘクタール未満	0.3 − 1.0ヘクタール未満	1.0 − 2.0ヘクタール未満	2.0 − 3.0ヘクタール未満	3.0 − 10.0ヘクタール未満	10.0ヘクタール以上
多摩地域合計	3,801	662	2,463	570	65	40	1
	100%	17.4%	64.8%	15.0%	1.7%	1.1%	0.0%
東京都合計	5,117	1,098	3,142	689	84	95	9
	100%	21.5%	61.4%	13.5%	1.6%	1.9%	0.2%
2005 年多摩地域合計	5,949	699	4,200	903	100	44	3
	100%	11.7%	70.6%	15.2%	1.7%	0.7%	0.1%

注：2005 年多摩地域合計の「経営耕地なし・0.3 ヘクタール未満」の数字は「0.3 ヘクタール未満」
　　の数字。
出所：農林水産省「2020 年農林業センサス結果の概要（概数値）」＜ https://www.maff.go.jp/j/
　　tokei/kouhyou/noucen/index.html#y ＞2021 年 2 月 2 日閲覧、「2020 年農林業センサス（農
　　林業経営体調査）東京都分調査速報（概数値）、＜ https://www.toukei.metro.tokyo.lg.jp/
　　nourin/2020/ng20s10000.htm ＞2021 年 2 月 2 日閲覧 、「2005 年農林業センサス報告書」
　　＜ https://www.maff.go.jp/j/tokei/census/afc/2005/houkokusyo.html ＞2021 年 2 月 2 日閲
　　覧、により筆者作成。

営体は、粗収益や農業所得の多い作物栽培をメインに行っており、また販売活動
にも力を入れている農業経営体が多い。しかし、それにもかかわらず、上記のよ
うに農産物販売額が 500 万円以上の経営体は多摩地域経営体全体の 15% 程度にす
ぎず、農業が魅力的な職業として評価されるレベルと思われる農産物販売金額規
模「1000 万円 − 3000 万円未満」になると、全体の 4% 程度にとどまっている。
これは、以下にみるように多くの農業経営体の農業経営規模が小さいことにも影
響している。

　表 5-11 には、2020 年における多摩地域の経営耕地規模別経営体数を示した。
経営耕地面積とは、「調査期日現在で農林業経営体が経営している耕地をいい、
自家で所有し耕作している耕地（自作地）と、よそから借りて耕作している耕地（借
入耕地）の合計」であり、「経営耕地＝所有地 (田、畑、樹園地)−貸付耕地−耕
作放棄地＋借入耕地」と計算される[17]（「農林業センサス等に用いる用語の解説」）。
　耕地面積を基準に多摩地域の農業経営体を確認すると、「経営耕地なし・0.3 ヘ
クタール未満」階層と「0.3 − 1.0 ヘクタール未満」[18] 階層の合計、すなわち経営

耕地面積が1ヘクタール未満の経営体数が全体の8割以上を占め、「1.0 – 2.0ヘクタール未満」[19]階層経営体数は全体の15%、「2.0 – 3.0ヘクタール未満」階層経営体と「3.0 – 10.0ヘクタール未満」[20]階層経営体は、それぞれ全体の1 – 2%程度を占める。「10.0ヘクタール以上」[21]階層経営体は1経営体のみである。経営耕地面積が2ヘクタール未満の農業経営体が全体の95%以上を占め、こうした多摩地域の経営耕地規模別経営体数の割合は、東京都全体のそれとくらべ大きな差異はみられない。さらに、2005年時点における多摩地域の経営耕地規模別経営体数の割合とも大きな差異がみられない。

ただし、経営体総数は、5949経営体（2005年）から3801経営体（2020年）に減少しており、規模別にみた場合、どの規模の階層においても減少が確認される。注目したいのは、経営耕地面積が比較的に大きかった農業経営体の数も減少していることである。「2.0 – 3.0ヘクタール未満」は、100経営体（2005年）から65経営体（2020年）に減少し、「3.0 – 10.0ヘクタール未満」は44経営体（2005年）から40経営体（2020年）に、「10ヘクタール以上」は3経営体（2005年）から1経営体（2020年）に減少した。つまり、農業経営体の高齢化が進んでいるのにもかかわらず、多摩農業における農業の大規模化は進んでおらず、むしろ大規模経営は減少しているのである。

4. 多摩農業の「強い農業」について

(1) 多摩農業の担い手をめぐるこれまでの議論

第2節と第3節でみてきたように、現状の多摩農業は望ましい担い手を確保できていない。冒頭でも述べたように、農地・農業は多面的機能を有しており、そのため都市農業ないし多摩農業が振興されなければならないとの理念があっても、結局は農業の担い手が確保できなければ、多摩の農地・農業は維持できない。一部においては、農地は「都市にあるべきもの」との観点から「都市農地の公有化」論も出ており、東京都の農地を買い上げるには8兆円程度かかるという（安藤2020a；2020b）。ただし、公有化の後に必要な対策までは議論されていない。本章は、都市農地を公有化したとしても、すべての都市農地を体験農園のような経営方式に切り替えられない限り、結局は農業の担い手の確保が必要になると考え

ている。多摩農業の担い手確保の望ましい方法についてもすでに議論は出されているので紹介しよう。

　たとえば、青木（2014）は、多摩農業の課題は、①農家数の減少、②他地域との差別化であると指摘する。そして、課題②が解決できれば、課題①も解決できるとし、課題②の解決方法として、農産物に付加価値を加える6次産業化と、作付け方法の工夫、しかも施設による作付け方法ではなく植物工場を取り上げており、これらにより、収入が少ない、労働時間が長い、休みが少ない、子供の就職先としての不人気、といった農業のデメリットが解決され、課題①も解決されるという（2014）。しかし、無償に降り注がれる太陽光エネルギーを利用しない植物工場に経済的合理性があるかどうか、筆者は疑問に思う。

　多摩農業の課題に限られた議論ではないが、都市農業の担い手について、上記の「基本計画」は「農地を所有する者が自ら農業経営を行うことが困難である場合であっても、都市農業の安定的な継続という観点から、農地の貸借を通じ担い手を確保すること」が重要だと考えており、そして、都市農業の新たな担い手の選択肢として、「営農実績を有する地域の農業者」や「地域の中で営農の意欲を有する青壮年」、食品関連事業者、「福祉や教育、IT関係のベンチャー企業等、農業や食品関連以外の事業者」を挙げている。

　このうち、食品関連事業者と「福祉や教育、IT関係のベンチャー企業等、農業や食品関連以外の事業者」の場合は、企業の農業参入になる。農業に参入する企業の場合、7割は利益を出せていないとされ、黒字になった企業の場合でも、黒字化するまで平均7.6年または平均4.9年かかるというと報告がある（渋谷編2020）。つまり、企業の農業参入には壁はあるが、農業に参入している企業も少なくはない。本業と稲作農業の繁忙期のずれを利用し、過剰労働力の有効活用を可能にした小・中規模建設業や清酒製造業の事例、農産物の自社生産を企業戦略としている食品関連業種が、農産物の生産者の高齢化によって自ら農業に参入する事例は興味深い（渋谷編2020）。一般的な企業の従業者の給与は、農業部門における農業所得とは異なり、安定的であるため、企業の農業参入が順調であれば、農業部門の青壮年確保もより順調に進む可能性があり、期待したいところである。

　「営農実績を有する地域の農業者」や「地域の中で営農の意欲を有する青壮年」は、企業からの給料ではなく、農業所得を生活資金にする農家（個人経営体ない

し家族経営体）が想定され、本章の「強い農業」の担い手ともかかわる概念となる。ただし、本章は、「地域の農業」だけに限定する考え方ではない。

（2）「強い農業」におけるハード的な側面とソフト的な側面

　「強い農業」の場合、2点が重要である。1つはハード的な側面（所得の問題）であり、農業部門において、いかにして非農業部門に匹敵する所得が得られるかが課題となる。農産物販売金額規模「1000万円－3000万円未満」レベルが目安となる[22]。いま1つは、ソフト的な側面であり、いかにやりがいを維持していくかという問題である。日本の大多数の農家はプロ（職人）意識で米や野菜などの農産物を生産しているが、農協などを通して出荷する場合、自分のプロ意識で作った農産物が消費者にどう評価されているのかがわからないのが現状である。消費者の評価が生産者に伝われば、やりがいにもつながる。

　所得の問題を考えてみたい。

　一般的に農業所得水準を上げる方法として、ア）生産にかかわる経営費を削減する、イ）経営面積を拡大する、ウ）生産される農産物の付加価値を高める、エ）作業委託料などの自家農家経営以外での収入を増やす、などが考えられる。

　まず、経営費の削減の一環として、多摩地域でも盛んに行われている援農ボランティアについて考えてみたい。自治体が積極的に後押しする場合もあり、援農ボランティアに関与している自治体は、東京都内40自治体のうち24自治体である（八木2020）。

　たとえば、小平市の『市報』第1509号（2020年4月5日）1面には「種まきから収穫まで農作業を支援」と題する記事が掲載されている。記事の内容を紹介すると、「市内の農園で作られた野菜や果物は、直売所での販売用や市内の小・中学校で学校給食用として出荷されています。しかし、農業の担い手不足により、農作業の負担が農家個人に大きくかかっています。小平には、農作業を手伝う援農ボランティアという活動があります」、「活動するためには、養成講座を受ける必要があります。6月下旬から12月中旬にかけて座学と実習で農業を学び、終了すると令和3年1月以降から活動できます」とあり、援農ボランティアを受け入れている農家の話も紹介されている。「ボランティアの力は大きいです。農業の担い手が不足しているので、ボランティアの皆さんの力は大きいです。数人で協

力しないとできない作業もあるので、1人でも多いと助かります。男女を問わず、意欲のある方、定期的に活動できる方、土いじりの好きな方であれば歓迎です」。

　ただし農業には、農家の所得に直結する農作業もあるので、重要な農作業は援農ボランティアに任せることができず、また無償・善意に基づくボランティアであるため、ボランティア側の事情による人数や日程の変動であっても、農家側は自分の意向を強く伝えることができないこともある（八木 2020）。さらに、小金井市を対象にした調査[23]では、「自分のところは受け入れたくない。ボランティアは高齢者が多いこともあって、年配の方にあれこれ作業指示するのに抵抗がある」（国土交通省都市局 2018:37）農家も確認されている。援農ボランティアには、農業経営にとっては必ずしもプラスを意味しない無償・善意、高齢者などの要素が含まれており、援農ボランティアに参加する側と受け入れ側である農家の希望が一致しないことも少なくない。上記の小金井市調査において、回答者の約5割が援農の受け入れを考えていないといい、また、援農を受け入れた場合のかかわり方としては、「雑草取りなどを補助的に手伝ってほしい」が最も多く、5割を超えている（国土交通省都市局 2018）。

　小金井市調査の回答者の属性を確認すると、「60代以上」が全体の9割を占めており、そのなかでも「80代以上」が最も多く、全体の35.5%を占める。さらに、回答者のなかで主業農家は全体の16%にとどまり、準主業農家（49.8%）と副業的農家（34.4%）が全体の8割以上を占めた[24]（国土交通省都市局 2018）。援農ボランティアは、家族労働の節約または人件費削減につながる効果をもつと考えられるが、こうした回答者の属性を踏まえて考えると、援農ボランティアは単純な農作業のための労働力を無償で提供しているようにもみえる。

　もちろん、無償・善意を基づく援農ボランティアを有効活用することにより農業経営を順調に行っている事例も少なくはないが、すべての農業経営において援農ボランティアが活用されるわけではない。また、援農ボランティアを単純に家族労働の節約として位置づけたら農業所得の増加は見込めないという（八木 2020）。しかし、「強い農業」の観点からみてより深刻な問題は、援農ボランティアに上記のように単純な農作業のみを任せる場合、農作業の重要部分における熟練が形成されにくくなることである。つまり、家族労働の節約のための単純作業における援農ボランティアの活用は、都市農業の「輸血による延命措置」に近い

ものであり、造血機能をもつ「強い農業」にはつながらない。高齢社会を迎える多摩地域においても、リタイヤした高齢者の活躍は期待されるが、無償で単純な作業のみを担当するような「活躍」は、高くは評価されまい。

経営面積の拡大は、作付面積の拡大を通しての生産量の増加だけでなく、規模の経済のメリットを生かしたコストダウン効果が望まれるので、経営費の削減とも関連するが、多摩地域の農地はスプロール化が進んでおり、まとまった広い面積の農地が少なく、農業の大規模経営の場合、細分化された農地における農業経営にならざるを得ない。農地細分化に起因する移動コスト、外部不経済コストが農業の大規模経営の課題になっているのは明らかである。外部不経済コストは近隣コストともよばれ、日照被害、ごみ拾い、農薬飛散対策、ネットの設置、機械効率の低下などが挙げられる（八木 2020）。上記の、多摩地域における大規模経営が減少している理由の１つであろう。

より効率的な大規模経営を目指すためには、農地の面的集約が必要であるが、ここ 2-3 年においても、多摩地域では生産緑地の看板が立っている場所にマンションや分譲住宅、老人ホームが建設されることが散見され、まとまった広い面積の農地が減少しているのが現状である。したがって今後も、大規模農業経営を展開する場合、こうした農地細分化に起因するコストを負担しなければならない。細分化された農地の場合、農作業を委託するとしても委託料は高くなり、委託する側からすれば経営費が高くなり、受託する側からすれば受託料が高いため、委託する農業経営休が少なくなる問題を抱えることになる。

（3）高付加価値実現の先端事例

次に高付加価値農産物について考えてみたい。農産物の付加価値を高めることは、生源寺（2011）のいう「経営の厚みを増す」ことであり、具体的には、減肥料・減農薬の生産物を生産することにより生産物そのものの付加価値を高めること、施設園芸や果樹、畜産などの集約型農業を土地利用型農業と組み合わせた複合経営、そして食品加工、流通、外食業といった農業の川下分野への多角化、などが挙げられる（生源寺 2011）。このほかに、多摩農業の場合は、近くに巨大なマーケットが存在しており、かつ短時間でマーケットにアクセス可能であるため、鮮度をセールスポイントとする高付加価値商品の生産・販売が可能であろう。

　多摩地域の「強い農業」の場合、上記の農業所得を増やす4つの方法のうち、経営規模の拡大および面的集約は重要なルートになり得るが、農産物の付加価値を高める方法にもさまざまな可能性があると考えられる。実際多摩農業には、高付加価値商品を生産・販売している農家が少なくない。

　果樹農園の事例では、「市場にはあまり出ない品種を中心に栽培・販売・加工を行って」[25] いる事例がみられ、稲城市の川清園では、稲城市特産である梨や高尾ぶどう以外に、ラズベリー、ボイセンベリー、ブラックベリー、梅などを栽培し、採れたての果物を使ったアイスやシャーベットの販売も行っている[26]。「収穫したナシのほぼ全量を予約注文による宅配と直売所で販売できるのは、都市農業の強み」[27] だという。このほかにも、千葉県からカタクチイワシの煮干しを購入し、自家配合肥料を製造し、梨の食味がより良くなるように、改良を重ねている。消費者に直接販売することによって、消費者の反応も知ることができ、やりがいにもつながる農業経営だと判断される。

　酪農経営の場合、「牛と人の幸せな牧場」を目指して八王子でチャレンジを続けている磯沼ミルクファームの事例は、牛舎のベッドにコーヒー豆を撒いていることや酪農体験を行うことで注目されているが、商品企画・商品開発を含め、すべてを牧場自身で行うことも磯沼ミルクファームの特徴である。八王子駅ビル（セレオ）内に売店を出店し、アイスクリームも製造・販売しており、それだけでなく、「かあさん牛」の名前入りのヨーグルトを牧場内の工房で製造し、セレオや庭先、道の駅、電話注文などで直接販売を行っており、ヨーグルト用原料にはジャージー種のミルクを使用している。ジャージー種はホルスタインにくらべると搾乳量は少ないが、質が優れているため、ジャージー種ミルクに拘っているという[28]。まさに高付加価値の商品を生産している農業経営体であり、消費者の評価も知ることができ、やりがいにもつながる。

　こうした果樹経営や酪農経営の先端事例では、予約注文は多摩地域の立地に起因する巨大マーケットのメリットではないかもしれないが、それでも巨大マーケットがあるからこそ高付加価値（高価格）商品の販売が展開できた部分がある。その場合、鮮度（果樹）や川下分野への多角化よりも、希少価値の高い高付加価値商品の創出・販売が、「強い農業」の1つのヒントとなろう。

　野菜作は、農産物販売金額1位である経営体が最も多い農業であり、露地野菜・

施設野菜を合わせて多摩農業の約6割を占める（**表5-8**）。援農ボランティアを有効利用して農業所得を増やしている野菜農家の事例もある。たとえば、八木（2020）で紹介されている国分寺市で多品目の野菜を栽培する農家（2001年時点）は、ボランティアに担わせる播種作業などを増やせるような作付体系に変え、家族労働時間も増やしたことにより農業所得を増やすことができた。このほかにも上記の果樹経営や酪農経営のように、高付加価値野菜の生産・販売を行う野菜経営も少なくないと思われるが、すべての野菜農家が高付加価値野菜を作れるわけではないし、また、高付加価値野菜を作る農家であっても、すべてが販売にまで経営範囲を広げられるわけでもない。農家の構成員は労働力でもありながら経営者でもあるが、日本の農家は職人であって、経営者としての役割は果たしていない場合が多い（竹下2019）。

そのため、野菜の生産面における付加価値の追求だけでなく、流通面においても新しい流通チャネルが必要である。ここで2つの事例を紹介しておこう。

株式会社「エマリコくにたち」は、国分寺、立川、日野、国立との4市をメインに都内の農家110戸の農家と契約しており、多摩地域の「朝どれ」野菜を、自社の3か所の直売所（国立、西国分寺、立川）で販売しており、その野菜を使用した飲食事業（国立2店舗、赤坂見附1店舗）も展開している。このほかに、一部はスーパーにも納入している。スタッフが毎日集荷のため農家を回っており、その際「大人気で全然足りなくなっちゃうんですよ」[29] と消費者の反応を農家にも伝えている。「エマリコくにたち」の活動は、多摩地域の野菜の鮮度を重要視する集荷と販売がセットになっており、野菜農家のハード的な側面とソフト的な側面に与える役割は大きいと理解される[30]。

「エマリコくにたち」のように「朝どれ」に力を入れているわけではないが、NPO法人「めぐるまち国分寺」の活動も注目されている。「めぐるまち国分寺」は、国分寺市で生産される野菜、果物、花き、植木などを「こくベジ」という名でブランド化して、地域内の消費拡大を目指す「こくベジプロジェクト」に取り組んでおり、2015年から国分寺市や地元農協、国分寺市商工会、国分寺市観光協会などが参画して本格化した。その一環として、市内の生産者と「めぐるまち国分寺」が協力して、飲食店が市内の生産者から農産物を仕入れられるような仕組みを構築した。「めぐるまち国分寺」が週2回、飲食店から注文を受けて、生産者から

野菜を入荷して飲食店に配達する仕組みである。いまや100店舗の飲食店が参加しているが、飲食店からは「生産者と個別に取引しなくても鮮度の高い野菜を仕入れられるという利便性や、安定した価格などが評価され」るという（『日本経済新聞』2020年10月19日）。こうした活動は、地元の野菜農家にとっては、巨大マーケットを狙うというより「地元野菜」の独占的なマーケットの開拓を意味しており、しかも配送業務も担ってくれるので、野菜農家のハード的な側面とソフト的な側面にプラスの影響を与えるだろう。

　こうした新しい農産物の流通チャネルの下でも、農産物の端境期問題は解決できず、農産物の流通を担当する側は苦しいが、農家にはハード的・ソフト的両側面において望ましい農業経営環境が提供されることになる。「強い農業」の実現には、農産物生産を担う農業経営体だけでなく、いかに新しい流通チャネルの担い手を確保するかも重要な課題となる。

おわりに

　多摩農業をめぐる制度的な枠組は複雑な過程を経て、いまは都市に農地・農業は「あるべきもの」として位置づけられるようになった。しかし、農地も農業経営体も縮小しているのが実態である。

　東京都の食料自給率は、2018年時点でカロリーベース1％、生産額ベース3％であり（東京都産業労働局農林水産部2019）、食料安全保障の面において多摩農業の農業生産機能の位置づけは極めて低い。しかし、農地・農業の多面的な機能を考慮すると多摩にも農地・農業は残す必要があるが、最大の問題は担い手の確保である。多摩農業は大阪農業にくらべると、農業所得や農業所得率の高い野菜・果樹・花きなどの割合が高く、また、消費者への直接販売を行っている企業家的な農業経営体も比較的多いところが強みである。さらに巨大マーケットが近くにあるのも強みであり、これらの多摩農業の強みを利用していかに「強い農業」を構築していくかが課題である。

　市民農園、体験農園[31]、援農ボランティアなども新しい担い手として期待されている。援農ボランティアや体験収穫などは経営費削減につながる場合があり、「強い農業」の補足的な部分として位置づけるのであれば良いが、援農ボランティ

アや体験農園、市民農園などをメインの担い手として想定するのは正しい方向ではない。また、農業所得によって生計を立てない在宅兼業農家は農業担い手としてはあてにならない。

　本章は、多摩地域において「強い農業」が実現すれば、多摩農業の発展につながる長期的な担い手が確保できると考えており、そのため、多摩地域における「強い農業」の先端農業事例を紹介してきた。農業生産面において面的集約や土地回転率の引き上げを含む規模拡大は依然として多摩農業の課題として残されているが、流通面を含めて上記の先端事例からいかにヒントを得ながら「強い農業」を実現していくのか、多摩地域の底力が試されている。

注

1 この記事のほかにも、『食料・農業・農村白書』では 2013 年度版から「強い農業」という用語が使われるようになり、『週刊東洋経済』（2014 年 2 月 8 日号）においても「強い農業」の特集が組まれているが、いずれも「強い農業」について明確な定義は与えられていない。

2 認定農業者制度とは、「平成 5 年に制定された農業経営基盤強化促進法により、旧農用地利用増進法の農業経営規模拡大計画の認定制度を拡充し、農業者が作成する農業経営の規模拡大、生産方式・経営管理の合理化、農業従事の改善等農業経営の改善を図るための計画（農業経営改善計画）を市町村の基本構想に照らして、市町村が認定する制度として創設されたもの」（農林水産省 HP < https://www.maff.go.jp/j/kobetu_ninaite/n_seido/nintei_gaiyou_tx.html > 2021 年 6 月 3 日閲覧）である。

3 住宅地のなかの空き地が菜園や花壇として有効利用されたり、空き家の庭が「地域の庭」として有効利用されたりしている千葉県柏市のカシニワ制度が注目されている。カシニワ制度の詳細については千葉県柏市役所 HP < https://www.city.kashiwa.lg.jp/kashiniwa/about/index.html > （2021 年 6 月 3 日閲覧）を参照されたい。

4 「市民農園」とは、「サラリーマン家庭や都市の住民の方々のレクリエーション、高齢者の生きがいづくり、生徒・児童の体験学習などの多様な目的で、農家でない方々が小さな面積の農地を利用して自家用の野菜や花を栽培する農園のこと」である（農林水産省 2020）。

5 「農業体験農園は、プロの農業者の指導の下、利用者である都市住民が播種・苗植えから収穫までの一連の農作業を体験することができる農園。利用者は農園利用料を支払い、収穫物は利用者が持ち帰」る（農林水産省 2020）。

6 1919 年に制定された旧都市基本法を改正したものであるが、抜本的に改正されたため新法として理解される（蔦谷 2009）。

7 1969 年には、「優良農地を主体とした農業地域を保全・形成し、農地の無秩序なかい廃等を抑制するため」に「農業振興地域の整備に関する法律」（農振法）が制定され、農業振興地域内の「農地の転用は原則として許可されないこととなった」（農林水産省 2020）。農業振興地域

と市街化区域とは重複することはないが、1960 年代末に農地利用をめぐって異なる目的をもつ 2 つの法律が制定され、今日に至る。

8　ここでいう故障には、「①両眼の失明　②精神の著しい障害　③神経系統の機能の著しい障害　④胸腹部臓器の機能の著しい障害　⑤上枝若しくは下枝の全部若しくは一部の喪失又はその機能の著しい障害　⑥両手の手指若しくは両足の足指の全部若しくは一部の喪失又はその機能の著しい障害　⑦①から⑥までに掲げる障害に準じる障害」以外に「1 年以上の期間を要する入院その他の事由により農林漁業に従事することができなくなる故障」が含まれる（北沢ほか 2019：45）。

9　2015 年末時点で全国の生産緑地面積は 1 万 3187 ヘクタールであるが、そのうち多摩地域の生産緑地面積は 2795 ヘクタール（全体の 21%）である（『日本経済新聞』2018 年 10 月 3 日）。

10　農林水産省 HP ＜ https://www.maff.go.jp/j/study/census/2015/1/pdf/sankou5.pdf ＞、2021 年 2 月 1 日閲覧。以下、この節における用語解説は、「農林業センサス等に用いる用語の解説」から引用した。

11　農林水産省大臣官房統計部センサス統計室（2018）「審査メモで示された論点（客体定義・把握、経営体調査項目）に対する回答」総務省 HP ＜ https://www.soumu.go.jp/main_content/000565311.pdf ＞、2021 年 2 月 6 日閲覧。

12　農林水産省大臣官房統計部センサス統計室（2018）「審査メモで示された論点（客体定義・把握、経営体調査項目）に対する回答」総務省 HP ＜ https://www.soumu.go.jp/main_content/000565311.pdf ＞、2021 年 2 月 6 日閲覧。

13　基幹的農業従事者とは、「農業就業人口（自営農業に主として従事した世帯員）のうち、ふだん仕事として主に自営農業に従事している者をいう」（「農林業センサス等に用いる用語の解説」）。

14　「50 万円 − 100 万円未満」、「100 万円 − 300 万円未満」、「300 万円 − 500 万円未満」の合計。

15　「3000 万円 − 5000 万円未満」、「5000 万円 − 1 億円未満」、「1 億円 − 2 億円未満」、「2 億円 − 3 億円未満」、「3 億円 − 5 億円未満」、「5 億円以上」の合計。

16　農林水産省の「都市農業に関する実態調査」（2011 年）によれば、都市農業者の所得のうち、不動産経営所得が 65% であるとされる。また、首都圏都市農業者の場合、約 7 割がマンションやアパートを所有しているという（公益財団法人東京市町村自治調査 2018）。

17　「土地台帳の地目や面積に関係なく、実際の地目別の面積」が基準となる（「農林業センサス等に用いる用語の解説」）。

18　「0.3 − 0.5 ヘクタール未満」と「0.5 − 1.0 ヘクタール未満」の合計。

19　「1.0 − 1.5 ヘクタール未満」と「1.5 − 2.0 ヘクタール未満」の合計。

20　「3.0 − 5.0 ヘクタール未満」と「5.0 − 10.0 ヘクタール未満」の合計。

21　「10.0 − 20.0 ヘクタール未満」と「20.0 − 30.0 ヘクタール未満」、「30.0 − 50.0 ヘクタール未満」、「50.0 − 100.0 ヘクタール未満」、「100 ヘクタール以上」の合計。

22　『東京農業振興プラン―次代に向けた新たなステップ』（東京都産業労働局農林水産部農業振興課、2017 年）では、東京農業の経営モデルとして、4 種類を設定しており、企業の場合は販売目標が 5000 万円以上、農業経営体の所得目標には 1000 万円、600 万円、300 万円との 3 種類を設定している。

23 2017 年 11 月 2 日から 11 月 13 日までの期間中に小金井市内の生産緑地所有者を対象に、アンケート票を郵送で配布・回収する形で行った調査であり、有効回収数は 95（配布数 194）だった。

24 「「主業農家」は、農業所得が主（農家所得の 50%以上が農業所得）で 65 歳未満の農業従事 60 日以上の者がいる農家、「準主業農家」は、農外所得が主で 65 歳未満の農業従事 60 日以上の者がいる農家、「副業的農家」は、1 年間に自営農業に 60 日以上従事している 65 歳未満の世帯員がいない農家をいう」（国土交通省都市局 2018）。

25 「稲城の梨」生産組合 HP ＜ https://inagi-nashi.tokyo/factory.php?f=%E5%B7%9D%E6%B8%85%E5%9C%92 ＞、2021 年 2 月 15 日閲覧。

26 「稲城の梨」生産組合 HP ＜ https://inagi-nashi.tokyo/factory.php?f=%E5%B7%9D%E6%B8%85%E5%9C%92 ＞、2021 年 2 月 15 日閲覧。

27 「農耕と園芸」online「カルチベ」＜ https://karuchibe.jp/read/3338/ ＞、2021 年 2 月 15 日閲覧。

28 磯沼ミルクファームの活動の詳細については、磯沼ミルクファームの HP ＜ https://www.isonuma-milk.com/ ＞および、本書の姉妹本である尾崎・李編（2021）『「21 世紀の多摩学」研究会記録』（東京経済大学地域連携センター）を参照されたい。

29 「「生産・集荷・販売・飲食」すべてを地域の中で！ 東京・国立市の若い会社がチャレンジする究極の地産地消」『農業ビジネスマガジン』Vol.10（2015 年）、35 頁。

30 「エマリコくにたち」の活動の詳細については、「エマリコくにたち」の HP ＜ http://www.emalico.com/ ＞および、本書の姉妹本である尾崎・李編（2021）『「21 世紀の多摩学」研究会記録』（東京経済大学地域連携センター）を参照されたい。

31 体験農園の数が増えすぎると、限られた利用客をめぐって、農園間に競合が生まれ、ビジネスとして存続できるかどうか詳細な検討が必要である。

参考文献

・青木麗雅（2014）「多摩地域の農業について」『自治調査会ニュース・レター』2014 年 2 月 15 日号

・安藤光義（2020a）「都市農業・農地をめぐる制度改正の意義と限界」農政ジャーナリストの会『日本農業の動き No.205 どう生かす都市農地』農山漁村文化協会

・安藤光義（2020b）「都市の農地・農業政策の評価と展望」『農業と経済』2020 年 10 月号

・池島祥文（2019）「都市農業」日本農業経済学会『農業経済学事典』丸善出版

・北沢俊春・本木賢太郎・松澤龍人（2019）『これで守れる都市農業・農地—生産緑地と相続税猶予制度変更のポイント』農山漁村文化協会

・北沢俊春（2020）「都市農地の流動化をどう進めるか—都市農地賃借円滑法の運用実態を踏まえて」『農業と経済』2020 年 10 月号

・公益財団法人東京市町村自治調査会（2018）『多摩地域における都市農業の保全と振興に関する調査研究報告書—人口減少下の多摩地域における都市農業・都市農地の活用方策—』公益財団法人東京市町村自治調査会

・国土交通省都市局（2018）『平成 29 年度 都市と緑・農が共生するまちづくりに関する調査「小

金井市における都市農地保全活用手法の検討を中心とした農地及び公園緑地に関する実証調査」（小金井市都市農地保全活用検討協議会）報告書』国土交通省 HP ＜ https://www.mlit. go.jp/common/001237716.pdf ＞、2021 年 2 月 10 日閲覧。

・後藤光蔵（2010）『都市農業』筑波書房

・後藤光蔵（2018）「農地の維持と担い手の育成―問われる地域の取り組み」『農業と経済』2018 年 3 月号

・榊田みどり（2020）「都市農業振興基本法で都市農業はどう変わるか」農政ジャーナリストの会『日本農業の動き No.205 どう生かす都市農地』農山漁村文化協会

・渋谷往男編（2020）『なぜ企業は農業に参入するのか―農業参入の戦略と理論―』農林統計出版

・生源寺眞一（2011）『日本農業の真実』筑摩書房

・生源寺眞一（2018）『新版　農業がわかると、社会のしくみが見えてくる』家の光協会

・竹下正哲（2019）『日本を救う未来の農業―イスラエルに学ぶ ICT 農法』筑摩書房

・蔦谷栄一（2005）「日本農業における都市農業―都市農業を考える―」『農林金融』2005 年 6 月号

・蔦谷栄一（2009）『都市農業を守る―国土デザインと日本農業―』家の光協会

・東京都産業労働局農林水産部（2019）「東京都の農林水産統計データ（令和元年度版）」東京都産業労働局 HP ＜ https://www.sangyo-rodo.metro.tokyo.lg.jp/toukei/nourin/32ade1533ede720 122c76e08be4d4294_5.pdf ＞、2021 年 2 月 2 日閲覧

・東京都産業労働局農林水産部農業振興課（2017）『東京農業振興プラン―次代に向けた新たなステップ』東京都産業労働局 HP ＜ https://www.sangyo-rodo.metro.tokyo.lg.jp/plan/nourin/3 f33a4ec579b9a8cb1e4a86d57e86c50.pdf ＞、2021 年 2 月 2 日閲覧

・農林水産省（2020）「都市農業をめぐる情勢について」農林水産省 HP ＜ https://www.maff. go.jp/j/nousin/kouryu/tosi_nougyo/attach/pdf/t_kuwashiku-10.pdf ＞、2021 年 1 月 28 日閲覧

・八木洋憲（2018）「人口減少に対応した都市農業経営の展望―事業多角化を始めとして」『農村と都市をむすぶ』2018 年 10 月号

・八木洋憲（2020）『都市農業経営論』日本経済評論社

・湯澤将憲（2018）「都市農地の保全・活用のための新たな制度～生産緑地法等の改正概要～」『都市農業とまちづくり』第 73 号

・李海訓（2020）「スマート農業の歴史的・技術論的位置づけ：日本と中国を事例に」『東京経大学会誌（経済学）』305 号

・李海訓（2021）「東アジアにおける食生活の変化と農業問題」『東京経大学会誌（経済学）』309 号

第6章

多摩の地域金融
—多摩地域の金融機関の歴史と自治体の関係—

長島 剛

　日本の近代化と軌を一にして創成した多摩地域の銀行も、今に残るものはない。地方銀行が地元に根づかなかった多摩地域では、信用金庫が地域金融や産業支援の中核的な役割を担いながら地域との「共創」を高めている。（多摩信用金庫本店）

はじめに

　地域金融は人の笑顔のためにある。筆者は多摩地域の地域金融の仕事に30年携わり、そう確信している。忙しく大変な仕事ではあったが、企業の成長を応援したり、個人の夢をかなえる仕事である。お客様から「ありがとう」という感謝の言葉もたくさん頂いた。これが次の仕事のエネルギーとなり頑張ってこられた。

　金融とは、世の中のお金の流れの仕組みである。お金を預けたい人と借りたい人の橋渡し役が金融機関だ。資金に余裕のある人が金融機関にお金を預け、金融機関はその一部を、資金を必要とする企業や個人に貸出している。金融機関を通じて資金を得た企業や個人は、新商品や新しい技術の開発をしたり、車や家を購入したりと、必要に応じてお金を使うことができる。こうした資金の仲介が円滑に行われることにより、社会は豊かになっていく。社会における金融機関の役割とは、金融を通じて世の中をより良くしていくことである。

　世の中がそうであるように、多摩地域も社会情勢に呼応して、好況、後退、不況、回復という景気の4つの波に揉まれ、紆余曲折を経て今日に至っている。好況期には金融機関は顧客の獲得競争を激化させ、後退期や不況期には企業や地域からの金融機関への期待感が高まっていく。コロナ禍である現在は、地域金融機関への期待が高まっている時期である。

　本章では、金融機関の変遷をたどりその役割を紐解くという歴史的アプローチから、地域の産業や人々の生活における地域金融機関の役割を見出していきたい。1節ではまず、金融機関についての基本的な定義を明示したうえで、「多摩地域の金融機関」の現状を整理する。2節では、多摩地域の地域金融における大きな画期として、1870年代からの「多摩地域の銀行の歴史」を取り上げ、現存する金融機関をベースに設立と合併を整理する。産業が芽吹き、金融機関が必要とされて誕生し、そして整理統合されていく。3節では、1920年代頃から小規模な事業者などの需要により生まれた「多摩地域の協同組織金融機関の歴史」について、相互扶助を目的とした金融機関の歴史を整理しながら、地域に根付いた金融機関の価値を追究する。4節では「事業支援・まちづくり」として1950年代から現在にかけての、日本の経済状況の変化にともなう創業支援や事業承継、再生支援など

の中小企業支援の始まりや、地域全体を捉えたまちづくりへの関わりを整理した。

　歴史を俯瞰してみると、地域金融機関の足跡はすべてが「課題解決」だった。草創期の足りない資金の融通に始まり、現代では事業支援やまちづくりという非金融分野[1]までその活動が広がっている。さらに5節では、「自治体と地域金融機関」の関係について、自治体の歳入歳出に触れながら、指定金融機関や地方創生、広域連携への地域金融機関のかかわりを整理し、今後の多摩地域における地域金融の役割と可能性を探求していく[2]。

1．多摩地域の金融機関[3]

（1）金融機関の種類

　日本の金融機関は、大きく次の3つに分類することができる（**表6-1**）。①中央銀行としての日本銀行、②民間金融機関（後述）、③日本政策金融公庫などの公的な政府系金融機関である。これらの金融機関にはそれぞれに異なる役割があり、いずれも公共性が高く地域社会の経済を円滑に、そして活性化するために存在している機関である。

　本章で取り上げる民間金融機関には、都市銀行、地域銀行などの普通銀行や、信用金庫・信用組合・労働金庫・農業協同組合（農協）などの協同組織金融機関があり、インターネット銀行やゆうちょ銀行もその他銀行としてこれに含まれる。2021年現在、都市銀行は5行のみで、大都市に本店を置き全国規模で業務を行っている、三菱UFJ銀行・みずほ銀行・三井住友銀行・りそな銀行、埼玉りそな銀行である。このうちとくに規模の大きい三菱UFJ銀行・みずほ銀行・三井住友銀行の3行がメガバンクと呼ばれている。普通銀行や協同組織金融機関などは預金を扱う金融機関であり、預金者と資金を必要とする企業などの間に入りお金の融通を行っている。これらの民間金融機関の主たる役割は「預金業務」、「貸付業務」、「為替業務」であり、一般的に生活者に最も身近で社会的なインフラとして、なくてはならない存在となっている。

（2）地域金融機関とは

　民間金融機関のうち、本店のある地元地域に根付いた地域銀行や協同組織金融

表 6-1　日本の金融機関の種類

区分・業態				数	
中央銀行		日本銀行		1	
民間金融機関	預金取扱金融機関	普通銀行	都市銀行	5	
			その他銀行	15	
			地域金融機関	地域銀行	地方銀行	62	1,092
					第二地方銀行	38	
		協同組織金融機関		信用金庫	254	
				信用組合	145	
				労働金庫	13	
				農業協同組合	580	
		長期金融機関	信託銀行	3	
	その他の金融機関	証券関連	証券会社等	268	
		保険会社	生命保険会社	42	
			損害保険会社	28	
政府系金融機関				6	

注：「その他銀行」には、新生銀行・ジャパンネット銀行・セブン銀行・ソニー銀行・楽天銀行・あおぞら銀行・住信 SBI ネット銀行・イオン銀行・au じぶん銀行・大和ネクスト銀行・SBJ 銀行・ローソン銀行・GMO あおぞらネット銀行・みんなの銀行およびゆうちょ銀行が含まれる。

出所：日本金融通信社「最新の業態別金融機関数」日本金融通信社 HP（2021 年 2 月 28 日現在）をもとに筆者作成。

機関が「地域金融機関」と呼ばれ、全国に 1092 ある。明治期以降の歴史のなかで地域の産業や経済発展のために設立され、特定の地域を営業地区とし、いずれもそれぞれの地域の企業や自治体、そして住民との金融取引を行っている。**図 6-1** に示した「全国における企業メインバンクの業態別シェア」をみると、地域金融機関である地方銀行・第二地方銀行・信用金庫・信用組合・農協の合計が、全体の 77％ 強を占めている [4]。地域に多様なネットワークをもつ地域金融機関は、主に高度経済成長期以降、営業地区の企業のメインバンクとして安定的に資金の融通を図ってきた。しかし、昨今の資金需要の継続的な減少や低金利環境などに

図6-1　全国における企業メインバンクの業態別シェア

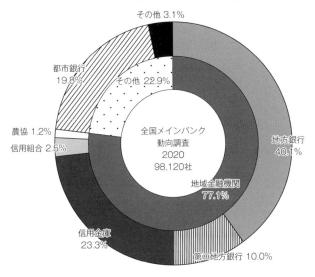

注：各企業が最上位として認識している金融機関をメインバンクとして集計している。
出所：帝国データバンク「全国メインバンク動向調査（2020）」帝国データバンク HP より筆者作成。

より、現在は多くの地域金融機関が厳しい経営を余儀なくされている。

① 地域銀行

　地域銀行は地方銀行と第二地方銀行を指し、そのうち全国地方銀行協会に加盟している銀行が地方銀行である。地方銀行は地方の主要都市に本店を構え、それぞれの地域の中心的金融機関として、地域経済の発展のため、主に地域の中堅・中小企業への資金供給などを行っている。地方銀行は1951年に全国地方銀行協会が設立された際、「地方銀行はシンジケート銀行団（三井、三菱、安田、第一、住友などの大銀行）以外の中小銀行であると明示され、これにより地方銀行の概念が一般化した」（堀内 2014：75）ということだ。2021年2月末時点において、地方銀行は全国に62行ある。その組織形態は株式会社であり、利益を株主に分配することを目的とする営利法人である。基本的には本店のある都道府県内に営業基盤を築いているが、地方銀行の営業地区に厳密な規定はなく、多くの地方銀行が近隣都道府県や東京圏に営業網を拡大している。

　第二地方銀行は「無尽」という江戸時代の庶民金融の仕組みが元になっており、

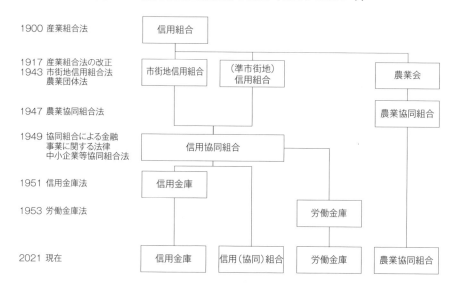

図 6-2　協同組織金融機関の変遷（1900-2021 年）

1900 産業組合法	信用組合			
1917 産業組合法の改正 1943 市街地信用組合法 農業団体法	市街地信用組合	（準市街地） 信用組合		農業会
1947 農業協同組合法				農業協同組合
1949 協同組合による金融 事業に関する法律 中小企業等協同組合法	信用協同組合			
1951 信用金庫法	信用金庫			
1953 労働金庫法			労働金庫	
2021 現在	信用金庫	信用（協同）組合	労働金庫	農業協同組合

出所：森（1988）および JA 東京中央会（2018）をもとに筆者作成。

その後、相互銀行法により免許を受けて、「相互銀行」という業態として発展を遂げた。普通銀行との業務の同質化が進んだことから、1989 年より 3 年の間に一斉に普通銀行へと転換を行った。第二地方銀行は地方銀行より規模が小さい場合が多い。経営統合や合併により 2021 年 2 月末時点で、全国に 38 行となっている。

　② 協同組織金融機関

　信用金庫・信用組合・労働金庫・農協など、地域の会員や組合員の相互扶助を目的に設立された金融機関を「協同組織金融機関」という。それぞれの協同組織金融機関の根拠法で定められた業務範囲や営業地区、会員や組合員資格などに基づいて運営される構成員出資の非営利組織である。**図 6-2** のとおり、歴史的には 1900 年に制定された産業組合法が最初の協同組合法であり、その後、第二次世界大戦中に農業団体法[5]、戦後に信用金庫法や労働金庫法[6]などが制定された。協同組織金融機関は、地域銀行よりも営業地区が限定されている場合が多く、地域の中小・零細企業や個人が主な取引の対象となる。そのため地域内でより細やかなネットワークを形成し、そのつながりを活用して地域課題に寄り添っている。

（3）地域金融機関に求められる役割

　金融庁の金融審議会（2020）では、「金融機関は、自らが持続可能なビジネスモデルを構築した上で、日本経済の回復・再生を支える「要」として以下の役割を果たしていくことが期待される」とし、次の 3 項目を掲げている。

●人口減少や少子高齢化に直面する地域の社会経済の課題解決に貢献すること
●ポストコロナに向けて対応を進める企業・産業を力強く支援すること
●「目利き力」をさらに強化し、成長分野に資金を供給すること

　また、2020 年 9 月 11 日の金融審議会総会における、「人口減少など社会経済の構造的な課題や新型コロナウイルス感染症等の影響を踏まえ、金融システムの安定を確保しつつ経済の回復と持続的な成長に資するとの観点から、銀行の業務範囲規制をはじめとする銀行制度等のあり方について検討を行うこと」とする金融担当大臣の諮問を受け、規制や方策について検討が行われている。見直しの具体的な内容は**表 6-2** のとおりである。銀行法などで定める業務範囲の拡大が盛り込まれている。

　そもそも、金融機関本体の業務範囲は銀行法において、①固有業務（預金の受入れ、資金の貸付け、為替取引等）②付随業務 ③他業証券業（投資信託の販売等、金融商品取引法に定める一定の業務）④法定他業（信託兼営法等の他の法律の定めにより行う業務）に限定されている（銀行法第 10 条、第 11 条、第 12 条）。金融庁（2007）は、資料「銀行の業務範囲規制のあり方について」のなかで、銀行業の付随業務について銀行法に基本的な付随業務[7]が例示されていることを挙げ、「その他の銀行業に付随する業務」（銀行法第 10 条第 2 項本文）についても、「銀行が行うことができることとすることにより、付随業務の範囲に弾力性をもたせ、新しい種類の付随業務に対する法律上の受け皿としている」と述べている。先にあげた金融審議会の報告は、この付随業務の範囲を拡大するということを意味する。すでに、2019 年 10 月には、地域銀行が認可を条件に地域商社に出資できるよう、一部範囲が明確化されている。

　また信用金庫・信用組合についても、「その業務範囲規制等について、銀行にかかる見直しと同じ趣旨で見直すことが考えられる」（金融審議会 2020）として

表 6-2　見直しの具体的な内容[8]

	銀行		信用金庫・信用組合	
	本体	持株会社	連合会	単位組織
高度化等会社（子会社）の業務への「地方創生など持続可能な社会の構築に資する業務」の追加	●	●	●	－
通常認可による「一定の高度化等業務」を営む会社（子会社）の保有	●	●	●	●
付随業務への「経営資源を活用したデジタル化や地方創生など持続可能な社会の構築に資する業務」の追加	●		●	●
出資規制の緩和 ・投資専門会社（子会社）の業務範囲の拡大 ・出資範囲の拡充	●	●	●	●
外国金融会社等の機動的な買収を可能とする措置	●	●	●	－
従属業務会社（子会社）に係る規制の柔軟化 ・収入依存度に係る法令上の数値基準の撤廃	●	●	●	●
共通・重複業務規制の柔軟化		●		

出所：金融審議会（2020）から一部抜粋。

いる。これについては、「協同組織金融機関の本来的な役割は、相互扶助という理念の下で、中小企業及び個人への金融仲介機能を専ら果たしていくことであり、この役割を十全に果たすべく、協同組織金融機関には、税制上の軽減措置が講じられている」（金融審議会　金融分科会第二部会　協同組織金融機関のあり方に関するワーキング・グループ 2009）とする前提と、信用金庫や信用組合が銀行にくらべ業務範囲などに制限が課せられてきたという経緯がある。

　業務範囲の見直しと明確化により、地域金融機関はネットワークや情報などの経営資源を、審査業務に活用するだけでなく、本業として事業支援や地域のまちづくりに活用する方向になっている。今後に期待したい改変である。

（4）多摩地域の金融機関の現状

　2020 年 3 月末現在、多摩地域にある金融機関の業態別店舗数割合は**図 6-3** のとおりである。店舗数が最も多いのは、都市銀行でも地域銀行でもなく信用金庫

図6-3　多摩地域にある金融機関の業態別店舗数割合

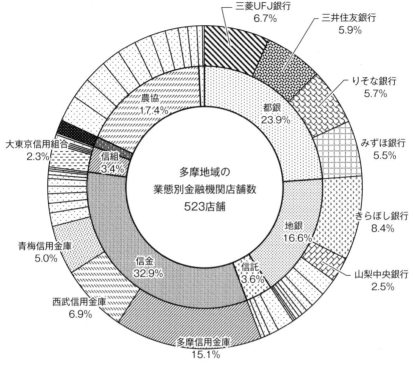

出所：日本金融通信社編（2020）、農協の店舗数は JA グループ HP より筆者作成。

であり、32.9％となっている。次いで都市銀行の23.9％、そして農協が17.4％。こ
のうち多摩地域に本店を構える金融機関は、多摩信用金庫（立川市）と青梅信用
金庫（青梅市）、そして10の農協のみである。多摩地域にある金融機関の多くが、
都心部や他県に本店をおく金融機関の支店（店舗）なのである。
　また、多摩地域の業態別店舗数の比率を全国および東京都特別区部（以下、23区）
と比較すると、多摩地域は全国比率に対し地域銀行と農協の割合が小さく、比率
の大きい信用金庫と都市銀行がその部分を補っている（**図6-4**）。また23区と多
摩地域で少ないながらも一定の割合を占める信託銀行については、全国比率では
極めて小さいものとなっている。銀行業務に加え財産の管理・運用や相続関連業
務などを行う信託銀行の需要は、多摩地域を含めた東京都に富裕層が多いことを

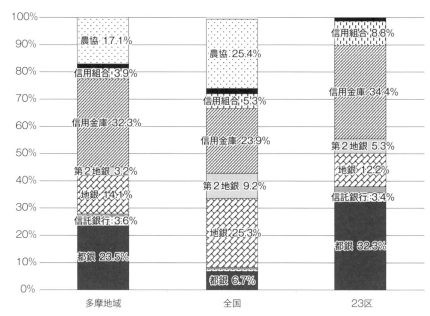

図 6-4　地域別金融機関業態別店舗数割合（2020 年）

出所：日本金融通信社編（2020）、農協の店舗数は JA グループ HP より筆者作成。

物語っている。一方で、23 区とくらべたときの多摩地域の農協比率の高さについ
ては、23 区と多摩地域の農地割合に比例するところだろう（第 5 章参照）。多摩
地域は都市と地方という両方の側面を持ち合わせており、まさに「郊外」として
の地域性がここにみえてくる。

(5) 多摩地域の地域金融機関の分布

　図 6-3 の金融機関の分類と店舗数割合によれば、多摩信用金庫・きらぼし銀行・
西武信用金庫・青梅信用金庫（店舗数順）が多摩地域の主な地域金融機関となる。
この 4 つの金融機関の店舗網を表したものが図 6-5 である。こうして多摩地域
を俯瞰してみると、南の方、すなわち小田急線沿線エリアにきらぼし銀行、青梅
線や西武線沿線エリアには青梅信用金庫と西武信用金庫が分布し、多摩信用金庫
は中央線沿線地域を中心に広がっている。3 節に述べる中央線沿線の 3 金庫の合
併により現在の姿となった多摩信用金庫や、地元である西多摩地域に広がる青梅

図 6-5　多摩地域主要地域金融機関の店舗分布図（2020 年）

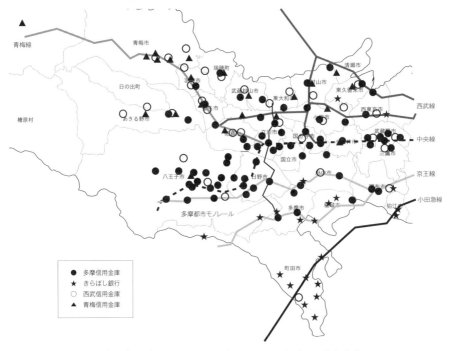

出所：日本金融通信社編（2020）より国土地理院のシステムを活用し筆者作成。

信用金庫はもとより、西武信用金庫の分布からは前身である福生町信用組合、小
田急線沿線のきらぼし銀行からは八千代信用金庫、さらに遡って町田町信用組合
という、それぞれのルーツがうかがえる。他の地域でこうした地域金融機関の分
布を示した場合、その地域全てを網羅する地方銀行の支店が地図上には現れるは
ずだが、多摩地域では都心に本店をもつ地方銀行であるきらぼし銀行と、3つの
信用金庫の店舗を総合するとエリア全体を網羅するかたちになっている。これが
多摩地域の地域金融機関の現状である。

2．多摩地域の銀行の歴史 [9]（1870-1920 年代）

　1878（明治 11）年に八王子に多摩地域で初めての銀行が誕生して以降、多摩地
域には数多くの銀行が設立された。しかしそれらの銀行の名前は、現在 1 つも残っ

ていない。すべての銀行が統廃合により消滅してしまったのである。合併されていった多摩地域の銀行は、最終的にみずほ銀行・三菱 UFJ 銀行・りそな銀行・横浜銀行にたどりつく。地元由来の銀行は、23 区内と隣接県の大手銀行に買収されていった[10]。今日、多摩地域のあちらこちらにある都市銀行の支店には、元をたどると地元の銀行だったという場所も少なくない。**図 6-6** のように、建物は変わらずに看板が掛け替わる程度の変化にみえるかもしれないが、地域のために生まれた銀行が大手銀行の支店となり、「全体の中の 1 つの店舗」としての位置づけになっていった。これは実際にはとても大きな変化であり、現在の多摩地域の地域金融機関の分布（**図 6-5**）にも影響を及ぼしている。

図 6-6　多摩地域で誕生した銀行の変遷イメージ

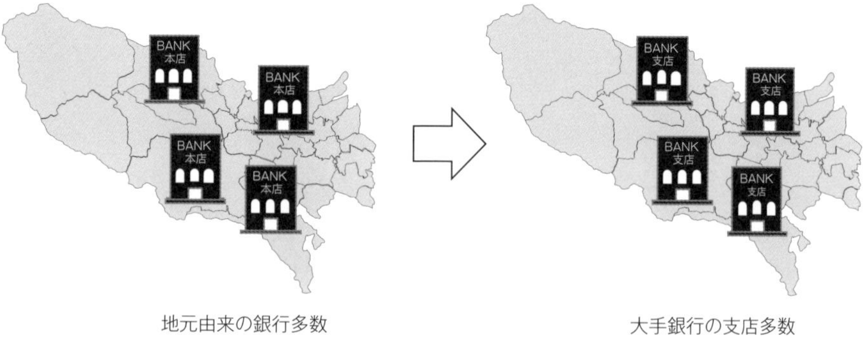

地元由来の銀行多数　　　　　　　　大手銀行の支店多数

出所：筆者作成

（1）繊維産業のまち八王子と青梅　－みずほ銀行－

① 多摩地域初の国立銀行設立

1872 年、アメリカの分権的なナショナル・バンク制をモデルとした国立銀行条例が公布され、翌年、日本で最初の銀行として第一国立銀行が設立された。これが日本における近代的金融業の始まりである。国立銀行は国営の銀行ではなく、国立銀行条例に基づいて設立された民間銀行だった。国立銀行には国立銀行券の発行が認められており、1876 年以降は殖産興業・富国強兵を推進する財政拡大策により、全国各地で国立銀行が誕生していった。1879 年に国立銀行の新設が打ち切られるまでの 7 年間で 153 行もの銀行が設立され、明治期における日本の近代

化という時代的潮流の中で金融業が立ち上がっていった。ここで注目すべきは、この153行のうち2行が八王子にあったということである。繊維産業で隆盛を誇っていた八王子が、当時いかに勢いがあったかを想像できる。また私立銀行も同じく殖産興業期に全国に誕生しており、銀行券を発行しない銀行として発展していった。

　多摩地域での最初の銀行は、1878年に八王子横山宿に創立した第三十六国立銀行である。1893年に東京府に移管されるまで、八王子を含む多摩地域は神奈川県に編成されており、神奈川県内では第二国立銀行[11]に続く2行目の設立となった。当時の八王子は製糸業の近代化の真っ只中であり、工場建設の資金繰りのためにも銀行設立が求められていた[12]。第三十六国立銀行は「呉服商・織物仲買商の谷合弥七、生糸商の田野倉常蔵、畔見保太郎らいずれも八王子の有力商人」（早川2017）により設立された銀行であり、地元産業の資金需要に応え、産業と地域経済の活性化に尽力した機関となった。

　第三十六国立銀行と時を同じくして大分県中津に設立されたのが、第七十八国立銀行である。第七十八国立銀行は1880年代に入ってからの緊縮政策によるデフレの影響で経営不振に陥り、安田善次郎の仲介で私立銀行の八王子銀行に買収される形で合併し、1888年に新たな第七十八国立銀行として八王子の地でスタートを切った。合併後の第七十八国立銀行は預金規模では第三十六国立銀行を上回り[13]、多摩地域で最大の銀行となっていた。しかし日露戦争後の不況や八王子織物業の不振の影響などにより経営は破綻し、1909年に任意解散となっている。

　このほかにも、多摩地域には明治期に普通銀行や貯蓄銀行[14]が相次いで設立された。しかし1900年代に入ってからの金融恐慌以降、多摩地域で設立された銀行は任意解散や買収により次々と姿を消していったのである。

② 八王子と青梅の銀行

　1895年の日清戦争後、多摩地域は再び銀行設立ラッシュを迎え、1901年には普通銀行・貯蓄銀行があわせて23行[15]となっていた。そのうちの6行は八王子に、3行は青梅に所在していた。早川（2017）、小島（2017）ほかの研究によれば、これらの銀行の頭取や役員の家業は織物仲買商や呉服商、蚕業など繊維産業関係のほか、酒造業、醤油製造業、林業などであり、地域の産業と紐づいて設立されたものが多かった。乱立気味の私立銀行であったが、同年以降続く恐慌などの影響

図 6-7 多摩の銀行からみずほ銀行への変遷

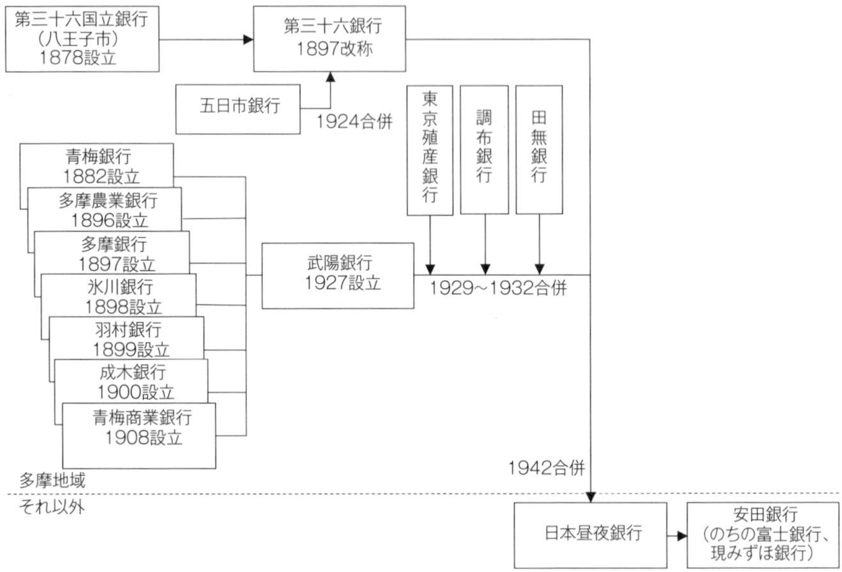

出所：全国銀行協会「銀行変遷史データベース」全国銀行協会 HP より筆者作成。

表 6-3 開設当時の銀行名と 2021 年現在の支店名 －みずほ銀行－

現在の支店名		開設当時の銀行店名	
みずほ銀行	八王子支店	第三十六国立銀行	本店
	立川支店	多摩農業銀行	本店
	三鷹支店	武陽銀行	三鷹支店
	調布支店	調布銀行	本店

出所：日本金融通信社編（2020）および富士銀行調査部百年史編さん室編（1980）から筆者作成。

により破綻や合併が相次ぎ、最終的に国立銀行から普通銀行へと転換した第
三十六銀行（八王子）と武陽銀行（青梅）という 2 つの銀行に集約されていった。
武陽銀行は、西多摩郡の青梅銀行・青梅商業銀行・多摩銀行・成木銀行・羽村銀行・
氷川銀行の 6 行に北多摩郡の多摩農業銀行[16]を加えた 7 行が合併し 1927 年に誕

生した、青梅に本店を構える規模の大きな銀行だった。第三十六銀行は 1924 年に五日市銀行を買収し、武陽銀行は恐慌が終わる 1932 年までに東京殖産銀行・調布銀行・田無銀行を合併し規模を拡大していった。その後、戦時統制により全国の銀行はさらにその母数を減らし、第三十六銀行と武陽銀行は、ともに 1942 年に浅野財閥系の日本昼夜銀行に買収された。日本昼夜銀行はこれを契機に多摩地域に基盤を拡大していくが、翌年には傘下となっていた安田銀行（のちの富士銀行、現みずほ銀行）に吸収合併されていくこととなった（**図 6-7**）。

(2) 浅田銀行と府中銀行　－三菱 UFJ 銀行－

　西多摩郡で武陽銀行が発足した当時、北多摩郡でも金融恐慌により中小規模の銀行が苦境にあえいでいた。1899 年に中野村（現中野坂上）に設立された浅田銀行もそのひとつである。設立の中心となった浅田家は、青梅街道沿いで製粉所やビール醸造を行っていた[17]。浅田銀行は新宿や中野・高円寺・吉祥寺など現在の中央線沿線に支店網を広げたが、三井銀行などの支援により金融恐慌をくぐり抜けた後の 1930 年に、大阪の住友銀行と、日本橋に本店を構えていた金原銀行に分割買収された。金原銀行は中野支店・吉祥寺支店・東中野出張所・高円寺出張所を譲り受け中央線の新宿以西に店舗網を広げたが、1940 年には三菱銀行と東京中野銀行に分割買収され、中央線沿線の 4 店舗は東京中野銀行の店舗となった。

　また、1900 年に北多摩郡に設立された府中銀行も、1931 年に東京中野銀行に買収された。これにより府中支店・国分寺支店の 2 店舗が東京中野銀行に譲渡され、同行は中野から府中に至る多摩地域へと基盤を広げた。東京中野銀行は金融恐慌に際し三菱銀行からの資金援助を受けており、両行はすでにグループ会社の関係にあったが、1942 年には東京中野銀行が三菱銀行に吸収合併されることとなった。さらに翌年、三菱銀行は日本橋に本店のあった第百銀行を買収し、もともと川崎銀行の支店であった八王子支店が三菱銀行に継承されている（**図 6-8**）。

(3) 埼玉県の銀行と多摩地域　－りそな銀行－

　昭和に入り戦時下の金融統制が進んでいくと、1943 年に三井銀行と第一銀行が合併し帝国銀行となり、既述のように三菱銀行と第百銀行、安田銀行と日本昼夜銀行の合併が行われた。この時期の合併や再編では、安田銀行が多摩地域に構え

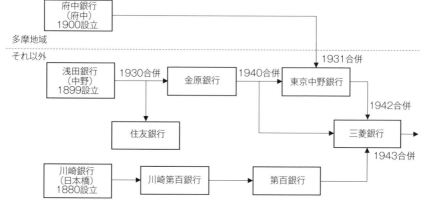

図6-8　多摩の銀行から三菱UFJ銀行への変遷

出所：全国銀行協会「銀行変遷史データベース」全国銀行協会HP、三菱銀行史編纂委員会編纂
　　　（1954）より筆者作成。

表6-4　開設当時の銀行名と2021年現在の支店名　－三菱UFJ銀行－

現在の支店名		開設当時の銀行店名	
三菱UFJ銀行	府中支店	府中銀行	本店
	国分寺支店	府中銀行	国分寺支店
	八王子支店	川崎銀行	八王子支店
	吉祥寺支店	浅田銀行	吉祥寺支店

出所：日本金融通信社編（2020）および三菱銀行史編纂委員会編纂（1954）より筆者作成。

ていた6支店と2出張所を埼玉銀行が継承するなど、大手銀行の地盤を地方銀行
が譲り受けるという動きがあった。これは金融統制下に強行された「1県1行主義」
により、地方銀行統合強化の国策に財閥系銀行が協力を要請されてのことだった。
埼玉銀行に譲渡されたのは、東村山支店・福生支店・瑞穂支店・青梅支店（元武
陽銀行本店）・五日市支店・氷川支店・村山出張所・羽村出張所の8店舗だった。
多摩地域に足掛かりを得た埼玉銀行は、八王子支店と立川支店を新設した。さら
に富士銀行（旧安田銀行）から田無支店を譲り受け、多摩地域での地盤を固めて

いった。埼玉銀行はその後の合併や改称を経て、現在は都市銀行のりそな銀行と
なっている（**図 6-9**）。

図 6-9　多摩の銀行からりそな銀行への変遷

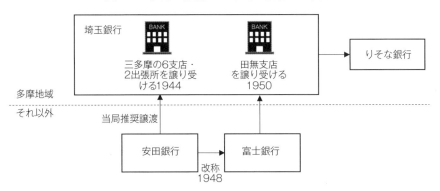

出所：全国銀行協会「銀行変遷史データベース」全国銀行協会 HP、埼玉銀行史編集委員会編（1968）
　　　より筆者作成。

（4）神奈川県の銀行と多摩地域　−横浜銀行−

　八王子や西多摩郡をはじめ多摩地域にいくつもの銀行が設立されていた 1800
年代の終わり頃、多摩の南端である町田にも町田銀行が誕生した。当時の南多摩
郡では町田銀行のほか、第三十六国立銀行・第七十八国立銀行・鴻通銀行・武蔵
銀行という 4 行が営業していたが、それらはすべて八王子に本店がある銀行だっ
た。町田の豪農など有力者たちにより 1896 年に設立された町田銀行は、金融恐
慌の翌年に神奈川県の有力銀行であった鎌倉銀行に吸収合併され、鎌倉銀行は同
じく町田に支店を開設していた瀬谷銀行も買収し、南多摩郡とのつながりを強め
ていった。その後、戦時下になり鎌倉銀行は横浜興信銀行に買収され、以降は横
浜興信銀行の南多摩郡進出が始まった。神奈川県にあった第七十四銀行の整理銀
行として設立された横浜興信銀行は、現在の横浜銀行の前身である（**図 6-10**）。
神奈川県内で群を抜いて規模の大きな信用度の高い銀行であったが、多摩地域進
出にあたり、もともと地域に根づいていた町田銀行や瀬谷銀行の地盤が発展の一
助となったことは間違いないだろう。

図 6-10　多摩の銀行から横浜銀行への変遷

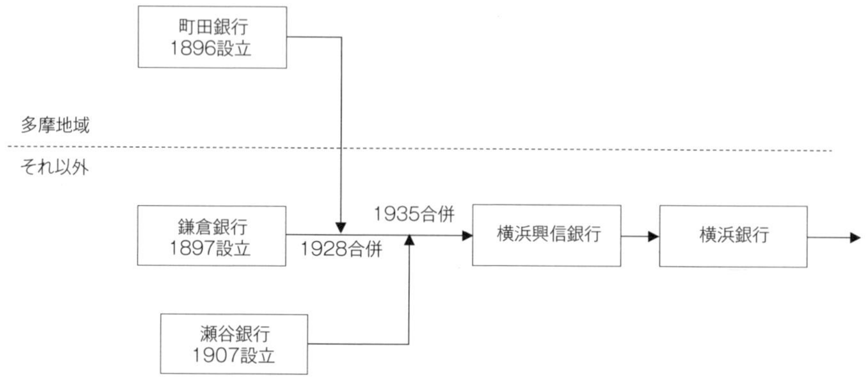

出所：全国銀行協会「銀行変遷史データベース」全国銀行協会 HP、横浜銀行企画部横浜銀行
　　　六十年史編纂室（1980）より筆者作成。

3．多摩地域の協同組織金融機関の歴史 [18]（1920-1950 年代）

（1）信用組合から信用金庫へ

　明治期から昭和のはじめに至るまで、全国各地で誕生した銀行は、地域に資金
を供給し産業振興を促す存在だった。しかしこの頃はまだ、銀行から融資を受け
られるのは財閥や大企業、そしてごく一部の中小企業に限られており、多くの中
小企業は金融の手立てを有していなかった。大正期の第一次世界大戦による大戦
景気では、大企業が躍進し数多くの中小企業も生み出されたが、一方ではインフ
レによる米価の急激な高騰から米騒動が起こるほど、庶民の困窮が深刻となって
いた。そして戦後恐慌から震災恐慌へと突入し、多数の中小企業者が経営難を抱
えていた。すでに 1900 年より産業組合法が制定され、全国各地に組合員の相互
扶助を目的とした産業組合が誕生していたが、このような時代背景のもと、東京
府の奨励施策も相まって、1918 年の第一次世界大戦終戦から関東大震災後の
1924 年にかけて、東京府の産業組合は大幅にその数を増やしている [19]。また戦後
恐慌に見舞われた 1920 年には、東京と大阪の両株式取引所で株価が大暴落し、
中小企業の倒産や銀行への取付けも続出していた。こうして銀行の信用不安が高

図6-11　信用組合から信用金庫への変遷

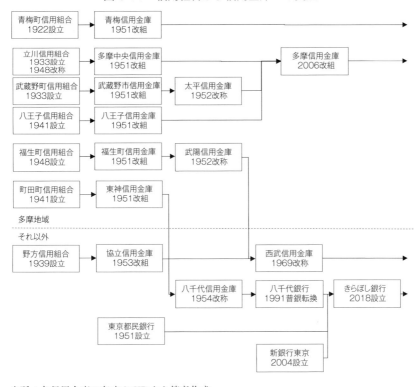

出所：各信用金庫の年史やHPから筆者作成。

まるなかで、地域の組合員同士の支え合いでもある産業組合は需要を増していったと考えられる。

　1930年、立川に陸軍飛行第五連隊が設置され、多摩地域には航空機関連など軍需産業の工場が増加していった。この時期の中小規模の事業者の増加は産業組合への需要をさらに高め、現在の多摩地域の中小企業集積へとつながっていく。

　多摩地域各地でいくつもの産業組合が設立されており、1920年代から1940年代までに、今日の多摩地域の主な地域金融機関の系譜である6つの信用組合が組織されていった（**図6-11**）。西多摩郡には青梅信用金庫の前身である青梅町信用組合と、西武信用金庫のルーツのひとつである福生町信用組合が設立された。福生町信用組合は西多摩郡や北多摩郡へと店舗網を広げ武陽信用金庫となった

後、中野や新宿を中心に発展していた協立信用金庫と合併し、1969年に西武信用金庫が発足した。この合併は前年に施行された金融2法[20]により実現した、関東財務局管内における信用金庫合併の第1号となった。隣接地域ではない信用金庫の合併により「武蔵野の西域」[21]を基盤とする大型の信用金庫が誕生したのである。

　一方、北多摩郡に設立されたのは、多摩中央信用金庫の前身である立川信用組合と、のちに太平信用金庫となる武蔵野町信用組合であり、南多摩郡には八王子信用組合と町田町信用組合が設立された。このうち、多摩中央信用金庫と太平信用金庫、そして八王子信用組合が改組した八王子信用金庫が合併し、2006年に多摩信用金庫となった。この合併により、中央線・西武線・京王線沿線のほとんどの駅ごとに店舗を構える多摩の「メガ信金」が誕生した。また町田町信用組合は東神信用金庫へと改組し、代々木信用金庫との合併を経て渋谷に本店を構える八千代信用金庫となり、のちに普通銀行に業態転換（普銀転換）し八千代銀行となった。さらに八千代銀行は東京都民銀行および新銀行東京と経営統合し、現在は東京都内に唯一本店を構える地方銀行であるきらぼし銀行となっている。

　多摩地域の信用組合でもうひとつ忘れてはならないのが、振興信用組合である。振興信用組合の前身は八王子信用購買組合と呼ばれた産業組合で、先の6つの信用組合よりも歴史は古い。八王子の織物業者らが1907年に労働環境の向上などを目指し発足した共立会が、発足直後に八王子信用購買組合となった。戦後は八王子振興信用組合への改組を経て営業地区を南多摩郡に拡張。振興信用組合へと改称し、さらに多摩地域全域に地盤を広げていくが、2000年に経営破綻し、大東京信用組合に6店舗を事業譲渡している。

(2) 東京郊外の農協

　地域の農家がつくった新鮮な野菜の直売所として各地で見かける「JA」を利用したことのある人は多いだろう。人気の直売所では開店前から人が並び、午前中にほとんどの野菜が売り切れてしまう。JAとは農協であり、農協もまた、地域の協同組織金融機関なのである。ただ、金融以外の業務が認められているなど、農協は他の協同組織金融機関とは異なる性質を持っている。そのため直売所を開設し地域野菜の販売や、農業指導や機材の提供などのほか、葬祭事業を手掛ける農協もある。また、農協同士の営業地区が明確に区分されているというのも、農

協ならではの特徴である。

　農協の始まりは GHQ による農地改革が推進された 1947 年である。戦後の深刻な食糧難が続くなか、農業金融の円滑化のため農業協同組合法が整備され、当時の市町村数を超える数の農協が急速に設立されていった。農協は農家を中心とする組合員からの貯金や定期積金を預かり、事業や生活に必要な資金を貸し付けていた。

　農家の高齢化や専業農家の減少、さらに急速な都市化の進行という時代背景のなか、1950 年代以降は市町村の合併とともに農協も合併の取り組みが推進されてきた。1960 年には全国で 1 万 2221 あった農協が、2020 年度 4 月 1 日時点では 610 になっている[22]。この間、農協には経営面での組織改革も必要とされ、東京では 1983 年以降、本格的に合併の取り組みが始まった。また、高度経済成長期以降は国内の経済構造の変化のなかで、農協も地域の他の民間金融機関との競争を強め不動産投資に力を入れるが、バブル崩壊による地価下落にともない厳しい局面を迎えることとなった。

　東京都内には高度経済成長期の宅地不足により宅地化された農地がたくさんある。1992 年に生産緑地法が改正され、農地には 30 年間の営農義務が生じ、農地は宅地化されるべきものから保護されるべき存在へと変化を遂げた（第 5 章参照）。多摩地域を含む東京都の農業は都市農業と呼ばれ、地域への農産物の供給だけでなく、農業体験の提供や災害時への備え、緑地空間の提供など、多様な役割を求められている。生産緑地法の改正から 30 年が経過する 2022 年が迫り、いかに都市農業を守っていくかということにおいて、農協は指導事業や経済事業などの非金融事業も含めたさまざまなアプローチから組合員の支援にあたっている。

　多摩地域の農協は、1998 年度までに合併が進み、2021 年現在 10 農協となった（**図 6-12**）。合併後は本店と支店の役割分担が明確に区分されるなど業務の効率化が図られたことにより、農協は農業指導などの支援活動に比重を置きやすい環境となっている。農業の領域において農協が行っているこうした多様な業務は、地域金融機関の持つ「支援機関」としての側面であり、今まさに農協には支援機関としての役割に期待が高まっているのである。また、そのあり方は、他の地域金融機関が今後、地域のなかで行っていくべき一つの型といえる。

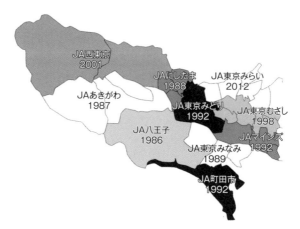

図6-12　多摩地域の10農協

注：数字は最終合併年を示す。
出所：JA西東京HPを参考に筆者作成。

4. 事業支援・まちづくり[23]（1950-2010年代）

（1）地域金融機関の躍進

　第二次世界大戦の戦後復興期を乗り越えた1950年代後半、日本は技術革新による高度経済成長期を迎えた。大量生産，大量消費社会の始まりである。産業の活発化により中小企業は発展し、人々の生活水準は向上し、家電など耐久消費財の普及が進んでいった。それにともない、金融機関では企業融資とともに個人の住宅ローン需要が増加した。

　この時期、仕事を求めて全国から東京に人口が集中し、都心部では深刻な住宅難が起こっていた。23区から溢れた人口は東京の郊外へと流出し、多摩地域は急速に、また無秩序に宅地開発されていった。そして乱開発の防止と急増する人口の受け皿として八王子・町田・多摩・稲城の4市にわたる多摩丘陵に多摩ニュータウンが形成されることとなった。1965年に開発計画がスタートした多摩ニュータウンは、総面積約2884ヘクタール、計画人口34万人[24]という日本最大規模のニュータウンとなり、多摩地域には東京のベッドタウンとしての郊外型のライフ

図6-13　多摩地域の金融機関業態別開業年代比較

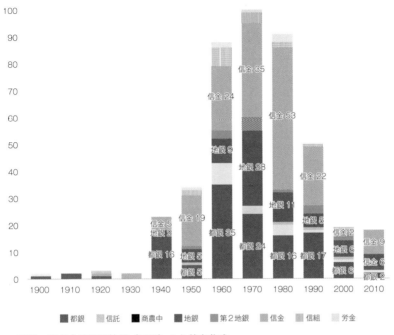

出所：日本金融通信社編（2020）より筆者作成。

スタイルが誕生した（序章、第1章参照）。

　高度経済成長期には、金融機関は個人の住宅ローンを狙い店舗網を多摩地域に拡大させていった。**図6-13**は、2020年現在営業中の金融機関について、多摩地域における店舗開店年をグラフにしたものである。1960-1980年代にかけて一気に金融機関の店舗開店がみられる。業態別でみると、1960年代は都市銀行、1970年代は地方銀行、そして1980年代は信用金庫と、店舗網を拡大している。なかでも1960-1970年代はニュータウンを中心とした郊外エリアの住宅ローンを見込んで都市銀行は支店を増設し、近隣の地方銀行もこぞって多摩地域に店舗展開を図り、顧客獲得競争が繰り広げられていた。1980年代になると金融の自由化などの影響により、競争はますます激化していった。

　地元の中小企業支援のために存在しているはずだった信用金庫も、ご多分に漏れずこの競争に加わり預金獲得や箱物融資に奔走した。筆者が入庫した1988年

はまさにバブル絶頂期であり、信用金庫も上潮に乗るがごとくの勢いで、ミニ銀行のようになっていくのかというムードも漂っていた。

そして1990年代に入ると株価や地価が下落に転じ、バブル崩壊へと向かっていった。日本経済の長期的な不景気時代の幕開けである。バブル崩壊後、金融市場再生のため1996年頃から「日本版金融ビッグバン」が打ち出され、フリー・フェア・グローバルの3原則[25]にのっとり、市場原理を基軸にした金融システム改革が行われていった。

(2) 信用金庫の原点回帰

バブル崩壊を迎える頃には、金融機関の店舗増設は低迷期となっていたが、住宅ローン競争は落ち着きをみせずに、その後も土地の有効活用のためのアパートローンなどで低金利競争が続いていた。国内の景気が傾き始めていたこの時期から、多摩地域では信用金庫に変化が起こっている。西武信用金庫と多摩中央信用金庫が、事業支援へと舵を切ったのである。地域の課題解決という、地域金融機関本来の役割へと原点回帰を図った両金庫は、企業や地域の課題に寄り添い地域の資金を循環させる活動に本腰を入れていった。

西武信用金庫は1996年より従来の集金業務をメインとした営業活動を改め中小企業支援に軸足を移し、多摩中央信用金庫も2001年より新体制となり、地域の中小企業支援に取り組み始めた。信用金庫によるダイナミックな中小企業支援の動きは、当時の他の金融機関にも大いに影響を与えていたといえるだろう。信用金庫の「営業マン」は「事業コーディネーター」や「企業担当」と名前を変え、中小企業の課題解決を行い、中小企業診断士や税理士などと中小企業をつなぐ役割も担うようになった。

折しも1998年に関東経済産業局の協力のもと、地域の企業・大学・自治体・商工団体により「TAMA産業活性化協会」が設立された。これは、多摩地域を中心に優れた技術をもつニッチトップ企業や研究機関、理工系大学などが集積する国道16号線沿線の埼玉県南西部と、神奈川県中央部も含む広域の産業活性化事業である。同協会では「Technology Advanced Metropolitan Area（技術先進首都圏地域）＝ TAMA」と名づけた連携地域の新規創業や、産業発展の支援を連携のもと行っている。2001年には経済産業省が地域経済の活性化策として「産

業クラスター政策」を立ち上げ、TAMA産業活性化協議会は「首都圏産業活性化協会」として社団法人化し新たなスタートを切った。この広域連携の輪には、同協会とともに「ビジネスフェア from TAMA」を開催した西武信用金庫をはじめ、多摩中央信用金庫や青梅信用金庫などの地域金融機関が複数参画していった。今では全国でさまざまな取り組みがみられる「産学官金連携」は、ここから始まった。これまではそれぞれの自治体規模で取り組んでいた産業振興だが、広域な連携組織が法人となり、国や自治の委託事業や補助事業を行い産業活性化を大きく促進するきっかけとなった。

　また、2001年には八王子市に「サイバーシルクロード八王子」が発足した。地域の先端企業の集積を活かしたITによる地域の産業活性化を目指し、自治体と商工会議所、そして多摩中央信用金庫を中心に、西武信用金庫や青梅信用金庫などの地域金融機関も参画した産学官金連携の取り組みが始まった。1990年代後半以降の多摩地域では、こうした信用金庫による中小企業への事業支援が活発となり、主に西武信用金庫と多摩中央信用金庫が切磋琢磨し支援活動を行っていった。

　2006年には、多摩中央信用金庫・太平信用金庫・八王子信用金庫の3金庫が合併し、多摩信用金庫と改称した。昭和のはじめから立川・武蔵野・八王子でそれぞれが地域密着の金融機関として営業活動を続けてきたその地盤が融合し、広く多摩地域に根を張る信用金庫となったのである。この合併は「価値創造の合併」として報じられ、地元に根づいた地方銀行のない多摩地域で、信用金庫が地域金融および地域産業支援の中核的な機関として機能するようになっていった。

　金融庁が2003年に策定した「リレーションシップバンキングの機能強化に関するアクションプログラム[26]」では、「中小企業金融再生に向けた取り組み」と「取引先企業に対する経営相談・支援機能の強化」（金融庁2003）がスタートした。2005年には新アクションプログラム（**表6-5**）として、地域密着型金融の一層の推進を図ることが盛り込まれた。そのアクションプログラムは「創業・新事業支援機能等の強化」「取引先企業に対する経営相談・支援機能の強化」など、当時の多摩地域の信用金庫がすでに現場で取り組んでいた内容そのものだった。地域の経済動向の分析を行い、地域の企業の現状に即した対応をとってきた多摩地域の信用金庫にとっては、まさに自分たちが日々進めている課題解決の方法が国の施策となったのである。地域金融機関としてあるべき姿を、当の地域金融機関

表6-5　新アクションプログラム（2005-2006年度）

1．事業再生・中小企業金融の円滑化
（1）創業・新事業支援機能等の強化
（2）取引先企業に対する経営相談・支援機能の強化
（3）事業再生に向けた積極的取組み
（4）担保・保証に過度に依存しない融資の推進等
（5）顧客への説明態勢の整備、相談苦情処理機能の強化
（6）人材の育成
2．経営力の強化
（1）リスク管理態勢の充実
（2）収益管理態勢の整備と収益力の向上
（3）ガバナンスの強化
（4）法令等遵守（コンプライアンス）態勢の強化
（5）ITの戦略的活用
（6）協同組織中央機関の機能強化
（7）検査、監督体制
3．地域の利用者の利便性向上
（1）地域貢献等に関する情報開示
（2）中小企業金融の実態に関するデータ整備
（3）地域の利用者の満足度を重視した金融機関経営の確立
（4）地域再生推進のための各種施策との連携等
（5）利用者等の評価に関するアンケート調査

出所：金融庁（2005）より筆者作成。

の職員が改めて認識する機会を得た施策であった。

（3）地域力連携拠点事業と地域金融機関

　小規模事業者の経営をあらゆる機関の連携によりきめ細やかに支援していく事業として、2008年に中小企業庁が「地域力連携拠点事業」をスタートさせた。初年度、東京都では実施主体として6つの機関が採択され、そのうち3件が西武信用金庫・多摩信用金庫・東京東信用金庫という3つの信用金庫だった。地域の中小企業の経営支援の中核は、従来、商工会議所や商工会などの支援機関が担っていたが、当施策においては、金融機関を実施主体として広く募集したのである。この点が、「地域力連携拠点事業」の大きな特徴であった。地域のなかを動き回ることが常である信用金庫が実施主体となったことで、「地域力連携拠点事業」

は活発に動き出し、中小企業診断士や税理士などが事業のパートナーとして名を連ねた。地域金融機関による事業支援の取り組みが可視化されたということは、全国の地域金融機関にとっても、地域に根差した事業支援や課題解決を行う機関としての役割を自他ともに見つめ直すきっかけになったといえる。国の事業に参画することで、さまざまな機関との連携がより図りやすくなっていった。

　「地域力連携拠点事業」以降、西武信用金庫・多摩信用金庫とも、専門家派遣のプラットフォームを自主運営している。国からの委託事業が終了した後に事業の継続が可能であるという点もまた、地域金融機関が連携主体となるメリットである。

（4）NPO 支援とまちづくり

　地域金融機関における事業支援が全国に波及し始めた頃、多摩地域の信用金庫はまちづくりにおける課題解決についても地域金融機関の重要な役割と位置づけ、NPO 支援および創業支援に大きく比重を置いた。地域の中の活動主体や事業者を増やし育てていくことが地域活性化への道であり、その支援こそが地域金融機関の使命であると、多摩地域では信用金庫が早くから活発に動き出していた。特定非営利活動促進法（NPO 法）は、「特定非営利活動を行う団体に法人格を付与すること等により、ボランティア活動をはじめとする市民の自由な社会貢献活動としての特定非営利活動の健全な発展を促進することを目的として、1998 年 12 月に施行」（内閣府 NPO の HP）された。2003 年には西武信用金庫と多摩信用金庫では NPO 向けの融資商品をリリースし、まちづくりに関わる NPO などへの金融支援を始めた。また西武信用金庫は新たに株式会社を設立し、中野区に創業支援施設である「西武インキュベーションオフィス」を、杉並区に NPO 法人向けの「西武コミュニティオフィス」を開設した。多摩地域では、多摩信用金庫も創業を目指す人に事務所スペースを貸し出す「たましんインキュベーション施設ブルームセンター」を 2003 年に開設し、地域産業振興の推進拠点としての取り組みをスタートした。さらに多摩信用金庫は、2009 年に地域課題や地域活性化に取り組む個人や NPO・企業・大学・金融機関など、さまざまなセクターの緩やかなネットワークである「多摩 CB ネットワーク」を結成し、NPO やコミュニティビジネスの支援に精力的に取り組んできた。

2013 年になると日本財団が、社会課題解決の担い手である NPO やコミュニティビジネスを支援する「わがまち基金」を発足した。プロジェクトの第 1 号として、西武信用金庫が日本初の総合型成長応援融資「CHANGE」[27] を新設し、プロジェクト第 2 号では、多摩信用金庫が「特色ある多摩地域創出連携支援補助金」[28] 事業を行った。同年、多摩信用金庫は東京都の「インキュベーション HUB 推進プロジェクト事業」[29] においても採択を受け、創業支援機関のプラットフォームとなる「創業支援センター TAMA」を開設した。「インキュベーション HUB 推進プロジェクト事業」には、2018 年度までに採択された 14 件のうち 6 件に地域金融機関が関与しており、多摩信用金庫のほか西武信用金庫や現在のきらぼし銀行である八千代銀行・東京都民銀行・新銀行東京がそれぞれの事業に参画している。

　これらの取り組みはどれも自治体や NPO、一般企業などさまざまな創業支援機関に適切に資金を振り分け、多摩地域の創業支援全体に力をつけていこうという仕組みづくりである。その結果、多摩地域のなかの支援機関の活動が充実し、または新たに立ち上がり、現在は 50 以上の創業支援機関が多摩地域のなかで活動している。

　同時期に町田市では、「町田新産業創造センター」の株主として、町田市、町田商工会議所とともに八千代銀行が名を連ねている。町田新産業創造センターは、2013 年に設立された創業支援を主としたコンサルティング業務やインキュベーション施設管理を行う株式会社であり、当時の八千代銀行は出資をするとともに人材も提供している。

　こうした地域金融機関の動きには、後述の自治体の財政事情も大いに関係している。1990 年代以降はそれぞれの自治体の財政事情は厳しくなってきており、まちづくりには自治体だけでなく、地域住民や市民活動団体、事業者などとの「共創」が欠かせない状況になっている。そのため地域金融機関は、地域課題の解決や活性化に関与する NPO の活動を支援し、地域で創業する人を応援するなどのアプローチにより、まちづくりに積極的に参画しているのである。

5．自治体と地域金融機関 [30]

　30 市町村によって構成される多摩地域は、都心に近い地域と町村部である西多

摩地域とではまちの環境が大きく異なり、人口や構成年齢層、そして財源にも差がある。財政事情は一様に語れるものではないが、地方創生を考えるにあたり、自治体の財政状況を知ることは重要であり、その内情により取り組みも変わってくるだろう。

（1）自治体の歳入・歳出

　自治体には、市民からの税金や国や都道府県からの補助金、そして金融機関からの融資など、さまざまな収入源があり、それらの財源は使い道がすでに定められている「特定財源」と、自治体が自由に使い道を決められる「一般財源」とに分けられる。国や都道府県からの補助金は特定財源であり、公共設備・施設の敷設や整備などにあてられる。2019 年度の多摩地域の歳入の内訳（**図6-14**）をみ

図6-14　2019年度多摩地域歳入の内訳

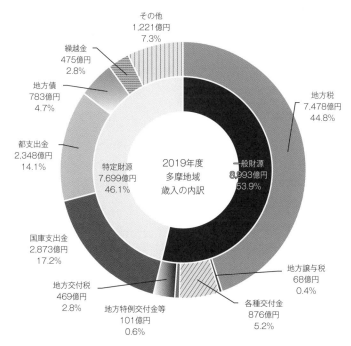

その他
1,221億円
7.3%

繰越金
475億円
2.8%

地方債
783億円
4.7%

都支出金
2,348億円
14.1%

特定財源
7,699億円
46.1%

国庫支出金
2,873億円
17.2%

地方交付税
469億円
2.8%

地方特例交付金等
101億円
0.6%

各種交付金
876億円
5.2%

地方譲与税
68億円
0.4%

一般財源
8,993億円
53.9%

地方税
7,478億円
44.8%

2019年度
多摩地域
歳入の内訳

出所：東京都総務局行政部「東京都区市町村の財政情報について　令和元年度別資料」より筆者作成。

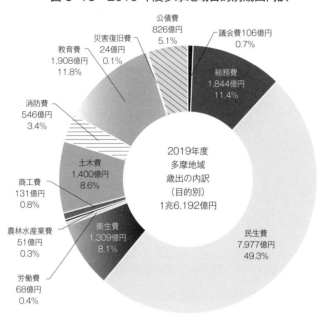

図 6-15　2019 年度多摩地域目的別歳出内訳

公債費
826億円
5.1%

災害復旧費
24億円
0.1%

教育費
1,908億円
11.8%

議会費106億円
0.7%

総務費
1,844億円
11.4%

消防費
546億円
3.4%

土木費
1,400億円
8.6%

2019年度
多摩地域
歳出の内訳
（目的別）
1兆6,192億円

商工費
131億円
0.8%

農林水産業費
51億円
0.3%

労働費
68億円
0.4%

衛生費
1,309億円
8.1%

民生費
7,977億円
49.3%

出所：東京都総務局行政部「東京都区市町村の財政情報について　令和元年度別資料」より筆者作成。

ると、特定財源 46.1%、一般財源 53.9% となっており、半分近くは使い道が定められていることがわかる。また、一般財源はその大部分が住民・事業者からの地方税であり、全体の 44.8% を占めている。これは現在の納税者に支えられているということであり、少子化時代の子どもたちが将来納税者になっていくにつれてその数は減っていくことが予想できる。これらの一般財源については、自治体がそれぞれの地域の状況やニーズを鑑み予算編成を行っている。

　次に、2019 年度の多摩地域の歳出を目的別（**図 6-15**）でみると、ほぼ半分に迫る高い構成比が社会福祉や老人福祉・児童福祉・生活保護などの民生費である（第 7 章も参照）。高度経済成長期に多摩地域に流入した世代がリタイアし、高齢化がますます進んでいくことを考えると、この民生費をどう支えるかは、多摩地域全体のとても大きな課題である。一方、地域の商工業や観光を振興する商工費は全体の 0.8% と非常に小さい。商工費予算の増大が見込めないとすると、自治

図 6-16　2019 年度多摩地域性質別歳出の内訳

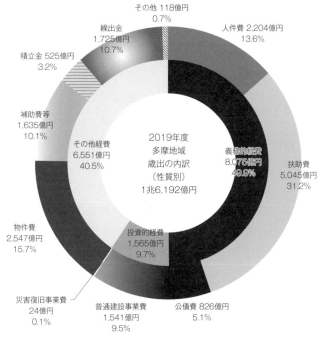

出所：東京都総務局行政部「東京都区市町村の財政情報について　令和元年度別資料」より筆
　　　者作成。

体単位での行政主導による地域の産業・観光振興の推進は困難であり、地方創生
には広域連携を行うなど新たな切り口が必要となってくるだろう。

　また、歳出を性質別（**図 6-16**）にみると、義務的経費である人件費と扶助費、
そして公債費でほぼ半分が使われている。自治体職員には法令上の保障があり、
大幅な人員削減や給与や賞与の削減はできない。公債費は借入の返済にあたるが、
長期借入のため減っていかない。また、社会保障にかかわる扶助費は毎年右肩上
がりに増加している。これらは、支払いについて裁量が効かず必ず払わなくては
ならない義務的な経費であり、それに加え、公共施設の老朽化とともに修繕費の
増加や、施設の更新をしなくてはいけないものも多くなる。それらを踏まえ考え
ると、多摩地域全体で自治体が自由に使えるお金というのは年々減り続けている。
多摩地域の財政問題は今後、より一層加速度を増して深刻になってくるだろう。

（2）指定金融機関

　明治期以降、時代の要請により地域経済の円滑化を図るために変化を遂げてきたのが地域金融機関である。当然のことながら、地域を治める自治体の金融についても、古くから地域金融機関の融通や太いつながりがあったことは想像に難くない。その歴史を遡ると、富士銀行や三菱銀行の銀行史に、明治期または昭和前期に公金を取り扱っていたという記述がみられる[31]。現在は公金を扱う金融機関を「指定金融機関」といい、地方自治法により「地方公共団体の公金の収納又は支払の事務」を取り扱う金融機関であると規定されている。都道府県の場合は議会の議決による指定金融機関の決定が義務づけられており、市町村では任意である[32]。丹羽（2005）によると、2004年6月時点において、全国都道府県および市町村全体で指定金融機関のシェアが最も高い業態は地方銀行（56%）であり、次いで農協が23%となっており、農協は町村部において比率が高くなっている。さらに都市銀行9%、信用金庫が8%と続いている。

　多摩地域に絞ってみると、指定される金融機関としては都市銀行が多く、そこには2節で述べた多摩地域の銀行の変遷が少なからず関係していると推察される。八王子に初めてできた第三十六国立銀行はみずほ銀行となっており、浅田銀行や府中銀行だったところが三菱 UFJ 銀行となっている。それを考慮してみると、自治体ごとの指定金融機関の縁故が浮かび上がってくる。また多摩地域では、都市銀行の次に多いのが信用金庫である。これを神奈川県と比較してみると、神奈川県では地元の地方銀行である横浜銀行が最も多く、33市町村のうち14自治体という大きなシェアを占め、隣接県の地方銀行であるスルガ銀行が4自治体。地方銀行を除くと信用金庫が9自治体、農協が5自治体から指定されており、都市銀行はりそな銀行が1自治体（輪番制）から指定されているのみである（**表6-6**）。一方、多摩地域では30市町村のうち19自治体が都市銀行を指定金融機関としており、地方銀行は横浜銀行が町田市から指定されているのみである。指定金融機関という側面からみると、多摩地域では都市銀行が地方銀行の役割を担っている[33]といえ、この対比からも、地方銀行の本店がない多摩地域の特徴がみてとれる。

　指定金融機関といえば、これまでは多額の公費や地方債を扱うことによる収入が見込め、また地域の金融機関としての信頼度の獲得など、金融機関にはさまざ

表 6-6　多摩地域と神奈川県の指定金融機関

	金融機関名	多摩地域（30 市町村）	神奈川県（33 市町村）
都市銀行	みずほ銀行	八王子市・立川市・三鷹市・調布市・小金井市・狛江市・稲城市	
	三菱 UFJ 銀行	武蔵野市・府中市・日野市・多摩市・西東京市	
	りそな銀行	青梅市・小平市・東村山市・東大和市・清瀬市・武蔵村山市・あきる野市	横須賀市
地方銀行	横浜銀行	町田市	横浜市・川崎市・相模原市・藤沢市・茅ヶ崎市・逗子市・三浦市・秦野市・大和市・伊勢原市・座間市・南足柄市・葉山町・山北町
	スルガ銀行		鎌倉市・厚木市・海老名市・箱根町
信用金庫		昭島市・国分寺市・国立市・福生市・東久留米市・日の出町	平塚市・小田原市・大磯町・二宮町・大井町・松田町・開成町・真鶴町・湯河原町
農協		羽村市・瑞穂町・檜原村・奥多摩町	綾瀬市・寒川町・中井町・愛川町・清川村

注：2021 年 2 月現在（輪番制対応含む）。
出所：金融機関や自治体へのヒアリングにより筆者作成。

まなメリットがあった。一方、自治体にとっては、事務取扱経費は大部分が金融機関側の負担となるなど、いわば持ちつ持たれつの関係だったわけである。ところが長引く低金利により金融機関の経営は落ち込んでおり、さらに自治体が入札を導入したことにより、指定金融機関を辞退する金融機関も現れている。今後の「地方創生」において自治体の財政状況や限られた人的資源を踏まえて考えると、自治体と地域金融機関との連携は欠かせない。指定金融機関も含め持続可能な連携を維持していくには、課題意識の共有や双方向のメリットが必要であろう。

（3）地方創生

　2014 年に「まち・ひと・しごと創生法」が制定され、国は、少子高齢化や人口

減少、東京圏への人口の一極集中などの課題解決に対する施策をまとめた「総合戦略」を策定し、地方創生を推進してきた。ここにおける連携は、産業界・自治体・大学・金融機関・労働団体・言論界・士業（産官学金労言士）という多様な機関や人材が対象となり、各自治体において地方版総合戦略をまとめるべく、さまざまなセクターを集めての会議が実施され、取り組みが進められてきた。この自治体ごとの取り組みにかかわる金融機関をみると、多摩地域では30市町村のうち25の自治体が信用金庫を地方創生の連携機関として指名している。そのほかは都市銀行および地方銀行が3自治体に指名されている。これを神奈川県でみると26自治体が地方銀行の横浜銀行を指名し、19自治体が信用金庫を指名している。地方銀行と信用金庫の両方を指名しているケースも多い（**表6-7**）。多摩地域では指定金融機関としては都市銀行が地域のパートナーとして指定され、地方創生に

表 6-7　多摩地域と神奈川県の「まち・ひと・しごと委員会」に指名された金融機関

		多摩地域（30市町村）	神奈川県（33市町村）
都市銀行	みずほ銀行	狛江市	
	りそな銀行	清瀬市	
地方銀行	横浜銀行		横浜市・横須賀市・鎌倉市・藤沢市・小田原市・茅ヶ崎市・逗子市・三浦市・厚木市・大和市・伊勢原市・海老名市・座間市・南足柄市・葉山町・寒川町・二宮町・大井町・松田町・山北町・開成町・箱根町・真鶴町・湯河原町・愛川町・清川村
	スルガ銀行		海老名市
	きらぼし銀行	町田市	綾瀬市
信用金庫		八王子市・立川市・武蔵野市・三鷹市・青梅市・府中市・昭島市・調布市・小金井市・小平市・日野市・東村山市・国分寺市・国立市・福生市・東大和市・東久留米市・武蔵村山市・多摩市・羽村市・あきる野市・西東京市・日の出町・檜原村・奥多摩町	川崎市・横須賀市・平塚市・鎌倉市・藤沢市・小田原市・茅ヶ崎市・逗子市・三浦市・秦野市・伊勢原市・綾瀬市・大磯町・二宮町・中井町・大井町・松田町・箱根町・愛川町
農協		稲城市・瑞穂町	厚木市・中井町・松田町・愛川町

注：まち・ひと・しごと創生会議等の金融機関の委員。2名参加の場合や会議を開催していない自治体もある。すでに終了している場合はできる限り最新の委員を調査した。
出所：筆者作成。

おいては、信用金庫が地域課題解決の伴走者として指名されているということである。都市銀行と信用金庫が役割分担をしながら地域の金融をまかなっている。これこそが歴史の積み重ねで形成された多摩地域の金融事情の最大の特徴である。

（4）広域連携

　多摩地域の自治体の財政面での課題や効率を考えると、今後、市町村単位での地方創生の取り組みは小さくなると予想せざるを得ない。また、30市町村で構成される多摩地域では、個々の自治体規模でのアクションに大きな効果を期待するのは現実的ではない。ここに地域金融機関がこれまで培ってきた地域のネットワークや、産業振興の仕組みづくりが活かせるはずである。先に述べた首都圏産業活性化協会をはじめ、多摩地域ではこれまでにも広域連携の取り組みはいくつも行われてきている。地域金融機関がハブとなり、地方創生や産業振興において自治体の枠を超えた連携を生み出していく必要がある。

　多摩地域で長年行われてきた広域連携のひとつに、2003年に多摩信用金庫が創設した「多摩ブルー・グリーン賞」がある。これは多摩地域限定で優れた技術やビジネスモデルを持つ中小企業を見出す顕彰制度であり、優れた中小企業の集積地であるという多摩地域の特徴を内外に周知することにも寄与している。当制度の後援には、多摩地域の30市町村に相模原市が加わった31市町村と8つの商工会議所、さらに21の商工会、そして大学や企業など98もの機関が名を連ねている。これは全国的にみても稀なケースで、市町村単位でなく多摩地域という枠で産業振興に取り組めば、これだけの支援機関の連携が可能な地域であるということだ。小さな自治体単位で自分のまちだけに焦点をあてていてはもったいない。創業支援や観光振興など、取り上げやすい課題ごとのレイヤーで連携を始めることもできる。まずは隣接自治体からでも連携による事業に取りかかり、連携の輪を広げていくような改革がこれまで以上に必要である。

まとめ　－競合から共創へ－

　地域金融機関は古くから地域経済を軸とした地域の橋渡し役になってきた。そ

れは金融機関の創成期である明治期から現在まで変わらない役割であり、時代とともに地域も金融機関も大きな変化と発展を遂げてきた。そして現在、その橋渡しの役割にもイノベーションの波が押し寄せている。金融審議会（2020）が示すように、今後は金融の手続きコストの削減や決済の利便性が向上し、さらにデジタルプラットフォームが保有する銀行が現れ、短期間で日本の銀行機能の多くを担うようになる可能性もある。

　多摩地域の地域金融ももちろん、こうした新しい時代へ移行の道をたどっていくことになるが、本章を執筆するなかで、地域金融機関の橋渡し役の先にある、2つの重要な役割がみえてきた。1つ目は、地域の人々の幸せづくりのため、持っている情報やネットワークをフル活用して、今後のあるべき姿に向かって舵取りをしていくことである。地方創生で期待されてきたように、自治体や各種支援機関と有意義な連携を行い、広域連携を促しながら、現状をスピーディーに分析し行動していくことである。時には、新しいテクノロジーを活用して地域課題の解決に取り組むこともあるだろう。その変化のなかで取り残される中小企業や住民に寄り添いながら、地域密着を継続していくことも忘れてはならない。

　加えて、現在多摩地域にある都市銀行の支店が地域密着型に変わっていくことも、多摩地域の地方創生においては重要なポイントとなる。多摩地域の都市銀行の支店には、かつて地元の銀行として誕生した歴史を持つものも多い。地元地域の産業や経済、地域活性化を目的として金融活動を行う機関が誕生した歴史をいま一度見つめ直し、再び地元地域に寄り添う覚悟をもつ都市銀行が増えることを願う。デジタル化や地方創生に対する最先端情報については、都市銀行に一日の長がある。地域ごとの課題に密着し、イノベーティブな地方創生に貢献してほしい。

　2つ目は、橋渡し先の育成支援と連携のきっかけの提供である。わがまち基金やインキュベーション HUB 推進プロジェクトでの経験から、熱意ある NPO や住民を育成支援することの重要性がみえてきた。また地域力連携拠点事業では、金融機関がさまざまなステークホルダーとの連携の中核を担える機関であることが明らかとなった。自治体や商工団体などの既存組織、老舗企業や地元農家などに働きかけをして、まちづくりにおける連携の必要性を共通認識とし、さらに大手企業やベンチャー企業、テレワーカーなど、地域の多様なステークホルダーを全

体最適の視点で巻き込んでいくことが重要である。これらが、地域金融機関の担うべき橋渡し役の先にある、地域における責務だと考える。

　最後に、同じ地域のなかで規模の違う取引先とのつながりをもつ銀行と信用金庫など、従来競合関係の金融機関同士がゆるやかな連携を図ることができれば、多摩地域の地方創生を大きなスケールで動かしていくことができるだろう。金融機関ももはや、競合の時代から共創の時代へ移行し、金融はもちろん、非金融の領域も含めたまちづくりを行っていく必要がある。金融機関が多摩地域全体を俯瞰し、総出で連携の道を探ることで、地域の未来がみえてくるのではないだろうか。

注

1　金融の本業以外の分野。金融機関は、利益相反取引や優越的地位の濫用などの防止のため、業務範囲が規制されている。2020 年 12 月 22 日の銀行制度等ワーキング・グループ報告により、今後規制が緩和される可能性がある（本章の 1-（3）参照）。

2　公益財団法人たましん地域文化財団が 1975 年より発行している郷土誌『多摩のあゆみ』では、「多摩の金融史」として多摩地域の金融の歴史の研究が続いているが、そうした研究が現在の、そしてこれからの地域金融を考える上で大変貴重な資料となっている。本章における多摩地域の金融機関の変遷については、『多摩のあゆみ』をはじめ各金融機関の年史などを参考にさせていただいた（引用箇所については本文中に、参考ナンバーについては参考文献に記載）。

3　本節は、金融審議会（2020）、金融審議会金融分科会第二部会協同組織金融機関のあり方に関するワーキング・グループ（2009）、金融庁（2007）、島村・中島（2011）、帝国データバンク（2020）、日本金融通信社（2003）、日本金融通信社編（2020）、堀内（2014）、森（1988）などを参照した。

4　同じく地域金融機関である労働金庫は、企業融資を扱わないためここには含まれない。

5　1943 年に制定され、1947 年の農業協同組合法の制定により廃止された。

6　労働組合や消費生活協同組合などの根拠法となる法律。1953 年制定。

7　債務の保証、有価証券の貸付け、両替など（銀行法第 10 条第 2 項各号）。

8　「信用金庫・信用協同組合の単位組織については、その特性などに鑑み、現行制度上、高度化等会社（現行）や外国会社の保有は認められていない」（金融審議会銀行制度等ワーキング・グループ報告 2020：19）。

9　本節は、石井（1999）、落合（2008）、菊地（2015）、金融問題研究会編（1941）、鯨井（1961）、小島（2017）、埼玉銀行史編集委員会編（1968）、佐藤（2017）、関島（1976）、たましん地域文化財団（1975）、陳玉雄（2018）、沼（1976a, b）、早川（2017）、富士銀行調査部百年史編さん室編（1980）、富士銀行八十年史編纂委員会（1960）、堀江（1975）、二菱銀行史編纂委員会編纂（1954）、横浜銀行企画部横浜銀行六十年史編纂室（1980）などを参照した。

10　佐藤（2017）、早川（2017）、小島（2017）において、明治期に多摩地域に設立された銀行の変

遷が研究されている。

11 第二国立銀行は 1896 年に普銀転換し第二銀行と改称したのち、横浜銀行の前身である横浜興信銀行に買収され 1934 年に解散している。

12 「製糸業の近代化は時代の要請であり製糸工場の建設に資金は必要であった」（沼 1976a）。

13 1890 年の預金残高は第七十八国立銀行 20 万 5000 円に対し、第三十六国立銀行が 6 万 1000 円。普銀転換したのちの 1899 年では八王子第七十八銀行が 222 万 9000 円、第三十六銀行は 71 万 6000 円だった（石井 1999）。

14 大衆の零細な貯蓄預金を扱った金融機関。1943 年以降は普通銀行の兼営が可能となり、普銀転換もしくは合併により消滅した。

15 南多摩郡に 8 行、西多摩郡に 10 行、北多摩郡に 5 行存在していた（早川 2017）。

16 1896 年に北多摩郡大神村（現昭島市）に設立された銀行。1901 年時点では青梅銀行や羽村銀行の役員である田村半十郎が役員を兼任していた（小島 2017）。

17 関島（1976）によれば、本家浅田家は製粉所の経営とビール醸造を行い、分家浅田家は醤油や味噌の醸造、さらに別の分家も醤油と味噌を製造していた。浅田銀行は本家浅田家を中心に設立された。

18 本節は、伊藤ほか（2019）、伊藤・小西（2020）、蛯原（2009）、青梅信用金庫史編纂委員会（1984）、『加藤市蔵』編集委員会編（1985）、小島（2018）、佐藤（2018）、佐藤（2020a）、佐藤（2020b）、西武信用金庫（2000）、創立 50 周年記念誌編集委員会編（1991）、太平信用金庫（1974）、多摩中央信用金庫（1974）、東京都信用金庫協会（1978）、東京都農業協同組合記念事業実行委員会編（2001）、東京都民銀行（1981）、農林水産省 HP、邉英治（2020）、八千代信用金庫（1982）、JA 東京中央会（2018）などを参照した。

19 1917 年に市街地信用組合制度が定められ、都市における信用組合が金融機関として位置付けられた。また翌年には、東京府の産業組合奨励 5 ヵ年計画により産業組合の設立が奨励され、東京府の産業組合数は大きく増加した。東京都信用金庫協会（1978）によると、1918 年から 1927 年までの間に 60 を超える信用組合が東京に設立されている。

20 「中小企業金融制度の整備改善のための相互銀行法、信用金庫法等の一部を改正する法律」と「金融機関の合併及び転換に関する法律」。

21 「西武信用金庫の名称は、武蔵野の西域が新金庫の主要な基盤となるため採用された」（『加藤市蔵』編集委員会編 1985）。

22 農林水産省「令和元年度農業協同組合等現在数統計」による総合農協数。

23 本節は、金融庁（2003）、TAMA 産業活性化協会（2007）、TAMA 産業活性化協会（2018）、UR 都市機構（2005）、長島（2015a）などを参照した。

24 面積、計画人口は UR 都市機構（2005）による。

25 「フリーすなわち市場原理が働く自由な市場、フェアすなわち透明で信頼できる市場、グローバルすなわち国際的で時代を先取りする市場」（金融庁「大蔵省　特集　金融システム改革（日本版ビッグバン）とは」金融庁 HP < https://www.fsa.go.jp/p_mof/big-bang/bb1.htm > 2021 年 3 月 1 日閲覧）。

26 リレーションシップバンキングとは、「長期継続する関係の中から、借り手企業の経営者の資質や事業の将来性等についての情報を得て、融資を実行するビジネスモデル」（金融庁（2003）

「リレーションシップバンキングの機能強化に関するアクションプログラム（基本的考え方）」
< https://www.fsa.go.jp/news/newsj/14/ginkou/f-20030328-2/02.pdf > 2021 年 3 月 1 日閲覧）
であり、地域密着型金融ともいう。

[27] 福祉、教育、環境、まちづくりなど、社会や地域の課題解決に取り組む NPO やソーシャルビ
ジネスの事業者を「資金面」と「経営面」で応援する融資制度。2019 年 2 月までに 70 を超え
る融資を実施している。

[28] 地域の課題解決や活性化のための新たな支援の仕組みづくりおよびネットワークの構築によ
り、多摩地域の価値向上を目指す地方創生支援スキーム。高等教育機関や民間事業者、団体、
自治体などが連携先となっている。

[29] 複数の起業支援事業者の連携体（インキュベーション HUB）を構築し、創業者の発掘・育成
から成長促進までを一貫して支援する。2013 年より東京都が実施している。

[30] 本節は、今村（2018）、江夏（2020）、河村・中川（2020）、大和総研編著（2020）、丹羽（2005）、
中央大学社会科学研究所編（1995）、長島（2015b）、長島（2019）、長島（2020）、長島（2021）
などを参照した。

[31] 富士銀行調査部百年史編さん室（1980）によると、1888 年の市制、町村制の公布により地方自
治体が発足し、東京市では 1891 年より水道公債を発行した。「このとき、第三国立銀行は第一、
三井両行とともに、水道公債の取扱銀行となった」（富士銀行調査部百年史編さん室 1980）と
ある。

[32] 地方自治法（1947 年）第 235 条には、「都道府県は、政令の定めるところにより、金融機関を
指定して、都道府県の公金の収納又は支払の事務を取り扱わせなければならない」「市町村は、
政令の定めるところにより、金融機関を指定して、市町村の公金の収納又は支払の事務を取り
扱わせることができる」とある。

[33] 佐藤（2017）では指定金融機関に加え、従業員・売上規模別企業のメインバンクについても都
市銀行の担う比率の高さを指摘し、「メガバン（都市銀行）支店の地域金融機能を過小評価し
てはいけないように思います」と述べている。

参考文献

・石井寛治（1999）『近代日本金融史序説』東京大学出版会
・伊藤正直・佐藤政則・杉山和雄編著（2019）『戦後日本の地域金融 = The Regional Finance of
Postwar Japan : バンカーたちの挑戦』日本経済評論社
・伊藤悠・小西雄大（2020）「多摩の金融史 11 立川信用組合の設立と発展」『多摩のあゆみ』第
177 号
・今村寛（2018）『自治体の " 台所 " 事情 " 財政が厳しい " ってどういうこと？』ぎょうせい
・江夏あかね（2020）「地方公共団体と地方銀行 : 指定金融機関制度の変遷と今後の展望」『野村
資本市場クォータリー（2020 冬号）』野村資本市場研究所
・蛯原良雄（2009）「行政との連携による地域経営　地域経営の一翼を担う JA」『農業協同組合
経営実務』2009 年 9 月号、全国共同出版
・青梅信用金庫史編纂委員会（1984）『青梅信用金庫史』青梅信用金庫

・落合功（2008）『入門　日本金融史』日本経済評論社
・『加藤市蔵』編集委員会編（1985）『加藤市蔵 - 西武信用金庫の礎』西武信用金庫
・河村昌美・中川悦宏（2020）『公民共創の教科書（地方創生シリーズ）』先端教育機構事業構想大学院大学出版部
・菊地浩之（2015）『図解　合併・再編でわかる日本の金融業界』平凡社
・金融審議会（2020）「銀行制度等ワーキング・グループ報告―経済を力強く支える金融機能の確立に向けて―」金融庁HP＜https://www.fsa.go.jp/singi/singi_kinyu/tosin/20201222/hou-koku.pdf＞2021年3月1日閲覧
・金融審議会 金融分科会第二部会 協同組織金融機関のあり方に関するワーキング・グループ（2009）「中間論点整理報告書」金融庁HP＜https://www.fsa.go.jp/singi/singi_kinyu/tosin/20090629-1/01.pdf＞2021年3月1日閲覧
・金融庁（2003）「リレーションシップバンキングの機能強化に関するアクションプログラム」金融庁HP＜https://www.fsa.go.jp/news/newsj/14/ginkou/f-20030328-2.html＞2021年3月1日閲覧
・金融庁（2005）「地域密着型金融（リレーションシップバンキング）の機能強化」金融庁HP＜https://www.fsa.go.jp/policy/chusho/01.html＞2021年3月1日閲覧
・金融庁（2007）「銀行の業務範囲規制のあり方について【関係資料】」金融庁HP＜https://www.fsa.go.jp/singi/singi_kinyu/dai2/siryou/20071119/03.pdf＞2021年3月1日閲覧
・金融問題研究会編（1941）『戦時下の銀行体制』経済書籍合資会社
・鯨井惣輔（1961）「明治大正の八王子銀行史」『八王子撚糸業史稿』多摩文化研究会
・小島庸平（2017）「多摩の金融史3 明治・大正期の西多摩郡における金融機関間の関係―企業家ネットワーク試論―」『多摩のあゆみ』第168号
・小島庸平（2018）「多摩の金融史6 戦前期における東京府・多摩地域の産業組合」『多摩のあゆみ』第171号
・埼玉銀行史編集委員会 編（1968）『埼玉銀行史』埼玉銀行
・佐藤政則（2017）「多摩の金融史1 多摩金融史研究と多摩信用金庫－「多摩の金融史」連載開始にあたって－」『多摩のあゆみ』第166号
・佐藤政則（2018）「多摩の金融史7 多摩中央信金の昭和二〇年代」『多摩のあゆみ』第172号
・佐藤政則（2020a）「多摩の金融史13 昭和四〇年代前半の中嶋榮治と多摩信」『多摩のあゆみ』第179号
・佐藤政則（2020b）「多摩の金融史14 多摩中央信金の昭和五〇年代」『多摩のあゆみ』第180号
・JA東京中央会（2018）『みんなでつくったJAと東京農業』JA東京中央会
・島村髙嘉・中島真志（2011）『金融読本（第28版）』東洋経済新報社
・振興信用組合五十年史編纂委員会（1982）『振興信用組合五十年史』
・西武信用金庫（2000）『西武信用金庫三十年史』西武信用金庫
・関島久雄（1976）「多摩の金融史　浅田銀行（1899年設立 1930年解散）」『多摩のあゆみ』第4号
・創立50周年記念誌編集委員会編（1991）『八王子信用金庫50年史』八王子信用金庫
・太平信用金庫（1974）『太平信用金庫四十年史』太平信用金庫
・大和総研編著（2020）『地銀の次世代ビジネスモデル =The Next Generation of Business

Models for Regional Banks：押し寄せる業界再編の波を乗り越える』日経 BP
・TAMA 産業活性化協会（2007）『社団法人首都圏産業活性化協会設立 10 周年記念誌』
・TAMA 産業活性化協会（2018）『一般社団法人首都圏産業活性化協会設立 20 周年記念誌』
・たましん地域文化財団（1975）「多摩の金融史（1）金融機関の系譜」『多摩のあゆみ』創刊号
・多摩中央信用金庫（1974）『多摩の歩みとともに：多摩中央信用金庫創立四〇周年記念誌』多摩
　中央信用金庫
・丹羽由夏（2005）「地域金融機関と地方公共団体 – 指定金融機関業務の変化」『農林金融』2005
　年 9 月号、農林中央金庫
・中央大学社会科学研究所編（1995）『地域社会の構造と変容—多摩地域の総合研究—』中央大
　学出版部
・陳玉雄（2018）「多摩の金融史 5 市町村史誌からみた多摩の講」『多摩のあゆみ』第 170 号
・帝国データバンク（2020）「全国メインバンク動向調査」帝国データバンク HP ＜ https://
　www.tdb.co.jp/report/watching/press/pdf/p201205.pdf ＞ 2021 年 3 月 1 日閲覧
・東京都信用金庫協会（1978）『東京の信用金庫—東信協の 25 年を記念して—』東京都信用金庫
　協会
・東京都農業協同組合記念事業実行委員会編（2001）『JA 東京五十年史』
・東京都民銀行（1981）『都民とともに三十年 東京都民銀行三十年史』東京都民銀行
・長島剛（2015a）「自治体と信金の連携による創業支援」『地方自治職員研修』2015 年 11 月号、
　公職研
・長島剛（2015b）「市民活動、社会的起業を支える地域金融（特集 コミュニティ活性化の取り
　組み）」『とうきょうの自治』第 97 号、東京自治研究センター
・長島剛（2019）「地域課題の解決に資する地域金融：「連携」についての事例研究（特集 地域金
　融のゆくえ）」『都市問題』2019 年 10 月号、後藤・安田記念東京都市研究所
・長島剛（2020）「地域金融機関との連携をどう進めるか（特集 地方創生ネクストステージ：コ
　ロナ禍の先を見据えて）」『ガバナンス』2020 年 9 月号、ぎょうせい
・長島剛（2021）「地方創生と地域金融機関（特集 地域の再生と金融）」『個人金融』2021 年冬号、
　ゆうちょ財団
・日本金融通信社（2003）「最新の業態別金融機関数」日本金融通信社 HP ＜ https://www.
　nikkin.co.jp/link/number.html ＞ 2021 年 2 月 28 日閲覧
・日本金融通信社編（2020）『日本金融名鑑 2021 年度版』日本金融通信社
・沼謙吉（1976a）「多摩の金融史 第三拾六国立銀行の創立」『多摩のあゆみ』第 2 号
・沼謙吉（1976b）「多摩の金融史 第三拾六国立銀行の発足」『多摩のあゆみ』第 3 号
・農林水産省「農業協同組合等現在数統計」農林水産省 HP ＜ https://www.maff.go.jp/j/tokei/
　kouhyou/noukyo/ ＞ 2021 年 3 月 1 日閲覧
・早川大介（2017）「多摩の金融史 2　地域が生んだ多摩の銀行 –明治期の銀行設立–」『多摩の
　あゆみ』第 167 号
・富士銀行調査部百年史編さん室編（1980）『富士銀行の百年』富士銀行
・富士銀行八十年史編纂委員会（1960）『富士銀行八十年史』富士銀行
・邉英治（2020）「多摩の金融史 12 戦時期の立川信用組合—発展のルーツ—」『多摩のあゆみ』

第178号

・堀内勉（2014）『コーポレートファイナンス実践講座』中央経済社
・堀江泰紹（1975）「町田銀行金融史」『町田近代百年史：増補『町田市の明治百年』』町田ジャーナル社
・三菱銀行史編纂委員会編纂（1954）『三菱銀行史』三菱銀行
・森静朗（1988）『信用金庫』教育社
・八千代信用金庫（1982）『八千代信用金庫史』八千代信用金庫
・UR都市機構（2005）『TAMA NEW TOWN SINCE1965』都市再生機構東日本支社
・横浜銀行企画部横浜銀行六十年史編纂室（1980）『横浜銀行六十年史』横浜銀行

第 7 章

多摩の福祉政策
—福祉ニーズの拡大と自治体間の格差—

尾崎 寛直

　急激な少子高齢化と社会構造の変化により、誰もが福祉サービスの対象になりうる時代。サービス需要が拡大して財政悪化が進む一方、制度改革と都市間競争の狭間で最前線に立たされる地方自治体は、ジレンマに陥っている。（要介護高齢者と支援員　写真提供：社会福祉法人にんじんの会）

はじめに

　本書の前身である『多摩学のすすめⅠ』の出版当時（1991年）、多摩地域の人口約366万人のうち高齢者人口は約33万人（高齢化率9％）に過ぎなかったが、2020年時点では高齢者人口は約110万人（高齢化率25.8％）に達する。この30年間に加速度的に進行した未曾有の高齢化は、同時に少子化とともに進行し、人口構造に巨大な変化をもたらしている（序章参照）。かつてない少子高齢化の進展、核家族化の進行は、家族（世帯構造）や地域・社会の変容をもたらし、介護や子育て、貧困などの福祉をめぐるさまざまな問題の噴出にともなって、個人・家族による自助努力、あるいは近隣・地域社会の連帯（＝共助）にも限界があることを露呈させることになった（森2018：18）。

　さらに、1990年代前半には「バブル経済」の崩壊が生じ、日本はその後「失われた20年」ともいわれる長期停滞を経験してきたが、その水面下で進行した国民の間の「格差拡大」は、戦後の高度経済成長期を経て曲がりなりにも共有されてきた「一億総中流」意識をもはや過去のものにしつつある。これらの状況の変化は、人々の国家の福祉政策（＝公助）への期待を高めることになり、福祉政策の対象は一部に限ったもの（選別主義的）ではなく、否応なく普遍化の方向へと移行せざるを得なくなる。

　このような大きな「地殻変動」が生じたのがこの30年間だった。たとえば、高齢者介護においても、従来の家族介護に依存するあり方は破綻し、家族構成や資力を問わず介護の必要度に応じて、社会サービスとして介護サービスを提供する新たな社会保障制度（公的介護保険）が2000年度にスタートするなど、人々の福祉ニーズ（福祉需要）の拡大・多様化に対応した政策の革新が図られている。

　以上のような国家の福祉政策の対象拡大は、同時に、人々の身近な地方自治体（都道府県・区市町村）の役割を一層拡大する方向への変化をもたらした。それにより自治体財政に占める福祉関係予算（主に「民生費」項目）は右肩上がりが続き、各自治体における財政圧迫の主要な要因ともなっている。

　一概に自治体の役割重視といっても、実際には各自治体レベルの問題状況や財政力の違いも厳然として存在する。その点は国が地方交付税などによる財政調整

を行うものの、埋め切れないままに各自治体を前面に立たせる制度改革がなされた結果、医療や介護、子育て施策などの各自治体が主体となって住民に提供する福祉サービスにおいて、自治体間の格差が生じる事態となっている。つまり、居住自治体の違いによって、住民の享受する基本的福祉サービスの水準・内容に一定の格差があることが日常化しているのである。

　ここで思い起こされるのが、1970 年代から東京都政において主張され続けてきた「多摩格差（三多摩格差）」という言葉である。現在の都知事さえ都知事選で「多摩格差ゼロ」を公約に掲げるほど[1]、長年この言い回しが定着している。東京都特別区部（以下、都区部）と多摩地域（26 市 3 町 1 村）との間に横たわる社会インフラなどの格差の是正を求める主張であるが、今日の状況下では、それに加えて「多摩内格差」も看過できない状況にある[2]。

　そこで本章では、第 1 節において、この 30 年来の人口構造の変化と福祉ニーズの拡大の状況を押さえた上で、第 2 節において地方分権にともなう福祉の構造改革によって、地方自治体が福祉サービスの運営・実施の前面に出るようになった影響について考える。また、「多摩格差」がいわれてきた構造について財政の面からみていくとともに、生じている自治体間格差の実像を捉えていく。第 3 節では、「自治体間競争」が煽られる今日の状況下で福祉サービスの格差をどのように考え、是正していくべきかを検討する。

1. 人々の生活をめぐる構造的変化と福祉ニーズの拡大

(1)　「多摩地域」とその人口規模

　1893（明治 26）年の「東京府及神奈川県域変更ニ関スル法律」の施行によって、160 町村が神奈川県から東京府へ編入されて、ほぼ現在の多摩地域が成立して以降、人口増加が続いてきた多摩地域は、2020 年現在もなお 423 万人（予測値）の人口を抱える。その規模は、東京都（総数 1397 万人）を除く全国の道府県で比較すれば上から 8 番目の福岡県の 510 万人に次いで第 9 位の人口規模を誇るほどであり、ひとつの県単位を優に超えるほどの人口が集積した地域だといえる。ただ、その人口もついに 2020 年をピークに減少に転じ、2030 年には 413 万人、2045 年には 389 万人まで減少することが予測されている（国立社会保障・人口問

題研究所 2018；東京都総務局 2017a）。

　日本全体の人口ピークは 2008 年であったが、それ以前から人口減少は大都市圏以外の共通のワードになって久しい。そのなかで多摩地域が 2020 年まで人口増加傾向が維持されたことは特筆すべきことであるが、遅ればせながら多摩地域にも今後、緩やかな人口減少と、急激な高齢化の波が押し寄せることになる。

　なお、多摩地域と一口にいっても、地域によって土地利用や人口動向など、さまざまな特徴がある。かつての郡（北多摩・南多摩・西多摩の 3 郡）の名残で「三多摩地域」との呼び名があるように、現在も一定のエリア区分で状況分析が行われることが多い。それは、都心部に近くスプロール化の初期の頃から開発が進んだ「北多摩エリア」（昭島以東）、とくに多摩ニュータウン計画の時期以降急速に開発が進んだ「南多摩エリア」（稲城、多摩、日野、町田、八王子）、最も東京西部に位置する町村（郡部）を含む「西多摩エリア」（青梅、福生、羽村、あきる野、瑞穂、日の出、檜原、奥多摩）であり、北多摩エリアはさらに北部エリア（西東京、小平など）、南部エリア（武蔵野、調布など）、西部エリア（国分寺、昭島など）に分かれ、それぞれ問題状況の相違がある。

（2）都市のスプロール化による多摩地域の人口拡大とその後

　大都市圏への人口移動は高度経済成長期の幕開けである 1950 年代後半から急激に進んでいる。1960 年代前半までは都区部への人口流入が進行したものの、60 年代後半には逆に都区部からの人口流出が起こり、隣接 3 県や多摩地域のような郊外への人口流入が進んだ。都心部に通勤する人たちの住宅難が深刻になるとともに、周辺農村部などの郊外へ、都市の外延的拡大による開発の波が押し寄せるのである（スプロール化現象）。その象徴が、地方自治体が事業主体となり「居住環境の良好な住宅地」の大量供給を目的とする「新住宅市街地開発法」（1963 年）に基づく大規模宅地開発事業のなかで、桁違いの面積と計画人口を擁した「多摩ニュータウン」計画（1965 年事業決定）であろう（金子 2017：44-54）。多摩市、稲城市、八王子市、町田市にまたがる 2884 ヘクタール、約 34 万人の計画人口は全国最大の規模を誇る。

　多摩ニュータウンのように計画的に社会インフラの整備を進めた地区はまだしも、急激な人口増加に押されて都市化が進んだ多摩地域では、義務教育施設や保

育所、図書館など公共施設の不足、下水道などの生活基盤、道路や電車の交通基盤の整備などが追いつかず、1970 年代から「多摩格差」という言葉が長らく定着する要因ともなった（第 2 節で後述）。

「バブル経済」期までは都心部の猛烈な地価高騰が生じたことにより、都区部を避けて郊外・周辺都市に住まいを求めた人々の行動が明瞭であったが、逆にバブルが崩壊した 1990 年代半ば以降は、地価の下落とともに都心部の都市再開発が進行したことも影響し、ふたたび都区部への人口流入が始まる。都区部の人口は 1997 年より底を打ったように増加に転じ（「東京都住民基本台帳人口移動報告」各年度版）、2000 年代に入るとより顕著になり、「都心回帰」といわれる現象が一気に生じた。

このように、1990 年代後半から多摩地域への人口流入は陰りを見せ、都区部への（比較的若い年齢層の）人口流入が増えてきたことから[3]、2000 年代には都区部と市町村部（多摩地域と島嶼部）の高齢化率の逆転が生じる（**図 7-1**）。市町村部のデータはほぼ多摩地域の実態が反映されていると考えれば[4]、かつては多くの子育て世代が移り住み、全国レベルよりも低い高齢化率を維持してきたはずの多摩地域は、2000 年代には全国における高齢化の進行のスピードと軌を一にするように一貫して右肩上がりの高齢化が進行している。

図 7-1　地域別の高齢化率の推移

出所：各年度「国勢調査」より筆者作成。

図 7-2　多摩地域のエリア別の人口増減率

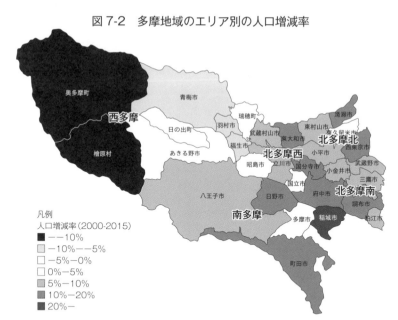

出所：東京都総務局（2017b：37）。データは 2000-2015 年度「国勢調査」。

図 7-3　多摩地域のエリア別の高齢化率

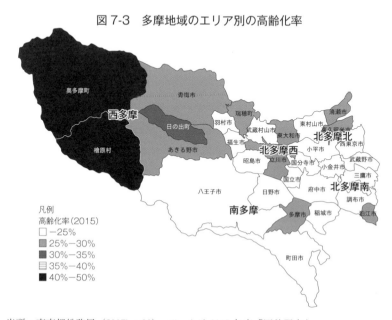

出所：東京都総務局（2017b：38）。データは 2015 年度「国勢調査」。

　それとともに、多摩地域もエリアごとに大きな違いがあり、高齢化率でも大きな差がある。とりわけ人口増減率において人口流入の少ない地域（とくに西多摩エリア）でより高齢化が進行しているといった関係がみられる（**図 7-2、図 7-3**）。また、多摩ニュータウン開発のメッカである多摩市は、2000 年代に入って急激な高齢化が進行し、西多摩エリアを除く多摩地域で最も高齢化率が高い地域になっている。1971 年に初期入居が始まった多摩ニュータウンは当時、主に都区部から引っ越してきた 30 代前後の若手サラリーマン世帯が集うエリアであったが[5]、それから 40 年以上が経って、現在とりわけ都営や旧公団（日本住宅公団。のちの UR 都市機構）の団地にはかつての若年世代であった 70 代以上の高齢者が多く暮らしている[6]。

　他方、開発地域の縁の部分にあたり 1980 年代後半以降 2000 年代にかけて「ニュータウン」開発が相当遅れて始まった稲城市は、都区部に近いこともあって比較的若い子育て世代が多く流入し（その結果 0-14 歳の年少人口が突出して多い）、いまや多摩地域で最も高齢化率の低い（20.97%）地域となっている（東京都総務局「住民基本台帳による東京都の世帯と人口」2018 年）。

　以上のように、人口流入の違いによって自治体間で差はありながらも、全体として 2000 年代に多摩地域は高齢化のスピードが加速したことが確認できる。それにともなう福祉的課題も顕在化してきている。

（3）家族規模の縮小と介護ニーズの顕在化

　東京都の高齢者人口は、2015 年から 2045 年までの間に 111 万人増加するとされ、その増加率 136.2% は全国の都道府県のなかで 2 位に位置するほど（1 位は沖縄県、3 位が神奈川県、4 位が埼玉県）、急激なものになると予想されている（国立社会保障・人口問題研究所 2018）。さらに、人口の高齢化の進展と併せて、家族規模の縮小（平均世帯人員の減少）が進行していることは福祉ニーズとのかかわりでは重要になる。

　東京都は、全国で最も平均世帯人員が少なく[7]、都区部は多摩地域よりもさらに少ない（**図 7-4**）。多摩地域は相対的に大きいとはいえ、世帯規模は年々縮小し、全国レベルよりも低い 2.24 人となっている（2015 年度「国勢調査」）。さらに注視すべきは、平均世帯人員の右肩下がりに反比例するように、単身世帯は年々右

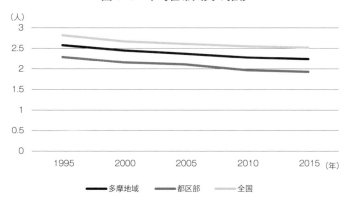

図 7-4　平均世帯人員の推移

出所：各年度「国勢調査」より筆者作成。

肩上がりに増加しており、とりわけ全世帯数に占める高齢者（65歳以上）単身世帯数が都区部で11.2％（約53万9000世帯）、多摩地域で10.5％（約19万8000世帯）、に上っていることであろう（東京都総務局「2015年度国勢調査 東京都区市町村町丁別報告」）。同様に、単身ではないものの、高齢夫婦のみの核家族世帯も増加している。

　こうした世帯では家族の福祉力が乏しくなるため、仮に本人ないし家族が重度の要介護や寝たきり状態になった場合、福祉サービスを活用できなければ、共倒れあるいは孤独死に至るリスクもある。これらは福祉ニーズの拡大にも直結してくる問題である。

　家族規模の縮小にともなう家族の福祉力低下は、とりわけ「家族介護」の限界を決定づけ、ついに介護保険制度のような「介護の社会化」の必要性に拍車を掛けたといえる。実際、東京都全体で介護が必要な高齢者は、介護保険の要介護認定を受けた人だけでも制度開始時（2000年4月）の17万人から2019年4月の60万人まで3倍以上増加している（東京都福祉保健局「介護保険事業状況報告（月報）」）。それにともない、東京都の介護給付費は一貫して増加しており、2000年度の2529億円から2020年度の1兆60億円（見込額）まで、介護保険制度開始からの20年間で約4倍の増加を見せている（東京都福祉保健局2018）。

　このように、福祉をめぐる30年の変化としても大きな意味をもつ介護保険制

度の創設は、いわば必然的帰結であったともいえよう。

(4) 1990 年代後半以降の貧富の格差拡大

　もうひとつ、1990 年代後半以降の日本社会全体の大きな変化として看過できないのは、戦後初期以降高度経済成長期を通じて減少していた貧富の格差が明確に意識され始めたことである。

　橋木（1998）の著した『日本の経済格差』は、バブル崩壊以降「一億総中流」という言葉に象徴される日本社会の平等意識に綻びが生じており、格差の拡大が生じていることを示して注目された。さらに佐藤（2000）や橋本（2001）は、上層労働者と下層との階層間の世代間移動が難しくなっており、次世代への貧困の連鎖が生じていたり、「階級」ともいうべき階層間の経済的格差が固定化していることを示した。2005 年頃からは明確に「格差社会」がキーワードになり、橋木（2006）のように「新しい貧困層の出現」を指摘し、教育や雇用などあらゆる場で機会の平等が失われる格差問題を正面から取り上げるような論考が急激に増えている。

　個人間の経済的格差などをみる指標としては、ジニ係数[8]が参考になる。橋本（2020：70-73）は、「所得再分配調査」における当初所得に基づくジニ係数は、1970 年代までの高度経済成長期には縮小傾向にあったが（1971 年 0.354）、1983 年に 0.398 と跳ね上がって以降明らかな上昇トレンドとなり、バブル崩壊以降その流れは加速し、一貫した上昇傾向になっており（1995 年 0.441、2001 年 0.498、2007 年 0.532、2013 年 0.570）、格差が拡大していることを示している。

　何がこの事態を招いたのか。1990 年代に、上述のような「新しい貧困層」というべき低所得者が急激に増加した背景のひとつとしては、雇用環境の激変が挙げられるだろう。

　1987 年に非正社員（パート、アルバイト、契約社員・嘱託、派遣社員など）の合計は 711 万人だったが、1997 年には 1152 万人、2007 年には 1732 万人、2017 年には 2100 万人に達し（総務省「労働力調査」）、全労働者の 3 割を優に超えるまでになった。これは労働者派遣法など労働分野の規制緩和と併せて、バブル崩壊以降の長期低迷のなかで雇用者側が正社員の採用を抑制してきた結果でもある。とりわけパートタイム労働者の約 7 割が女性であることから、1990 年後半以

降増加した女性就業者数[9]に非正規雇用が圧倒的に多いのは事実だが、男性の非正規雇用者も着実に増加している。

そして正規と非正規の雇用形態の違いは、収入の格差に直結する。非正規雇用者の賃金は、正規のそれとくらべて66％（厚生労働省「賃金構造基本統計調査」2018年度）程度にすぎないため、非正規の年数が長くなるほど所得格差が開いていく。

このように、格差拡大によって就労している現役世代であっても低所得状態にある人々が増加し、その傾向が続くことはさまざまな福祉的課題を惹起する可能性を孕んでいる。たとえば、所得格差が国民の健康にまで影響を及ぼすという意味で「健康格差」を招いているという調査結果もある（NHKスペシャル取材班2017）。「健康格差」を放置すれば結果的に医療費や介護費用の増大を招き、社会保障制度全体の基盤を揺るがすことになり得るため、看過できない問題である。

（5）生活困窮者の増加と高齢化の影響

格差拡大とともに、この間の日本社会に顕在化してきたのが、生活に困窮し貧困に陥る人々の姿である。

まず、どのくらいの人が相対的に貧困状態にあるかをみる上では、「相対的貧困率」の考え方がある。厚生労働省「国民生活基礎調査」（2015年）によれば「相対的貧困率」は15.7％となっており、主要7カ国（G7）のなかで2番目に高い比率となっている。相対的貧困率とは、「貧困線」（所得中央値の50％）を下回る所得しか得ていない者の割合のことであるから[10]、一般の人の平均的な所得の半分未満の収入しかないとなると、いかに厳しい状態にあるかは想像に難くない。ただし、これには特徴があり、年齢別にみれば、10代から20代前半の子ども・若者と70代以上の高齢者の層に高い貧困率が現れている。

また世帯構造別にみれば、「ひとり親と未婚子のみ」と「単独世帯」が突出して高いことから、母子・父子家庭の子ども、および単身生活の高齢者のところが相対的貧困率を押し上げる大きな要因となっていることがわかる。とりわけひとり親世帯の相対的貧困率は長年50％を超える高い水準が続いており（『厚生労働白書』2017年版）、実態としては子どもを抱えた状態で働きに出る母親が上述のような非正規雇用にしか就けないケースが多く、母子家庭の貧困率が高くなる傾

向がある。また、高齢世帯における貧困は、新たな稼得収入を望みにくいことから、
次に述べる生活保護につながりやすい。

　実際に、国が定める「最低生活費」（年齢や居住地域によって異なる）の基準
を下回る収入しかない人々に「最低限度の生活」の維持を保障し、自立に向けた
生活の援助を行う制度として生活保護制度がある。生活保護は特別区を含むすべ
ての市と福祉事務所を設置する町村が実施するもので、財源は国が4分の3、地
方自治体が4分の1の負担により成り立っている。

図 7-5　世帯類型別の保護世帯数の推移（全国）

（単位：万世帯）

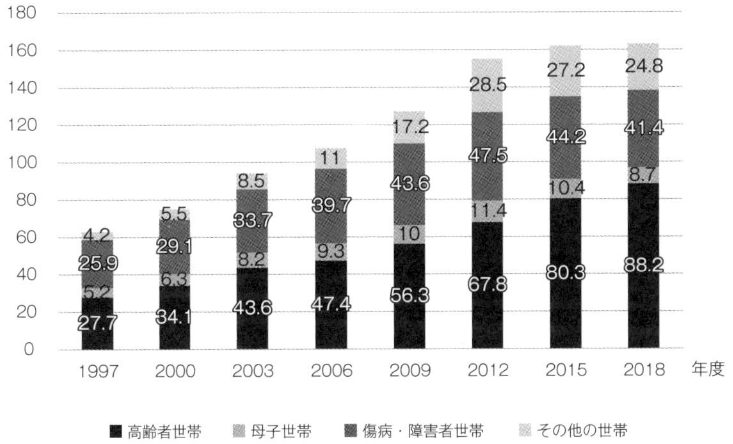

注：世帯数は各年度の1か月平均（保護停止中の世帯を除く）。
出所：厚生労働省『被保護者調査　月次調査』より筆者作成。

　図 7-5 は 1990 年代後半からの推移を示したものであるが、保護世帯数は戦後
最高の水準で高止まりしている。その大きな特徴は、被保護世帯のうちおよそ半
数は高齢者世帯が占めており、その実数も年々拡大の一途であること、さらに従
来の3類型以外で、失業や就労困難などによって貧困に陥った「その他の世帯」
が 2000 年代に入ってから著しい伸びを示していることである。とりわけ 2008 年
9 月の「リーマン・ショック」に端を発した世界金融危機以降、急激に実数も増
加している。

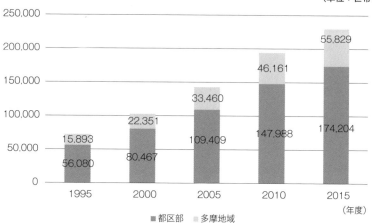

図 7-6　被保護世帯数の推移（東京都）

（単位：世帯）

■ 都区部　■ 多摩地域

（年度）

出所：東京都福祉保健局『福祉・衛生行政統計（年報）』各年度版より筆者作成。

　あらためて東京都レベルで生活保護の状況をみていくと、受給世帯数の伸びは全国と同様の傾向がみられるとともに、実数としても1995年からの20年間で約3倍に増加していることがわかる（**図7-6**）。それにともない東京都の被保護世帯全体に占める高齢者世帯の比率は、1995年度の38.2％から2015年度の49.9％まで上昇している。この数字からしても、高齢化の急激な進展とともに貧困に陥る高齢者も増え、生活保護の増加につながっていることが読み取れる。同時に、高齢者世帯の生活保護受給者のうち約9割が単身生活者であることから[11]、上述の相対的貧困率のデータとも重なり合うところである。

　さらに、自治体レベルでみていくと、人口1000人あたりの受給者の人数を示す「保護率」が高いのはいわゆる東京「下町」あるいは「東部」の区のように比較的高齢者の多く住む地域であり、都区部の上位5区とくらべれば、多摩地域はまだ少なくはみえる（**表7-1**）。しかしながら、増加のペースが上がる2005年度以降の10年間で伸び率をみると、2005年度を100としたときの指数は、都区部の159.2に対して多摩地域の市部は166.9、郡部は160.3となっており（東京都福祉保健局『福祉・衛生行政統計（年報）』各年度版）、都区部で突出して保護率の高い区はあるものの、全体としては多摩地域のほうが増加のペースは速い。その

表 7-1　保護率の高い上位 5 自治体（2019 年）

（単位：‰）

都区部	台東区	39.7
	足立区	35.8
	板橋区	31.1
	葛飾区	30.0
	江戸川区	29.3
多摩地域	清瀬市	29.0
	立川市	27.5
	武蔵村山市	24.0
	瑞穂町	23.5
	東大和市	22.7

出所：東京都福祉保健局『福祉・衛生行政統計（年報）』より筆者作成。

要因は、**図 7-1** でみたように、多摩地域の高齢化が都区部を抜いて加速度的に進む状況が反映していると考えられることから、今後も生活保護を必要とする高齢者世帯が都区部を上回るペースで増加する可能性がある。急激な高齢化と格差拡大は、「最後のセーフティネット」といわれる生活保護制度の需要を大幅に高めているのである[12]。

2.　地方分権に向けた改革と自治体間格差

（1）地方分権改革と社会福祉の構造改革

　前節までバブル崩壊以降約 30 年間の大きな日本社会の変化と福祉ニーズ拡大の要因を述べてきたが、あらためてこの間に実行された福祉における「構造改革」を概観しておきたい。

　まず、いわゆる地方分権改革が一気に進行したのがこの 30 年であろう。地方分権一括法が 2000 年に施行されて、国から地方へ多くの権限や財源の移行が進められた。さらに地域密着型の住民サービスを進めるため、都道府県から市町村（特別区を含む。以下同じ）に権限が移されたものも少なくない。

　じつはそれ以前に福祉施策に関しては、1990 年、中長期的な視点から社会福祉

全般の見直しが行われ、高齢者介護などにおける市町村の役割重視の方向へと舵を切るための「老人福祉法等の一部を改正する法律」（社会福祉 8 法改正）という一大改革が行われた（1993 年 4 月に全面施行）。これによって、①老人福祉施設などへの入所決定の事務（措置権）の都道府県から市町村への委譲、および施設福祉と在宅福祉を市町村において一元的に運営実施する体制の整備、②在宅福祉サービス（ホームヘルプサービス、ショートステイ、デイサービス）の法定化、③老人保健福祉計画の策定、などの法改正がなされ、地方公共団体の担う福祉の事務は大きく再編されることとなった。

その結果、「地方公共団体は、住民の福祉の増進を図ることを基本として、地域における行政を自主的かつ総合的に実施する役割を広く担うものとする。」（地方自治法第 1 条の 2）とされてきた広義の意味での「福祉の増進」のみならず、狭義の意味での各種の福祉施策を自ら具体的に計画・運営していく担い手として、市町村の役割は根本的に変化したのである。

こうした流れは加速し、1990 年代末には行政が行政処分により福祉サービスの内容を決定していた措置制度の廃止などを含む「社会福祉基礎構造改革」（中央社会福祉審議会 1998）がまとめられ、「かつてのような限られた者の保護・救済にとどまらず、国民全体を対象」とし、「利用者の立場に立った社会福祉制度」への一大転換が図られ、2000 年 6 月の社会福祉事業法等の 8 法改正へとつながっている。これによって市町村には、地域福祉計画の策定、知的障害者福祉などに関する事務が委譲されるとともに、市町村社会福祉協議会や民生委員・児童委員などと連携して地域福祉の推進が期待されることになった。

さらに、同じく 2000 年の 4 月には、従来の措置制度ではなく利用・契約制度を前提とした介護保険制度が開始され、利用可能性のある対象者は格段に広がった。ここでも市町村は、介護保険事業計画の作成、保険料の徴収、要介護認定実務などの役割を担う中心的存在として位置づけられている。

加えて 2017 年 5 月の介護保険法改正（翌年 4 月施行）では、高齢者の自立支援・介護状態の重度化防止のために「保険者機能の強化」が掲げられ、保険者（市町村）が地域の実態や課題を分析して高齢者一人ひとりに必要な自立支援や重度化防止のための施策を講じることが求められるようになった。つまり、国が介護給付の対象から外した要介護度の低い（要支援 1・2）高齢者に対して、全市町村が独自

に創意工夫しながら「介護予防・日常生活支援総合事業」（地域支援事業のひとつ。介護予防のための訪問型・通所型サービスや生活支援など）に取り組まなければならないなど、各自治体に大きな責任が課されたかたちである。

　今後、地域の実情に合わせた「地域包括ケアシステムの深化」が求められており、地域全体で高齢者の生活支援のコーディネートも担う地域包括支援センターの設置主体である市町村には、それを実現する体制の構築が求められる。

(2)　福祉ニーズの急激な拡大と自治体の財源問題

　以上のような構造改革は、前述の人口構造の変化と福祉ニーズの拡大によって必然的に増大する福祉ニーズに対応するため、貧困・低所得階層だけでなく一般所得階層まで対象を広げること、そしてサービス供給のしくみを変え、「需要管理」も含めて運営実務の前面に市町村を据える一大転換をもたらした。

　実際、サービス利用者は一気に拡大し、たとえば介護保険制度でいえば、東京都において2000年4月の制度発足時に約11万人だった利用者は2017年4月には約49万人に、給付額は約2529億円から約8156億円まで増加し、さらに「団塊の世代」が後期高齢者（75歳以上）になる2025年度には約1兆1948億円まで増加することが予想されている（東京都福祉保健局2018）。

　こうしたなかで、各市町村には増え続ける福祉需要に対応した計画づくりや制度の運用が求められる一方、財政負担ものしかかってくるため、財政力の差が提供される福祉水準に影響を与えることは避けられない。たとえば、先の介護保険制度の基本的な財政構造は、第1号・2号被保険者の保険料50％と公費50％（国25％、都道府県および区市町村がそれぞれ12.5％）で成り立っているため、給付額の増加は否応なく自治体財政の負担にも跳ね返ってくる[13]。今後も伸び続ける高齢者率と要介護者の増加は、自治体財政を圧迫する要因になる。

　以下の**図7-7**は都内自治体の普通会計決算における歳出の目的別内訳を示したものであるが、福祉サービスの支出は「民生費」に該当し、その割合は特別区も市町村も同様に全支出の約半分を占める最大の支出項目であることがわかる。

　当然ながらここで懸念されるのは、自治体（特別区を含む市町村）が運営・実施する社会福祉サービスの水準や内容において、自治体間の格差が生じることである。ただ、じつはこの懸念は2000年代になって始まったわけではなく、1990

図 7-7　東京都区市町村における歳出の主な目的別内訳（2019 年度）

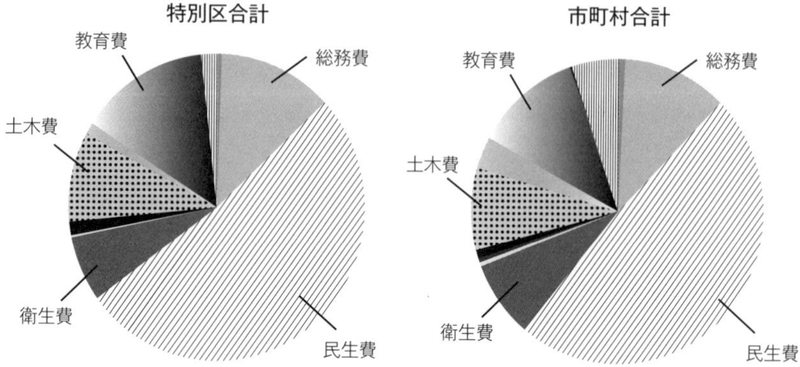

出所：東京都総務局「東京都区市町村の財政情報について」2019 年度データより筆者作成。

年社会福祉8法改正に至る段階からすでに指摘されていたことである。すなわち、市町村が在宅福祉サービスを実施することになったとしても、法制度上、国や都道府県の費用補助は不確定な任意補助となっており、国の裁量によるところが大きく、「財政力の小さな市町村や十分に福祉行政への合意がない市町村では、在宅福祉サービスの未整備や福祉施設への入所措置の抑制という問題が生じてくるおそれがある」（岡崎 1991：73）。

　さらにそれに先立つ 1980 年代の「臨調行革」路線の改革によって、1985 年からは福祉関係の国庫負担率削減が断行され、老人福祉費に占める国庫支出金の比率低下が明瞭となり、市町村は増大した福祉需要の大半を一般財源から対応せざるを得なかったことが明らかになっている（武田 2006：157-159）[14]。これは国庫支出金削減分の住民への負担転嫁ともいえる[15]。つまり、すでに 1980 年代後半の段階で、財政力の差によって老人福祉行政の展開に市町村格差が生じつつあったことが確認される（武田 2006：161）。そのため、2000 年代からの市町村を前面に据えた福祉サービスの展開は、自治体間格差を一層顕在化させることになった。

（3）「多摩格差」と「多摩内格差」

　①東京都政と「多摩格差」

　さて、自治体間格差を問題にする前に、東京都政では 1960 年代から都区部と多

摩地域という大括りで存在する地域格差を「多摩格差」または「三多摩格差」[16]という言葉でいい表してきた。それは何を指しているのか。

ひとつ参考になるのは、東京都が1975年、都市町村協議会において「三多摩格差8課題」を設定し、都と市町村が協力し、「格差解消」に向けて取り組むとした方針であろう。そこで挙げられたのは、義務教育施設、公共下水道、保健所、病院及び診療所、道路、図書館・市民集会施設、国民健康保険料、保育料であり、全体としていえば社会インフラの側面が大きかったといえる。この時点では、たしかに前述のように1960年代後半から開発とともに急激に人口増加が進んだために生活基盤の整備がなかなか追いつかなかった経緯があり、「多摩格差」は明確に意識されていたに違いない。それ以降90年代に至るまで、東京都は毎年「三多摩格差8課題の現状」という一覧表をまとめて、小中学校の体育館保有率、病院、図書館、保健所の数、下水道普及率、保育料などの8つの指標について、都区部との比較を行っている。

しかし2000年の段階で東京都は、インフラ整備という面でいえば、その格差はかなりの部分で「解消され」、その後は「区部と多摩の格差是正という画一的な対応ではなく、多摩の地域特性や課題を踏まえた振興策を講じていく方向に転換した」と述べている（東京都総務局2017b）。その認識の下に東京都は、『多摩の将来像2001』（東京都総務局、2001年発表）において、「自立と連携」によって各自治体の「個性と独自性」を伸ばした発展を目指すとして、それまで多摩地域全体の振興を図ってきた姿勢を転換するような記述を行っている。

本当に都区部と多摩地域の地域格差は解消されたのだろうか。

②自治体間の財政力相違の実態

格差を論じる上で、各自治体の財政力の差も大事なポイントである。そこでまず、地方交付税の交付状況からみておこう。

大前提として、地方交付税の算定の基礎になる基準財政収入額と基準財政需要額において、都と特別区は全体としてひとつの団体としてみなされているため、両者の合算で考えると財源超過となる。それゆえ、都区部は地方交付税制度が始まって以来ずっと直接的な交付対象団体となっていない。ただし、都区部のなかでも税源の偏在があり、各特別区が自主的かつ計画的に行政運営できるよう財源配分と特別区相互の間の財源調整をするため、地方交付税制度の東京版ともい

える「都区財政調整交付金制度」がある（醍醐ほか 2011）。

　一方、多摩地域を含む市町村においては、都内全市町村 39 団体のうち、29 団体（17 市 12 町村）に地方交付税が交付されている。ここ数年来多摩地域で不交付団体となっているのは、武蔵野市、三鷹市、調布市、小金井市、府中市、国分寺市、国立市、多摩市、瑞穂町の 10 団体のみであり、主に都区部に近い多摩東部エリアに集中している。

　ちなみに、地方交付税の不交付団体になる基準は、地方公共団体の財政力を示す指数である「財政力指数」が 1 を超えるかどうかが目安になる。財政力指数は下記の算式で得た数値の過去 3 年間の平均値で出される。1 を超えれば不交付団体になるが、1 を超えなくとも 1 に近い団体であれば、財源に余裕があるとされ、国が各種財政援助措置を行う場合の判断指数にも使われる。また、都区部における都区財政調整交付金も財政力指数が高い区には少なく、財政力が弱い区には多く交付され、その依存率はほぼ財政力指数に比例する。

$$\text{財政力指数} \ = \ \frac{\text{基準財政収入額}}{\text{基準財政需要額}}$$

　まずは東京都全体でいえば、都道府県のなかでその財政力指数は突出して高いことを認識しておかなければならない（都道府県全体の 3 か年度平均は 0.522）。他の道府県とくらべても、東京都の財政はきわめて健全な状況にあり（**表 7-2**）、非常に恵まれているのが事実である。

　続いて**表 7-3** は、財政力指数を多摩地域、都区部それぞれ上位から並べたものである。ここからわかるように、多摩地域は不交付団体を中心に 1 を超える比較的裕福な自治体が上位に名を連ねている。ただし同じ多摩地域内といえども、市部の平均が 1.002 である一方、郡部（町村）の平均は 0.703 と格差がみられるように（2019 年度）、都区部に隣接する主に多摩東部エリアの不交付団体と、それ以西の自治体との数値の差がかなり際立っており、自治体間の格差が確認できる。不交付団体では、歳入項目のうち主に地方税収入の割合が他の自治体よりも比較的高いのが特徴であり（武蔵野市 58.4 ％、府中市 50.0 ％、調布市 50.4 ％、三鷹市 52.7 ％、立川市 50.5 ％など）、市内の事業所の数などが影響を与えていると考えられる。

表 7-2　都道府県の財政力指数ランキング

順位	都道府県	財政力指数
1	東京都	1.177
2	愛知県	0.920
3	神奈川県	0.896
4	大阪府	0.792
⋮	～	
44	秋田県	0.353
45	鳥取県	0.282
46	高知県	0.272
47	島根県	0.272

注：数値は 2017-2019 年の 3 か年度平均。
出所：総務省「令和元年度都道府県財政指数表」より筆者作成。

表 7-3　多摩地域と都区部における財政力指数ランキング

順位	多摩地域	財政力指数	都区部	財政力指数
1	武蔵野市	1.515	港区	1.27
2	府中市	1.213	渋谷区	0.96
3	調布市	1.181	千代田区	0.89
4	三鷹市	1.171	目黒区	0.75
5	立川市	1.166	世田谷区	0.71
6	多摩市	1.139	中央区	0.66
7	小金井市	1.035	新宿区	0.66
8	国分寺市	1.031	文京区	0.65
9	瑞穂町	1.023	杉並区	0.61
10	国立市	1.012	品川区	0.55
⋮	～		～	
最低	檜原村	0.163	荒川区、葛飾区	0.34

注：数値は 2019 年度データ（多摩地域は 2017-2019 年の 3 か年度平均。ただし特別区は単年度、小数点以下 2 桁まで）。
出所：東京市町村自治調査会「市町村財政力分析指標」2021 年 3 月、東京都総務局「令和元年度東京都特別区普通会計決算の状況」より筆者作成。

いずれにしても、このように都区部と並べてみると、意外にも「多摩格差」がいわれ続けてきた多摩地域は、都区部よりも裕福な自治体が多いようにみえる。だが、財政力指数だけで行政サービスが充実しているかが必ずしも判断できるわけではない。

　財政構造の弾力性を示す指標である経常収支比率でみると、多摩地域の市部は平均92.1％、郡部は91.1％と、財政の硬直化が相当程度進んでいる一方、都区部は平均79.2％とまだゆとりがある（いずれも2019年度。最も財政力のある武蔵野市でさえ84.3％）。一般に70-80％が理想とされる経常収支比率において90％を超えているのは、人件費や扶助費など毎年度恒常的に支出される経常的経費に一般財源が充当される割合が極めて高い状況を示しており、社会の変化に対応して経費を伸縮したり、新たな事業を行ったりする弾力性が乏しい（＝余裕がない）ということである。国立市（100.2％）、羽村市（102.6％）のように財政力指数が比較的高い自治体でも経常収支比率が100％を超えているのは、予算編成上危機的状況を示している（東京都総務局「令和元年度市町村決算状況調査結果」）。

　このように、現状でも多摩地域の各自治体は財政の硬直化が相当程度進行している上に、都区部をさらに超えるペースで高齢化が進行している事情に鑑みれば、ますます福祉関係予算（民生費）の膨張は避けられず、少なくとも現状のサービス水準を向上させる取り組みは容易ではない。

　③「多摩格差」の現在と自治体間格差

　以上のことからすると、長らく通説となってきた都区部との「多摩格差」は、現在においては（財政の硬直化という問題はあるものの）自治体財政の上からはあまりみえてこないのではないか。そもそも「多摩格差」の定義は必ずしも明確ではなく、評価軸もあいまいであった側面は否めないため、何をもって格差の解消とするか一概にはいえない。

　ただし、都区部では下水道事業が都直営になっていて特別区財政における下水道起債残高はゼロであったり（醍醐ほか2011：243）、通常は市が行う上下水道や消防事業が都直営で行われるなど、もともと多くの事務権限が東京都の直轄になっていた名残りもあり、都区部と多摩地域の自治体間では財政構造上、厳然とした相違がある。「地方自治法」（2000年）で特別区が「基礎的な地方公共団体」と明記されて以降も、上記の名残が一般の市町村と事務分担が異なる側面を温存

しており、都区財政調整交付金制度による需要算定の措置や、予算の使い途という点で多摩地域市町村との相違あるいは格差を生む可能性があることは否定できない。

　実際、近年の東京都議会でも「多摩格差」をテーマに質疑が行われており、都区部にくらべて多摩地域の小児医療（小児科の病院・診療所の数）や保健所の不足、子どもの医療費助成、中学校の完全給食が立ち後れていることなどの指摘がなされている[17]。その意味での「多摩格差」はやはり実在しており、都の財政調整の不足を示唆している。

　そうしたなかで今後、とりわけ論点になるのは、各自治体間の格差をどうみるかということであろう。もちろん計画経済社会ではないので、福祉にとくに力を入れる自治体もあればそこまでの合意がとれない自治体もあるのは当然である。だが、自治体自身も住民から「選ばれる」対象であることを意識して「住みやすさ」のアピールや周辺自治体との差別化を図るなど、「自治体間競争」の渦中でシティセールスに傾注している今日である（牧瀬ほか編 2010）。

　前述の市町村を前面に据えた社会福祉の構造改革がさらにその流れを助長し、自治体の提供する福祉サービスの水準に否応なくばらつきを生じさせる状況を生みだしている。東京都も石原都政（1999-2012 年）期に、国の 2000 年社会福祉 8 法改正施行に先立って、「選択」「競い合い」「地域」をキーワードにして、「競争の全くない、『閉ざされた』従前の福祉のあり様ではなく、競争を通じて」サービス向上を実現するという、「市場」を通じたサービス提供と「身近な区市町村中心のシステム」へ舵を切る方針を「福祉改革プラン」として打ち出している（東京福祉問題研究会編 2002：252-258）。

　しかしながら、それら自治体間の格差はどこまで許容されるべきなのか。従前から地域間や自治体間の格差は多少なりともあったのは事実であり、すでに「三多摩格差」（当時）が明確に行政課題に位置づけられた 1965 年頃には、実質的な自治体間の格差（「三多摩『内』格差」）も出現していたと指摘されている（神長 2009：134）。その意味では自治体間格差は根深い問題であるが、シティセールスが求められている今日の状況を考えれば、古くて新しい課題だといわざるを得ない。

　次節では、急激な少子高齢化による行き詰まりの実情を踏まえ、「自治体間競争」

の結果生じている福祉サービスの格差を今後どのように捉え、是正を図るべきか考えておきたい。

3.「自治体間競争」の時代における福祉サービスの今後

(1)「自治体間競争」とその隘路

　国家の福祉政策の対象がより普遍化し、誰もがその福祉サービスを利用しうる今日、福祉サービスの水準・内容にも関心が高まっている。それはとりもなおさず、福祉サービス提供の前面に立たされる各自治体による提供のあり方が問われることでもある。少子高齢化に象徴されるように、すでに日本は 2008 年の 1 億 2808 万人をピークに人口減少局面に入っており、国立社会保障・人口問題研究所の推計でも 2060 年には 8600 万人台まで減少することが見込まれている。いい換えるならば、減少していく人口を各自治体が「奪い合う」、「自治体間競争」の時代に突入したということもできる（牧瀬ほか編 2010）。

　そうした競争の下では、住民が考える都市の魅力や「住みやすさ」という指標において、各自治体が提供する福祉サービスの水準も重要な要素のひとつとなっている。人口減少局面においては、その意味において自治体は「選ばれる」立場となっているのである。もし多くの住民が利用する基本的福祉サービスの水準・内容において近隣の自治体との格差があれば、当然ながら住民からの風あたりは強くなる。そのため、各自治体はたとえ財政硬直化を招いても、厳しい財政状況のなかで福祉関係予算（民生費）の確保に奔走せざるを得ない状況に追い込まれている。しかし各自治体にはそもそもの財政力の違いがあるにもかかわらず、同水準のサービスを求められるのであれば、かなりの無理があることは想像に難くない。

　たしかに、2 節で述べた「多摩格差」がいわれ続けた背景には、遅発で都市化の始まった多摩地域におけるインフラ整備の遅れだけがあったわけではない。たとえば、乳幼児を抱えるすべての家庭が関心を持ちうる乳幼児医療費助成事業でいえば、都区部ではすべての区が東京都の基準よりも上乗せの独自助成をして枠を拡充しているにもかかわらず、多摩地域の自治体では助成範囲が限られていたために「23 区は手厚い助成があるのにくらべ、多摩地区は薄い」という「多摩格

差」を指摘する声は、以前から少なからずあった（「毎日新聞」2000年6月6日付）。

　もっともその後、多摩地域の自治体もそのような住民目線を意識して予算確保に動き、徐々に改善は図られており、東京都以外の自治体とくらべれば、遜色ないレベルに福祉サービスの水準を高めてきている。現状、子どもの医療費に関していえば、都区部はすべての区で乳幼児期から義務教育（中学校）が終了する15歳（15歳になる年度末）まで医療費自己負担が無料ということで、きわめて高水準ではある（千代田区や北区などでは18歳まで無料）。一方、多摩地域の自治体では、少しずつ無料となる上限年齢を上げる努力をしているようだが、15歳のレベルを実現しているのは、武蔵野市や三鷹市など不交付団体を中心に一部自治体に留まっており、その多くが所得制限を設けている。

　なお急いで付け加えれば、たしかに東京都以外の自治体でも、東京都に隣接する埼玉県の一部自治体（川口市、戸田市、和光市、新座市、朝霞市、三郷市など）のような地域では、自治体戦略として、都区部自治体の福祉サービス水準に追随して同様の15歳までの医療費助成を実施し、「自治体間競争」で名乗りを上げているところもある（新座市と朝霞市は18歳まで助成拡大）。住民に「選ばれる」立場として、「住みやすさ」を高める努力の一環だと理解できる。とくに少子化の進む今日、子どもの成長に対する親の関心はかつてなく高まっており、子どもの医療費助成は住民感情には響く側面があるだろう。

　ただ、小学校入学前の幼少期に一過性の病気で頻繁に子どもを病院に連れて行くことはあっても、成長していくにつれて徐々に収まっていき、よほど病気がちでなければ成長期の子どもが頻繁に病院に通うことはあまり想定できない。その意味では、助成があれば「安心」ではあるが、その恩恵を受ける機会は少ないと考えれば、子どもの医療費助成の上限はあくまで「自治体間競争」の目先の部分だともいえる[18]。

　筆者としてより本質的だと思うのは、昨今のコロナウイルス対策も含めて重要な役割を果たす保健所でいえば、都区部は1区につき1保健所がありながら、多摩地域は30市町村全体で7つしかない[19]、といった目先のサービスからはみえにくい事実である。これは市町村の責任とはいえないが、東京都が今なお生みだしている「多摩格差」の一例ではある。

　いずれにしても、「自治体間競争」にともなって自治体の「福祉国家化」といっ

てもよいほど自治体予算における福祉部門の比率が年々増大し、福祉サービスが充実することは住民にとっては喜ばしいことであるが、それが目先の「競争」になって本質的なことが見逃されていないか、もはやパイの拡大が容易に望めない予算のなかで他の分野にしわ寄せがいっていないか、などの注視が必要であろう。

(2) さらに進展する高齢化と対応の限界

他方で、社会構造的に急激に進行する高齢化については、「自治体間競争」にも限界がある。自治体の福祉予算の増大が福祉サービスの充実に必ずしも直結しないのが高齢者福祉である。なぜなら、高齢者の医療・保健・福祉にかかわる各種制度によって義務的経費として削ることができず、かつ年々高齢化にともなって受給者が増大していく傾向があるため、サービス水準を維持するだけでも厳しい財政圧迫があるからである。その典型を高齢者介護に対する福祉政策の大黒柱である介護保険制度からみておこう。

介護保険の第 1 号被保険者（65 歳以上）の保険料は、それぞれの区市町村が 3 年ごとに策定する介護保険事業計画に基づき決定されている。第 7 期（2018-2020 年度）の都内区市町村の保険料平均は月額 5910 円（第 6 期と比較して 6.7 ％増）であるが、各自治体レベルでみるとバラバラであり、多摩地域内では最大で月 1500 円強の差が生じている（**表 7-4**）。

介護保険制度は、公費と保険料の折半によって財源が調達される関係から、制度の利用が増えれば増えるほど、必然的に保険料の上昇にも跳ね返ってくることになる。それゆえ、要介護状態の高齢者が多い地域や、比較的費用の掛かる特別養護老人ホームなどの介護施設が多数存在するような場合に、保険料も高くなる傾向がある。**表 7-4** のようにくらべると、都区部において保険料が高い自治体が目立つ。都区部は、多摩地域よりも平均世帯人員が少なく（**図 7-4** 参照）、高齢化率の高い区を中心に高齢者の単身世帯も多いことから、サービス利用者が多くなる傾向がある。

実際に介護保険サービスを利用するときの自己負担額は、いわば「公定価格」で全国一律である一方、制度を利用する・しないにかかわらず、毎月の介護保険料は納付しなければならない。高齢者であれば、毎月の年金給付額からあらかじめ保険料が「天引き」されるしくみである。上記のように、住んでいる自治体によっ

表 7-4　介護保険第 1 号被保険者の月額保険料（第 7 期）ランキング

順位	都区部	基準月額保険料	多摩地域	基準月額保険料
1	足立区	6,580 円	西東京市	6,367 円
2	墨田区	6,480 円	檜原村、奥多摩町	6,300 円
3	練馬区	6,470 円	武蔵野市	6,240 円
4	世田谷区	6,450 円	昭島市	6,050 円
5	葛飾区	6,400 円	国立市	6,025 円
⋮	〜		〜	
最安	千代田区	5,300 円	羽村市	4,800 円

（出所）東京都福祉保健局報道発表資料<https://www.metro.tokyo.lg.jp/tosei/hodohappyo/press/2018/03/30/17.htm>（2021 年 5 月 25 日閲覧）より筆者作成。

て利用の状況が異なるため、毎月支払うべき保険料に（多摩地域の場合）年間最大 1 万 8000 円以上の差が生じていることになる[20]。

　なお、後期高齢者の要介護認定率はそれ以下の年代とくらべても急上昇することから、団塊の世代が後期高齢者の年齢に達する 2025 年度には、月額保険料の平均が 8303 円になることが見込まれている（東京都福祉保健局 2018：59）。そうなれば、格差以前にそもそも負担の限界に達する危険がある。そうした端緒はすでに現れており、現在の額でも毎月の保険料支払いが滞り、年金などの資産を差し押さえられる高齢者が全国で年間約 2 万人に達しているという（「朝日新聞」2020 年 11 月 30 日付）[21]。支払い能力を超えた保険料の滞納によって介護サービスが受けにくい状況になれば、高齢者の自立生活をサポートする制度の機能が弱まり、介護度の悪化を招く危険もある。

　巨大な人口規模を擁する団塊の世代が一斉に後期高齢者になる 2025 年に向けて、地域の実情に応じて制度をマネジメントしていく立場の保険者＝区市町村にとっては、住民の保険料負担の水準をどうするか、難題が突きつけられている。

　また、じつは保険料以前に、介護保険制度の需要の増大が明らかである一方、供給の面からみると、介護サービスを提供する側の人材の確保自体も難題として存在する。東京都福祉保健局（2018）においても、2025 年度には都内における介

護職員の数が約3万5000人不足することが見込まれており、東京都はもとより国の側でもさまざまな介護人材の確保策を講じているが、にわかに状況を改善するのは難しい。2019年度の全国の介護関連職種の有効求人倍率は4.20倍（全職業の合計は1.45）と「人手不足」が鮮明になっているなかで、東京都のそれは7.15倍もの高倍率に達しており、介護人材の確保がきわめて厳しい状況にあることがわかる（東京都介護人材総合対策検討委員会2020）。

ただし、上記の傾向は都区部において著しい。2019年12月時点の数値でみれば、多摩地域の介護関連職種（一般常用雇用）の求人倍率が2.56倍に対して、都区部のそれは9.41倍となっており、都区部での「人手不足」が全体の数値を押し上げている格好である（東京労働局職業安定部「職種別有効求人・求職状況（一般常用）」2019年12月）。しかもパート職員に限れば、その倍率は都区部14.74倍、多摩地域4.19倍に跳ね上がる（同上「職業別有効求人・求職状況（常用的パート）」2019年12月）。すでに高齢者の単身世帯が多い都区部の状況を考えれば、今後介護需要とサービス供給との深刻な乖離が予想されるといわざるを得ない。

この点の深刻度でいえば、多摩地域は全国平均とくらべてもまだ落ち着きがあり、介護をめぐる「住みやすさ」という面では優れている。いずれにしても、高齢者の介護ニーズに対する福祉政策はもはや「自治体間競争」の限界を超えつつあるといってよいだろう。

（3）小括　－自治体間格差と福祉政策のこれから－

これまで本章では、過去30年余りの社会構造の変容と、それに対応した福祉政策の変遷を考えてきた。最大のインパクトはいうまでもなく巨大な規模で進行する高齢化（少子高齢化）であるが、1節で述べたように高齢者問題以外にも、雇用環境の変貌による貧富の格差拡大や生活保護世帯の増大、ひとり親世帯（とりわけ母子家庭）の貧困率の高さなど、露わになった福祉的課題は山積しており、抜本的な対処が求められる。それにもかかわらず、高齢化への対応は年々自治体財政に圧迫をもたらすため、各自治体の民生費比率は拡大するも「焼け石に水」状態といっても過言ではない。結果的に財政の硬直化は、各自治体の新たな福祉的課題への対処の手足を縛ることにもつながる。

そのようななかで各自治体は、同時に「住みやすさ」をめぐって住民に「選ば

れる」立場からの「自治体間競争」の渦中に置かれ、両面から厳しい圧力に挟まれて、いわば苦悩状態にある。このままこの流れを続けていいのだろうか。

　1990年代以降一層拡大した自治体間格差は、もはや許容限度を超えてしまっており、「勝ち組」・「負け組」自治体のような対立を煽りかねない流れは、人心を荒廃させ治安の悪化につながり、国の存立すら危うくするという指摘もされている（田村 2007）。そもそも先の「自治体間競争」は、住民の意識だけがもたらしているわけではなく、2節で述べたように国の福祉政策の構造改革が各自治体を福祉サービス提供の前面に立たせる流れをつくり、東京都も「福祉改革プラン」で自治体同士の「競争」を通じて「サービス向上」を目指すとしてその流れに棹さすなど、官民一体となって圧力をかけ続けてきた結果である。自治体同士の「競争」を必ずしも否定する必要はないが、行き過ぎた「競争」は、「勝ち組」「負け組」といわれかねない自治体間格差と、歪な社会資源の偏在をもたらす可能性があることは危惧すべきである。

　端緒的には、すでに行き過ぎた「競争」を止揚する動きもある。1961年にすべての区市町村に運営が義務づけられた国民健康保険（国保）は、制度発足当初は農家など自営業者を想定していたものの、今では所得の低い非正規雇用の労働者や無職者、年金生活者などが加入者のほとんどを占めて財政が悪化しており、各自治体は一般会計からの繰り入れで補わざるを得ない状況に陥っている。そうなると財政力の差から各自治体で補填できる額に違いが生じるのは自明であり、住民が毎月支払う保険料である国保料（国保税）の自治体間格差は開くばかりであった。とはいえ、もともと所得の低い加入者が多い実情から、国保料の値上げは容易ではないし、値上げすれば加入者の生活を直撃するだけでなく、負担の限界から加入者が「不払い」（無保険状態）となって収納率が下がれば、さらに自治体財政の圧迫となる。

　これらの実情に鑑み、2015年5月には「持続可能な医療保険制度を構築するための国民健康保険法等の一部を改正する法律」が成立し、2018年度からは国保の安定的かつ効率的な事業運営のために都道府県が中心的な役割を担う方向への改革がなされている[22]。これにより、区市町村における国保料の差がどこまで縮まるかは未知数だが、本来は同じ都道府県内の国保料の統一を目指すべきだと考える。

　このように、あらためてナショナルミニマムの観点にも立ち返り、過度な「競争」

は抑制しながら、それぞれの自治体が創意工夫で住民の「住みやすさ」を追求できる健全な「競争」環境の構築が不可欠であろう。最後に、高齢化に関しても、本章では触れられなかったが、多摩ニュータウンをはじめとした団地地区などの内部で進行している「限界集落化」（人口の半分が高齢者）への対処、コミュニティ再生など、多摩地域にはミクロなレベルでさらに深く追究していくべき要素がまだまだある。多摩地域には「日本の縮図」というべき課題が詰まっている。

注

---

[1] 小池百合子都知事（現在2期目）は、最初の知事選（2016年7月）で掲げた公約のなかで、6項目において政策実現度の検証がしやすい数値目標の「ゼロ」を盛り込んだ。「待機児童ゼロ」などと併せて掲げられたのが「多摩格差ゼロ」であった（『朝日新聞』2017年8月30日付）。ただし、その後の都知事の都議会での答弁をみると、再選に至るまでの1期4年間に、「多摩格差」に都知事自身が都議会答弁で言及したのは合計9回にとどまっている（『毎日新聞』2020年6月17日付）。

[2] 神長（2009）は、都区部と後発的な生い立ちの多摩地域の市町村との間に存在する社会経済的基盤上の格差、およびその多摩地域内における格差の二重構造を、とりわけ一般廃棄物問題において看取している。

[3] この点では、多摩地域に郊外移転をしていた大学がふたたび「都心回帰」を始めたことも、多摩地域における若年層の人口減少に一役買っている。人口の都心集中の抑制を目指した法整備や文部省の方針（文部省「昭和50年代前期計画」1976年策定）が影響を与え、1970年代後半から多摩地域を含む郊外に学部増設、キャンパス移転など、大学の郊外移転の契機になったとされている。だが、バブル崩壊後の都心部の地価下落によって1990年代後半以降ふたたび「都心回帰」の動きが起こっており、このことも相対的な高齢化の一因になったといえよう（松浦2016：491；石田編著2018：164-165）。

[4] 人口規模でいえば、多摩地域の約422万人に対して、島嶼部は約2.6万人ほどである。

[5] 金子（2017：163-164）によれば、多摩ニュータウン入居当初の調査では当時、新入居者たちの「前住地」も調べていたという。それによれば、都道府県別にいえば東京都が78％、2位が神奈川県で10.3％、そのほかは埼玉県と千葉県が2％程度となっており、東京都内から移住者が圧倒的であった。その場所は、新宿を起点とする中央線や京王線、小田急線の沿線地域からの移住が圧倒的に多く、距離的に比較的近い地域からの移動がメインだったことがわかる。

[6] 多摩市では、2006年に多摩ニュータウン整備事業がすべて終了して以降、団地建て替えによる転入増を目指した取り組みが徐々に進められている。まだ数は少ないが、最初期の団地である諏訪・永山地区において2013年、「ブリリア多摩ニュータウン」が完成し、元の住民に加えてあらたな若年層の入居者を多数得ることができるなど大規模建て替えに成功した例もあり、団地建て替えによる「リ・デザイン」が進行中である（尾崎・李編（2021）『「21世紀の多摩学」研究会記録』（東京経済大学地域連携センター）第4回、参照）。

7 加えて、1人の女性が一生のうちに産む子どもの数を示す合計特殊出生率も 1.15（『東京都人口動態統計年報』2020 年 12 月公表）で、全国最下位となっている（全国平均は 1.36）。

8 0 から 1 までの値を取り、原点を通る傾斜 45 度の直線＝均衡分布線（完全平等線）からのばらつきの振れ幅（ローレンツ曲線）の面積により算出する。0 に近いほど平等であり、1 に近づくほど不平等が大きい。所得のジニ係数でいえば、所得が不均等でばらつきが大きければ大きいほど、ローレンツ曲線は均等分布線から遠ざかって 1 に近くなり、所得格差が大きいということになる（『厚生労働白書』2017 年版）。

9 女性の就業率の上昇は、いわゆる「専業主婦」の減少にも現れている。世帯でみると、「男性雇用者と無業の妻（専業主婦）からなる世帯」に対して「雇用者の共働き世帯」が完全に逆転するのが 1997 年である（前者が 921 万世帯に対して後者が 949 万世帯）。以降、一貫して「共働き世帯」が増加し続けるのに比例して「専業主婦」のいる世帯は減少し続けている（総務省統計局「労働力特別調査」および「労働力調査」）。

10 相対的貧困率に対して、「絶対的貧困率」の考え方もある。後者は生きていくために必要な最低限の生活水準も満たされていない人々の割合に注目した貧困率であるが、先進国では一般に相対的貧困率が広く取り入れられている。

11 松浦（2016：493-496）も東京都の区市町村別データを用いて、生活保護率の決定要因として、高齢者の単身世帯率が大きく影響をしており、両者に「正の関係」があることを示している。とくに今後、男性の高齢単身者世帯率が生活保護率をさらに上昇させる可能性を指摘している。

12 対策の必要性を迫られた政府は 2015 年 4 月、新たに「生活困窮者自立支援制度」を施行し、生活保護に至る前の段階での自立支援の強化や、生活保護を脱した人がふたたび戻ることのないような支援を図るとしているが、対策は必ずしも十分追いついていないようにみえる。

13 ただし、介護保険財政の調整のため、第 1 号被保険者の年齢階級別の分布状況などに応じて、区市町村に対して国から調整交付金が交付される。また、東京都から区市町村に対して、介護保険などの特別会計に対して「都支出金」としての交付による財政調整も行われている。なお、都道府県知事指定の介護保険施設および特定施設に係る介護給付費（施設等給付費）については、公費負担の割合が国 20.0%、都道府県 17.5%、区市町村 12.5% に変わる。

14 武田（2006：159）によれば、国庫支出金削減が始まる前の 1984 年度と 1989 年度とを比較したとき、市町村「民生費」財源内訳に占める一般財源支出は 1 兆 9521 億円から 3 兆 1056 億円へと 59% 増加しており（その間、国庫支出金は 1281 億円の減少）、民生費の増加分に占める一般財源支出の割合は 86.4% となっている。ここからも老人福祉施策の需要拡大に応じた財政負担は、ほぼ自治体独自の一般財源から「補填」されていたことがわかる。

15 急いで付け加えれば、自治体も一般財源支出増加分を自前でまかなえるとは限らない。当然人口規模にも比例して地方税収入の多寡が生じうるため、各自治体の「基準財政需要額」に応じて不足する分を補うために地方交付税がある。ただ、1985-1988 年度における国庫負担削減額全体に比して、地方交付税に特別加算されたのはその 2 割程度に過ぎず、消費税が導入された 1989 年度からは消費税の一部が地方交付税財源に組み入れられたものの、従前の地方税廃止分と相殺され、自主財源は後退したとされている（武田 2006：166-167）。また、地方交付税財源は使途が特定されずに一般財源になるため、福祉需要の増加分に充てられるかどうかは各自治体の判断となる。

16 北・南・西の3つの多摩郡のうち市制施行の進展で北多摩郡と南多摩郡がなくなって以降、「三多摩」の呼称はなくなってきているので、現在の呼称としては「多摩格差」で統一しておく。

17 たとえば、現都知事（2016年8月就任）のもとで行われた2017年第3回定例会一般質問（池川友一都議）参照（東京都議会 HP ＜ https://www.gikai.metro.tokyo.jp/netreport/2017/report07/05.html ＞ 2021年5月31日閲覧）。

18 同時に、考えあわせておくべきことは、子どもの医療費無料化を実現した各自治体が負担している助成額は、一般的な公的医療保険制度の被保険者家族の自己負担分（3割）のみということである。7割分は全国の自治体に住む被保険者がそれぞれの職種別等で加入する国の公的医療保険財政から支出されており、子どもの医療費助成が使われれば使われるほど全体の財政に負担をおよぼす関係にある。とりわけ高度な水準の医療費助成を実現している自治体は（都区部の水準に追随する関係もあり）首都圏を中心とした大都市部に多いため、全国レベルの医療保険財政からの支出がそれらの自治体の子どもに偏ってしまう可能性がある。これらが過度に進行した場合、全国レベルで「健康で文化的な最低限度の生活」水準の保障とその底上げがめざされてきたナショナルミニマムの観点からは、疑問も生じかねない。

19 もちろん都区部と多摩地域の自治体の人口規模の違いはあるとはいえ、多摩地域で単独で保健所を持っているのは八王子市と町田市のみであり、ほかは東京都が所管した保健所が5つあるのみとなっている。そのため、たとえば西多摩保健所は、青梅市、福生市、羽村市、瑞穂町、あきる野市、日の出町、奥多摩町、檜原村の8つもの自治体を管轄するとしており、果たして限られた人員でこれだけの広大な地域の保健衛生を守り切れるのか、疑問が残る。これは1990年代後半以降、次々と実施された保健所削減（公衆衛生の省力化）の結果であり、多摩地域だけが削減されたわけではないが、それにしても歪な状況である。

20 ただし、低所得者に対する軽減措置はあるため、あくまで基準額である。なお全国でいえば、第7期の月額最大値は9800円（福島県葛尾村）、最小値は3000円（北海道音威子府村）という開きがある。

21 差し押さえまでは至らなくとも、介護サービスを利用する際の自己負担が上乗せされるペナルティを受けている人も全国で1万4321人（2018年度）に上っているとされる（「朝日新聞」2020年11月30日付）。納付期限から2年以上滞納した人は自己負担割合が通常の1割から3割に引き上げられる。

22 ただし、区市町村は、保険料率の決定や保険給付、賦課・徴収などの地域住民に対する直接的な事業は引き続き担うこととなっている（公益社団法人国民健康保険中央会「新たな国保制度の概要」＜ https://www.kokuho.or.jp/relation/system.html ＞ 2021年6月28日閲覧）。

参考文献

・石田光規編著（2018）『郊外社会の分断と再編──つくられたまち・多摩ニュータウンのその後』晃洋書房

・NHKスペシャル取材班（2017）『健康格差』講談社

・岡崎祐司（1991）「社会福祉8法改正と在宅福祉における福祉行政の課題」『密教文化』高野山大学密教研究会、Vol.1991, No.177

・神長唯（2009）「「三多摩格差」から「三多摩「内」」格差へ：東京都の地域格差に関する一考察」『湘南フォーラム』No.13
・金子淳（2017）『ニュータウンの社会史』青弓社
・国立社会保障・人口問題研究所（2018）「日本の地域別将来推計人口」『人口問題研究資料』第340号
・佐藤俊樹（2000）『不平等社会日本』中央公論社
・柴田英昭編著（2010）『国保はどこへ向かうのか』新日本出版社
・武田宏（2006）『高齢者福祉の財政課題――分権型福祉の財源を展望する』あけび書房
・田村秀（2007）『自治体格差が国を滅ぼす』集英社
・醍醐聰・関耕平・安達智則・石橋映二（2011）「東京都の税財政――現状とあらたな構想」渡辺治・進藤兵編『東京をどうするか――福祉と環境の都市構想』岩波書店
・橘木俊詔（1998）『日本の経済格差』岩波書店
・橘木俊詔（2006）『格差社会――何が問題なのか』岩波書店
・中央社会福祉審議会（1998）「社会福祉基礎構造改革について（中間まとめ）」中央社会福祉審議会社会福祉構造改革分科会＜ ttps://www.mhlw.go.jp/www1/houdou/1006/h0617-1.html ＞2021 年 5 月 3 日閲覧
・東京都介護人材総合対策検討委員会（2020）『第 8 期高齢者保健福祉計画に向けた介護人材対策の方向性について』
・東京都総務局（2017a）『東京都区市町村別人口の予測』
・東京都総務局（2017b）『多摩の振興プラン』
・東京都福祉保健局（2018）『東京都高齢者保健福祉計画（平成 30 年度―平成 32 年度）』
・東京福祉問題研究会編（2002）『福祉改革　石原都政の挑戦』都政新報社
・橋本健二（2001）『階級社会日本』青木書店
・橋本健二（2020）『〈格差〉と〈階級〉の戦後史』河出書房新社
・橋本健二・浅川達人編著（2020）『格差社会と都市空間――東京圏の社会地図 1990-2010』鹿島出版会
・牧瀬稔・戸田市政策研究所編（2010）『選ばれる自治体の条件』東京法令出版
・松浦司（2016）「東京都の高齢化」シンポジウム研究叢書編集委員会編『東京・多摩地域の総合的研究』中央大学出版部
・森詩恵（2018）「わが国における高齢者福祉政策の変遷と「福祉の市場化」」社会政策学会編『社会政策学会誌』第 9 巻第 3 号

第8章

多摩地域の一般ごみ処理
—その先進性と課題—

羅 歓鎮

　全国的に比較しても1人1日あたりのごみ排出量が少なくなった多摩地域。ごみ処理をめぐってさまざまな紛争を経験した各自治体は、いかにしてそれを実現したのか。そして自治体間の連携による広域処理にも注目が集まる。(可燃ごみ処理施設　写真提供:浅川清流環境組合)

はじめに

　都市化が進み、所得の向上とライフスタイルの近代化にともない、ごみ処理は徐々に問題化される。1990年代後半から循環型社会構築の一環として、ごみの減量化（reduce）・再利用化（reuse）・リサイクル化（recycle）が進み（以下3R）、日本、東京そして多摩のごみ排出量が減少し、大きな成果を収めている。一方、高齢化および将来人口の減少に備え、従来の市町村単位のごみ単独処理システムは自治体間の連携を図る広域化という新しい課題に直面している。迷惑施設とされたごみ焼却施設の立地をめぐるNIMBY[1]問題を克服しながら、多摩地域のごみ処理システムが進化している。

　羅（2020）は、東京都のごみ処理システムを念頭に、市民協力、処理技術、財政および3Rを含む「持続可能なごみ処理システム」の構築を提起している。多摩地域は東京都の一部ではあるが、歴史的にそのごみ収集処理システムは東京都特別区部（以下、区部）と異なっている。本章は、多摩地域の一般ごみ[2]処理行政およびその進化に焦点をあてて、ごみ排出の量的減少およびそれをもたらす要因を分析しつつ、ごみ処理広域化の現状およびその課題を論じていきたい。

　まず第1節では多摩地域のごみ排出・処分の現状を紹介したうえ、その歴史的変遷を簡潔にまとめる。第2節は、多摩地域のごみ紛争、ダストボックスの撤廃、そして有料化収集の導入を詳しく紹介したのちに、2000年代以降のごみ削減効果を計量的に考察する。第3節は、多摩地域のごみ処理広域化の経緯と現状を紹介し、これからの課題を指摘していく。

1. ごみ排出の現状と歴史

（1）ごみ排出・処分の現状

　公益財団法人東京市町村自治調査会が発行した『多摩地域ごみ実態調査』[3]によると、2019年に多摩地域のごみ総排出量は112.7万トンであった。そのうち行政による収集・受け入れごみ量は105.7万トンで、自治会などによる集団回収量は約7万トンであった。1人1日あたりのごみ排出量に換算すると、726グラム

表 8-1　多摩地域のごみおよびその処分量（2019 年）

（単位：トン）

	可燃ごみ	不燃ごみ	資源ごみ	粗大ごみ	有害ごみ	小計	集団回収	合計
収集	728,143	55,113	240,935	31,036	1,674	1,056,901	69,796	1,126,697
焼却	727,889	33,503	11,100	22,074	0	794,566		
資源化	254	19143	228,450	8193	946	256,986	69,796	326,782

出所：公益財団法人東京市町村自治調査会『多摩地域ごみ実態調査　2019 年度統計』により筆者作成。

となり、2018 年と同じ排出量であった。それは、区部の 946 グラム、全国の 918 グラムより約 2 割少ない。

　行政によって収集された 105.7 万トンのごみのなかに、可燃ごみは 72.8 万トンで、全体の 68.9％を占めていた。行政と集団回収による資源ごみは 31.1 万トンに達し、収集した総ごみ量の 27.6％であった。可燃ごみだけでなく、不燃ごみ、資源ごみ、粗大ごみの一部は焼却処分された。焼却処分されたごみが合計 79.5 万トンで、焼却による減量化量が 70.4 万トンに達していた（**表 8-1**）。

　可燃ごみを含むごみの一部は資源化される。直接的に資源化された集団回収ごみと合計すると、32.7 万トンに達していた。焼却処理にともなう資源化（「エコセメント」[4]の原料化を含む）した約 8.9 万トンを加えると、総資源化量は 41.5 万トンになり、資源化率は 36.1％となった。そのほかの方法で処分したのは約 7000 トンで、区部やその他の地域でよくみられる焼却灰の埋め立て処分は多摩地域で実施していない（『多摩地域ごみ実態調査　2019 年度統計』）[5]。

　全国とくらべて、多摩地域のごみ処分の特徴は、ごみ焼却後の焼却残灰をエコセメント原料として再利用していることである。後述するように、2006 年 8 月に稼働し始めた東京たま広域資源循環組合エコセメント事業は毎日約 300 トンの焼却残さ[6]を原料に 430 トンのセメントを生産している。エコセメント事業によって、ほぼ多摩地域 25 市 1 町から排出されたごみ焼却残さをすべて処分している[7]。

　一方、多摩地域の 30 の自治体の 1 人 1 日あたりごみ排出量には大きな差が存在している（**図 8-1**、変動係数は 0.152）。2019 年における 30 自治体の平均が 681 グラムに対して、檜原村は最も多く、1033.4 グラムであった。一方、小金井

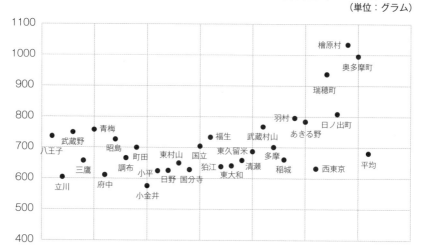

図 8-1　多摩地域各自治体 1 人 1 日あたりごみ排出量（2019 年）

（単位：グラム）

市は 585.8 グラムで最も少なかった。檜原村の 1 人あたりごみ排出量は小金井市の 1.7 倍である。

（2）ごみ収集処分の歴史

　多摩地域を含む東京都（東京市）におけるごみ処理の歴史は江戸時代にさかのぼるが、ここでは高度経済成長期からの多摩地域におけるごみ処理を検討する[8]。

　多摩ごみ収集量はおおむね 3 つの段階に分けることができる（**図 8-2**）。第 1 段階は 1971 年から 1991 年までで、ごみ急増段階である[9]。ごみ収集量は 1971 年の約 65 万トンから 1991 年の約 130 万トンにまで倍増した。ごみ収集量の急拡大は、人口・世帯数の増大だけでなく、高度経済成長を背景として住宅開発によって大量に流入した住民層を中心に、大量消費型のライフスタイルが浸透したこと、養豚農家や農地の減少によって生ごみの飼料や堆肥としての利用が減少したこと、そして人口密集にともなって自家焼却が難しくなったことと関係している（栗島 2014：564）。第 2 期は 1991 年から 2005 年までで、ごみ収集量はおおむね 130 万トンの高止まり（ピークの 2003 年は 134 万トン）の時期である。1990 年代はじ

図 8-2　多摩地域ごみ収集量の変化

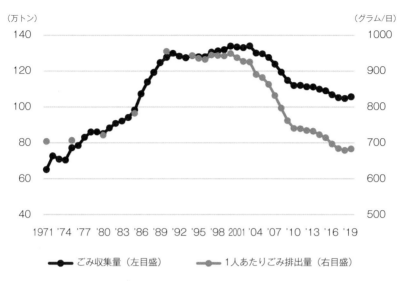

（万トン）　　　　　　　　　　　　　　　　　　　　　（グラム/日）

凡例：
●━● ごみ収集量（左目盛）　　　●━● 1 人あたりごみ排出量（右目盛）

注：1) 1971-74 年の収集量は「不燃ごみ」が含まれていない。
　　2) 1998 年のデータが欠如したため、その前後年次の平均を計算して内挿した。
　　3) 1 人あたりごみ収集量は暦年人口で割って算出したものである。ただし、1971 年の 1
　　　人あたりごみ収集量を算出した際に、1970 年の人口データを代用した。

出所：1971-1991 年は東京都清掃局総務部総務課編（2000）CD-ROM、1992 年以降は公益財
　　　団法人東京市町村自治調査会（1992-2020）。ただし、1971-1990 年人口は公益財団法人
　　　東京市町村自治調査会（2014）による。

めにバブル崩壊によって多摩地域における経済活動が停滞し始めたが、高度経済
成長期に形成された大量生産、大量消費、大量廃棄を特徴とする生産システムお
よびライフスタイルは簡単に変えることができなかった。そのために、引き続き
ごみが大量に排出されたと思われる。第 3 期は、2006 年以降で、ごみ排出量が徐々
に低下しつつある時期である。直近の 2019 年の収集量は約 106 万トンであった。
一方、多摩人口は 1994 年の 373 万人から 2019 年の 424 万人に増加したことを考
えると、1 人あたりごみ排出量がいかに急減したかがわかる。すなわち、1 人あ
たり 1 日の排出量は 1990 年代の 950 グラムから 2019 年の 680 グラムに、約 3 割
減となっているのである。

2. ごみ削減の努力と効果

　1990年代半ばからの1人あたりごみ排出量の急減は、次に述べる（1）ごみ紛争によるごみ削減意識の向上、（2）ダストボックス収集方式から戸別収集への転換、そして（3）ごみ収集有料化の導入など諸要因によるものだと思われる。

（1）ごみ紛争

　ごみ処理場は「迷惑施設」として人々に嫌われる。そのために、ごみ処理場をめぐって処理場の周辺住民とごみ排出者との間にトラブルが起こり、ごみ紛争に発展していくことがよくみられる。一方、ごみ紛争を通じて、市民一人ひとりがごみ問題の深刻性を認識し、ごみ削減の意識を高め、効率的なごみ処理システムの構築に協力的になっていくことも考えられる。東京都民のごみ削減意識の向上およびごみ処理システムの構築と進化は、「東京ごみ戦争」と密接に関係していることが知られているが[10]、多摩地域のごみ処理システムの構築およびその進化も、いくつかのごみ紛争と密接に関係していたともいえよう。

　多摩地域ではごみをめぐる摩擦や紛争が多数あるが[11]、ここでは代表的な2つの事例、小金井ごみ焼却場問題と日の出町ごみ処理場紛争を取り上げ検討する。

　①小金井ごみ焼却場問題[12]

　小金井市は、面積11平方キロメートルあまりで、東京都のほぼ中央、東京駅から西へ約25キロメートルの距離に位置している。人口は2021年3月1日現在12万3681人、6万1837世帯である[13]。小金井市は1950年代から調布市、府中市と一部事業組合である二枚橋衛生組合を結成し、ごみの共同処理をしていた。二枚橋衛生組合ごみ焼却場は、調布市、府中市、小金井市の3市が共同運営した、可燃ごみを焼却する中間処理施設である。高度成長期を通じて3市の人口が急増し、ライフスタイルの変化に相まって、二枚橋衛生組合ごみ焼却場に搬入するごみはその処理能力を上回る事態が発生した。また、1957年および1972年に稼働し始めた焼却場の老朽化で、その焼却場の建て替えが日程にあげられるようになった。

　1984年に小金井市は二枚橋処理場の建て替え計画を提案したが、調布市と府中

市からの支持が得られなかった。その後、小金井市は都立野川公園などいくつかの候補地を考えていたが、いずれも周辺住民等の反対で実現できなかった。こうした小金井市の動きに業を煮やした府中市は1993年に多摩川衛生組合に加入し焼却施設を共同運営し、調布市は1999年に三鷹市と「新ごみ処理施設整備に関する覚書」を締結し、2013年4月からふじみ衛生組合を組んでごみの共同焼却を始めた。その結果、調布市と府中市にとって従来の二枚橋焼却場はもはや存在する必要がなくなったのである。

　2007年4月に二枚橋ごみ焼却場の廃止でごみの行き先を失った小金井市は新しいごみ処理場の用地を確保することを条件に、国分寺市との共同処理を始めた。しかし、都市公園や二枚橋処理場跡地および蛇の目ミシン工場の跡地など、いくつかの候補地を検討していたが、さまざまな理由でいずれも断念せざるを得なかった。そこで、小金井市は3分の1の約6000トンを国分寺市に、残りの3分の2は周辺自治体の「広域支援」[14]に依頼し、処理してもらうようにした。

　周辺自治体の助けを受けて行ってきた小金井市のごみ処理は、2011年4月の市長選挙で政治問題化した。当選した佐藤和雄市長が、周辺自治体に支払ったごみ処理経費を「無駄使い」と発言したのである。その発言に対して周辺自治体が反発し、ごみ処理の受け入れを拒否した。小金井市はごみ収集を停止せざるを得なくなった。この混乱を受けて、11月に佐藤市長が辞職した。12月の市長選挙でふたたび復帰した稲葉孝彦市長は周辺自治体への協力を要請し、周辺自治体および衛生組合はそれに応じて小金井市のごみを処理し続けていた。小金井市のHPで公開されているデータ[15]によると、2007年に武蔵野市、昭島市、日野市、東村山市、国分寺市、柳泉園組合、西多摩衛生組合、小平・村山・大和衛生組合との間に2万933トンの可燃ごみの受け入れ支援を得て、1万6538トンの搬入を行った。2019年時点の支援先は多摩川衛生組合、国分寺市、ふじみ衛生組合で、8581トンの可燃ごみを搬入していた。

　2014年1月に、日野市、国分寺市、小金井市の3市は新可燃ごみ処理施設の整備および運営に関する覚書を締結し、日野市での共同処理を行うことで合意した。後述するように、2020年4月1日から、3市で結成した浅川清流環境組合のごみ焼却施設の正式な稼働で、小金井市のごみ焼却問題はようやく解消した。

　1980年代半ばからごみ処理に悩み続けてきた小金井市は2006年に「ごみ非常

事態宣言」を発出せざるを得なかった。それを受けて、小金井市民はごみ削減意識を高め、廃棄物減量等推進審議会などを通じて、ごみ削減にさまざまな工夫がされるようになった[16]。その結果、小金井市は全国人口 10-50 万人の自治体のなかで、1 人あたりごみ排出量が最も少ない市となっている[17]。

②日の出町のごみ紛争

諸外国とくらべて、日本は国土面積が狭く、ごみ埋め立て場の確保が難しい。そのために、長い間ごみ焼却が最も重要な中間処理法とされてきた。2008 年のOECD 統計によると、日本のごみ焼却場 1893 か所に対して、アメリカは 168 か所、フランスは 100 か所、ドイツは 51 か所、オランダは 9 か所しかなかった[18]。多摩地域においては、1972 年に市町村営 15 か所、一部事務組合営 6 か所の合計 21 か所のごみ焼却施設が存在していた。1978 年に東京都の区部より早く可燃ごみの全量焼却を実現していた。一方、多摩地域は長い間焼却灰などの最終処分場の確保に悩んでいた。1960 年代には民間業者に最終処分を委託していたが、時々トラブルが起こっていた（田口 2003：54-61）。それを受けて、いくつかの事前準備を経て 1980 年に多摩地域の 27 の市町は東京都三多摩地域廃棄物広域処分組合（2006年 4 月に東京たま広域資源循環組合に名称変更、現在に至る）を結成し、1984 年から日の出町に造成した谷戸沢最終処分場への搬入を開始した[19]。遮水シートを敷いた広域的な谷戸沢処分場は、「東洋一のモデル」として全国の自治体から関心を集めた。1991 年には残り 5 年で処分場が満杯になると予測し、日の出町玉の内地区に 2 つ目の処分場（二ツ塚最終処分場）建設を検討し始めていた。

ところが、1992 年 3 月 18 日付『朝日新聞』は、「処分場の汚水遮水シート破損 不信感募らす住民」という大きな見出しで処分場の遮水シートの破損および周辺住民の不安を報道した。その後、住民の井戸から処分場が汚染源と思われる有害物質 TBXP（プラスチックやビニールなどの石油化学製品を作る時に燃えにくくする難燃剤）、TCEP（人工添加剤、可燃剤）が検出された。それをきっかけに、処分場や広域処分組合への不信感が高まった。谷戸沢処分場の後継となる二ツ塚最終処分場の建設・供用開始をめぐって、組合と建設反対派とが激しく対立し、社会問題化した[20]。

1993 年から組合と反対派に対して東京都が調停に乗り出したが、不調に終わってしまった。1995 年 2 月に「日の出の森・水・命の会」のメンバーが、谷戸沢処

分場汚水漏れ調査、処分場への搬入禁止および第二処分場建設差し止めを求め、東京地方裁判所八王子支部に組合を提訴した。それからごみ搬入などをめぐっていくつかの訴訟が行われていた[21]。最近行われた訴訟はエコセメント化施設建設（操業）差止請求訴訟である。2003 年 4 月 15 日に S 氏ほか 48 名は広域処分組合に対して、エコセメント化施設建設（操業）差し止めを請求し、訴訟を起こした。2011 年 12 月 26 日に、東京地方裁判所立川支部は、エコセメント化施設が周辺環境に影響をおよぼしていないことを認定し、原告らの請求を退ける判決を言い渡した。控訴審などを経て、2016 年 2 月 24 日、最高裁判所は民事訴訟法第 312 条および民事訴訟法第 318 条により受理しないとし、上告人の請求を棄却すると決定している。

　訴訟が進行しながらも、処分場建設の工事は進んでいた。2003 年 3 月 31 日に二ツ塚処分場第 2 期工事が竣工し、9 月から焼却灰などの焼却残さの埋め立てを開始した。一方、多摩地域の焼却灰を埋め立てではなくリサイクルをするためのエコセメント工場建設は 2004 年 1 月に開始し、2006 年 7 月 1 日に本格的に稼働し始めた。

　谷戸沢処分場が 1998 年に満杯になる見通し、および二ツ塚処分場建設をめぐる訴訟を受けて、組合は 1992 年に構成市町に対して搬入配分量を設定し、超過分に組合負担金とは別に追徴金を課すことにした。しかも、その配分量は年々削減され、構成市町村にごみ処理量の大幅な削減を促すきっかけとなった。

（2）ダストボックスの廃止

　1970 年代に多くの多摩地域の自治体はダストボックスによる収集方式を導入していた。ダストボックスを導入した理由は、次のような住民側と行政側にそれぞれ利益があると考えたからである（栗島 2014）。住民側にとっては、①ふたのあるダストボックスが公衆衛生的・美観的に優れている。②住民が「いつでもごみを出せる」という利便性が高い。一方、行政側にとっては①戸別収集より収集効率が高い②クレーン収集であるために収集作業員の労働量が少ない。1990 時点でも多摩地域の 10 自治体がダストボックス収集方式を採用していた。

　しかし、ダストボックス収集方式は可燃ごみと不燃ごみを分別していたが、住民は必ずしもそのルールを守っていなかった。結局、ダストボックスは「無法地帯」

表8-2　多摩地域自治体のごみ有料化導入状況

導入年次	市町村
1999	青梅市
2001	日野市
2002	昭島市、福生市、清瀬市
2003	東村山市、羽村市
2004	調布市、あきる野市
2005	八王子市、武蔵野市、稲城市、瑞穂町
2006	町田市、小金井市、狛江市
2008	多摩市、西東京市
2010	三鷹市、府中市
2014	立川市、国分寺市、日の出町、奥多摩町
2015	東大和市
2018	国立市、東久留米市
2019	小平市
未導入	武蔵村山市、檜原村

出所：公益財団法人東京市町村自治調査会（各年版）より筆者作成。

になってしまった（杉本・服部 2010）。廃パソコン、アイロン、電球、電気ポット、鉄アレイ、風呂のマット、布団、簡易ボンベなど、ありとあらゆるものが無秩序に捨てられた。24 時間いつでもごみが捨てられる安心感がごみを大量に出すことにつながってしまった。そこで、ダストボックスはごみ減量の敵となり、廃止する市町村が相次いだ。2010 年の府中市のダストボックスの撤去を最後に、多摩地域のダストボックスは姿を消した。ダストボックス方式に代わって戸別収集方式が実施された。住民は規定された曜日や時刻に分別したごみを出さなければならない。そのために、戸別収集方式は住民のごみ分別行動を促進すると同時にごみ削減効果ももたらしていると考えられる。

(3) ごみ収集有料化

　長い間、住民が排出した一般ごみは自治体が無料で収集・処理してきた。収集・処理費用は税金で賄われるために、実質上は住民が負担しているとされるが、排出量と直接にリンクしておらず住民はその負担を感じないゆえに、ごみ排出削減

表8-3　国分寺市ごみ有料化

（単位：円）

収集袋の種類	燃やせるごみ	燃やせないごみ
ミニ袋（3ℓ）	5	
S袋（5ℓ）	10	10
M袋（10ℓ）	20	20
L袋（20ℓ）	40	40
LL袋（40ℓ）	80	80

出所：『市報　国分寺』1201号（2013年2月15日）。

のインセンティブが弱かった。

　ごみの排出量が増え続け、しかも自治体の財政事情が厳しくなったことで、住民にごみ収集・処理費用の一部を直接的に負担してもらう動きが全国的に広がっている。多摩地域もその例外ではない。**表8-2**に示したように、1999年青梅市の有料化導入を皮切りに多摩地域のほとんどの自治体はごみ有料化に踏み切っている。2019年現在、武蔵村山市と檜原村を除くすべての市町はごみ有料化になっている。徴収金額は自治体によって違いがある。たとえば、国分寺市は生活保護受給世帯などを除いて、基本的にごみを出す際に指定収集袋を購入しなければならない。燃やせるごみ専用袋が黄色で、燃やせないごみ専用袋が藤色としているが、1枚あたりはそのサイズによって5円から80円である（**表8-3**）。燃やせるごみ専用のミニ袋を除いて、1リットル2円という計算になる[22]。

(4) ごみ削減の計量分析

　ごみ紛争によるごみ削減意識の向上、ダストボックス廃止によるごみ分別行動の促進、そしてごみ有料化によるごみ排出抑制などは、実際のごみ排出行動にどれぐらいの効果があったのだろうか。以下のような簡単な計量モデルを用いて確認したい。

$$y = a_0 + a_1 \text{year} + a_2 \text{time} + a_3 \text{koganei} + a_4 \text{village} + \varepsilon$$

表8-4　ごみ削減効果の計量分析

	モデル1	t値	モデル2	t値
歴年	-8.7880	-17.82	-0.0109	-18.97
有料化	-37.7203	-4.67	0.0458	-4.88
小金井	-97.0078	-6.05	-0.1279	-6.87
町村	108.7887	12.01	0.1273	12.11
定数項	18471.58	18.73	28.5196	24.89
Adj R-squared	0.5559		0.5830	
サンプル数	822		822	

注：すべてのパラメータは1％の水準で統計的有意である。
出所：筆者作成。

　ただし、yは1人あたり1日ごみ排出量（グラム）。モデル1はその絶対量、モデル2は対数をとった排出量（lny）、yの地域と年次を表す添え字のi,tを省略している。yearは歴年を表示しているが、多摩地域住民のごみ削減意識を表す代理変数（後述）、timeはごみ収集有料化の時期を表すダミーで、導入までは0とし、導入からは1とする。koganeiは小金井市を示すダミーで、小金井市は1で、その他は0とする。villageは町村を示すダミーで、瑞穂町、日の出町、奥多摩町と檜原村は1で、その他は0とする。

　分析データは公益財団法人東京市町村自治調査会が毎年調査・公表した1992年から2019年まで多摩地域30の市町村の年次ごとの1人あたり1日ごみ排出量で構成するプールデータ（pooled data）である[23]。1998年のデータは欠如したが、1997と1999年の平均を内挿して補足している。また、平成の市町村合併で1992-2000年までの田無市と保谷市のデータを西東京市に、秋川市と西多摩郡、五日市町のデータをあきる野市に合算している。

　表8-4から次のようなことが読みとれる。まず第1に、ごみ有料化は非常に大きな効果をもたらしている。モデル1は約38グラムの削減を、モデル2は4.6％の削減を示している。有料化の削減効果は、今までのいくつかの先行研究結果と一致している[24]。第2に、時間を表す歴年はごみ排出削減効果が大きい。1年あたり約9グラム（率で1.1％）減少したと計算される。1人あたり1日ごみ排出量の多少は、産業構造、世帯人数、所得、ごみ分別数などによって影響されうるが、

とくに重要なのは、人々のごみに対する意識である。ごみ紛争やダストボックスの廃止および日常的な環境教育は、住民のごみを含む環境問題への関心を高めたといえるだろう。第 3 に、「小金井の効果」は非常に大きい。前述したように、小金井市は自前のごみ処理（焼却）施設を持たず、多額のお金を払って周辺の市に手伝ってもらっていた。そのために、小金井市は「ごみ非常事態宣言」を出し、廃棄物減量等推進審議会を通じてごみの削減に積極的に取り込んでいる。その成果としては、ほかの市町村とくらべて、約 13％に相当する 97 グラム少ない。第 4 に、それと対照的に、瑞穂町をはじめとする町村の 1 人あたりごみ排出量は市部とくらべて 109 グラム多い（12.7％）。その理由は、市部とくらべて第 1 次産業従事者が多いこと、ごみ捨て場が広いことなどに由来したものであろう。

3. 多摩地域ごみ広域処理システム

（1）広域化の必要性

　先述したように、一般ごみの多くは焼却処理されている。ごみ焼却処理は、ごみの減容化や無害化、再資源化を目的として、ごみを燃やしたり、その燃焼によって生じる焼却灰を高温溶融処理したりすることである。焼却技術によって、焼却炉は主にストーカ炉と流動床炉に区別できる[25]。ストーカは大きく乾燥帯、燃焼帯、後燃焼帯によって構成するが、流動床は固定層、沸騰（バブリング）流動層、循環流動層によって構成する[26]。ストーカ方式は最も歴史が古く導入した施設数が圧倒的に多い。2019 年現在、多摩地域 18 か所のごみ処理施設においてストーカ炉を導入したのは 15 か所で、全体の 83％を占めている[27]。ストーカ炉と流動床炉の炉型式はすべて常時燃焼を続ける全連続炉であるために絶えず可燃ごみを投入しなければならない。

　ごみを燃やす燃焼過程は、二酸化炭素など温暖化ガスを排出するだけでなく、ダイオキシン類など有害物質を排出する可能性もある。ごみ焼却におけるダイオキシン類の発生は、安定した完全燃焼によってダイオキシン類や前駆体を高温分解することで抑制できる。そのために、焼却炉内で燃焼ガス温度を高温に維持すること（temperature）、燃焼ガスの滞留時間を十分に確保すること（time）、燃焼ガス中の未燃ガスと燃焼空気との混合攪拌を行うこと（turbulence）という 3T

が重要である。1996年に制定された「ごみ処理に係るダイオキシン類発生防止等ガイドライン」（新ガイドライン）は、新設炉に対して、燃焼温度850℃以上（900℃以上が望ましい）、滞留時間2秒以上、炉形上や2次空気の供給方法を考慮することにより効果的な燃焼ガスの攪拌を行い、完全燃焼を達成するように定めている（タクマ環境技術研究会編2017：152）。完全燃焼によるダイオキシン類排出基準を達成するために、1日100トン以上の処理能力を持つ焼却炉が求められている。

　従来、各自治体は自地域内で排出されたごみを単独で処理してきた。その原則は、1900年に制定された「汚物掃除法」にさかのぼる。その法律は数度の改正を経て、戦後になって「清掃法」（1954年）や「廃棄物処理法」（1971年）に名前を変えたが、国と都道府県が財政や技術的に指導することに言及しながら、自治体によるごみ処理原則は堅持されていた。市民のごみ削減努力による1人あたりごみ排出量の減少などの理由で、排出ごみ量は減少している。焼却炉の大型化による一定量の可燃ごみの確保と自治体単独での「ごみ不足」という矛盾が現実化しつつある。そこで、市町村の境を越えて、近隣市町村が共同でごみ処理施設を運営することが必要になってきた。それがいわゆるごみの「広域処理」である。

　ごみ広域処理は次のようなメリットが考えられる。①維持管理経費の軽減。単独よりその規模効果で単独の自治体がすべて自前のごみ焼却施設を建設する必要がなくなり、建設費や維持管理費の負担が軽減できる。②ダイオキシン類発生の抑制。ダイオキシン類は比較的低温（300℃前後）で発生すると考えられる。大型化された新設の24時間連続運転で高温処理できる全連続炉はダイオキシン類の発生を抑制することができる。③ごみリサイクルの促進。広域化にともなう焼却施設の大型化により、可燃ごみだけでなく、不燃ごみや資源ごみの取り扱いが効率化され、リサイクルを促進できる。④焼却エネルギー回収率の向上。焼却施設の大型化によって、燃焼による熱の回収や発電をより効率的に行うことができる。

（2）ごみ広域化処理の現状と評価

　1990年代半ばに所沢市などで、ごみ焼却場周辺の土壌や焼却灰から大量のダイオキシン類が発生したと報道され、国民のダイオキシンに対する関心や不安が一

気に高まり、社会問題化した。1997年に厚生省生活衛生局水道環境部環境整備課長通知（「ごみ処理の広域化計画について」）が出され、ごみ処理にともなうダイオキシン類の排出削減を主な目的として、各都道府県において広域化計画を策定し、ごみ処理の広域化を推進するよう求められた。それを受けて、すべての都道府県は広域化計画を作成し、都道府県と連携しながらいくつかの市町村によるごみ処理の広域化およびごみ処理施設の集約化に向けた取り組みを進めてきた。東京都は1999年3月に「東京都ごみ処理広域化計画」を作成し公表している[28]。

「東京都ごみ処理広域化計画」は、国の方針に基づいて、①ダイオキシン類削減、②焼却残さ高度処理、③マテリアルリサイクルの推進、④サーマルリサイクルの推進、⑤最終処分場の確保、⑥公共事業のコスト削減という6つの視点を掲げ、1998-2007年にかけて、a 小規模焼却施設の解消（原則として全連続式100トン／日以上の施設規模にする）、b ダイオキシン類削減の目標濃度の設定、c 焼却残さの減量・資源化（エコセメント化の推進）を実現するよう各市町村に指導した。

具体的には、多摩地域においては、1994年に制定された「多摩地域ごみ処理広域支援体制」協定によって、3つの地域ブロックを設定し[29]、必要に応じて互いに支援しあうことを定めている。一方、国立市、柳泉園組合などいくつかの処理施設は、その焼却炉が100トン／日未満の現状を鑑み、計画期間中に廃止するか建て替えるかによって焼却施設の大型化を行うと計画された[30]。

2000年代に入ってから、多摩地域各自治体や処理組合は上記協定を踏まえた「東京都ごみ処理広域化計画」に基づいて、ごみ処理の広域化を進めてきた。**図8-3**は多摩地域におけるごみ処理広域化現状を示している。

2020年現在、ごみ処理広域化に取り組んでいる26の市町村の概略は次の通りである[31]。

多摩川衛生組合：多摩川衛生組合は稲城市（可燃ごみ処理施設名称：クリーンセンター多摩川）、府中市、国立市、狛江市によって構成される。1964年に狛江市と多摩町（当時）がごみ焼却処理を目的に「狛江・多摩衛生組合」を結成し、1965年に稲城町（当時）が加入、「多摩川衛生組合」に改称した。1999年に国立市が加入した。2019年現在組合は150トン／日のストーカ炉3基、6000キロワットの発電能力を保有している。

ふじみ衛生組合：ふじみ衛生組合は調布市（可燃ごみ処理施設名称：ふじみ衛

図8-3　多摩地域のごみ処理広域化の現状

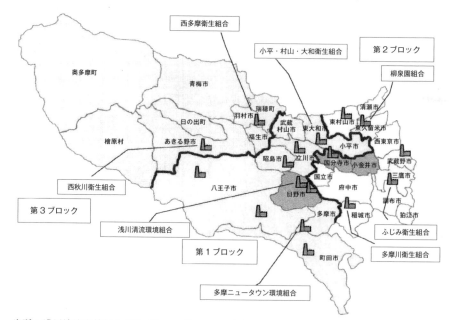

出所：浅川清流環境組合 HP < https://cms.upcs.jp/asakawa/index.cfm/7,1529,c,html/1529/2019
0115-140508.pdf > 2021 年 3 月 15 日閲覧。

生組合クリーンプラザふじみ）と三鷹市によって構成される。1960 年に「し尿処
理場の建設および維持管理に関する事務を共同化する」目的で、三鷹市と調布市
は一部事務組合を結成した。1979 年に不燃ごみを除く廃棄物処理を、2006 年に
可燃ごみを含むごみの共同処理を始めた。組合は 144 トン / 日のストーカ炉 2 基、
9700 キロワット発電能力を保有している。

　多摩ニュータウン環境組合[32]：多摩ニュータウン環境組合は 1993 年に多摩市（可
燃ごみ処理施設名称：多摩清掃工場焼却施設）、八王子市、町田市によって結成
した。処理区域は多摩市全市のほか、八王子市の多摩ニュータウン区域と町田市
の多摩ニュータウン区域が含まれる。組合は 200 トン / 日のストーカ炉 2 基、
8000 キロワットの発電能力を保有している。

　西多摩衛生組合：西多摩衛生組合は羽村市（可燃ごみ処理施設名称：西多摩衛
生組合環境センター）、青梅、福生市、瑞穂町によって構成される。1962 年に

羽村市と福生町（当時）はし尿共同処理を目的に「羽村・福生衛生組合」を結成したが、1963 年に瑞穂町が加入し、「西多摩衛生組合」に改称した。1964 年に共同処理の目的にごみ処理を追加した。1968 年に青梅市が加入した。2021 年現在 160 トン／日の流動床炉 3 基、2370 キロワットの発電能力を保有している。

　小平・村山・大和衛生組合：組合は小平市（可燃ごみ処理施設名称：3・4・5 号ごみ焼却施設）、武蔵村山市、東大和市によって構成される。1965 年に小平市、村山町（当時）、大和町（当時）は一部事務組合を設立し、共同処理事業に移行した。3 号ごみ焼却施設は 150 トン／日ストーカ炉 1 基を、4・5 号施設は 105 トン／日のストーカ炉 2 基を保有している。両方とも発電能力がない。

　柳泉園組合：柳泉園組合は東久留米市（可燃ごみ処理施設名称：柳泉園クリーンポート）、清瀬市、西東京市によって構成される。1960 年に廃棄物を共同処理する目的で一部事務組合結成した。2021 年現在 105 トン／日のストーカ炉 3 基、6000 キロワットの発電能力を有している。

　西秋川衛生組合：西秋川衛生組合はあきる野市（可燃ごみ処理施設名称：高尾清掃センター）、日の出町、檜原村、奥多摩町によって構成される。1973 年に秋川市（当時）、五日市町（当時）、日の出村（当時）、檜原村はごみ共同処理を目的で設立した。2011 年に奥多摩町が加入した。2021 年現在 58.5 トン／日流動床炉 2 基、1900 キロワットの発電能力を有している。

　浅川清流環境組合：浅川清流環境組合は日野市（可燃ごみ処理施設）、国分寺市、小金井市によって 2015 年に設立された。2021 年現在 114 トン／日のストーカ炉 2 基、5190 キロワットの発電能力を保有している。

　上記衛生（環境）組合による広域処理のほか、八王子市、武蔵野市、立川市、町田市、昭島市、東村山市は依然として単独でごみを焼却処理している。八王子市は戸吹清掃工場（100 トン／日のストーカ炉 3 基、2600 キロワット発電能力）と北野清掃工場（100 トン／日のストーカ炉 1 基、発電能力なし）という 2 つの清掃工場を運営している。立川市は立川清掃工場（90 トン／日のストーカ炉 2 基、100 トン／日のストーカ炉 1 基）を運営しているが、100 トン／日以上のストーカ炉を導入する新立川市清掃工場（仮称）建設を進めている。武蔵野市は武蔵野クリーンセンター（60 トン／日のストーカ炉 2 基、2650 キロワットの発電能力）、昭島市は清掃センター（95 トン／日のストーカ炉 2 基、発電能力なし）、町田市

は町田リサイクル文化センター（150 トン／日の流動床炉3基、176 トン／日の流動床炉1基、4000 キロワット発電能力）、東村山市は秋水園（75 トン／日のストーカ炉2基、発電能力なし）をそれぞれ運営している。

　2019 年現在、多摩地域の総人口424 万人のなか、広域処理に参画している自治体の人口は265 万人あまりで、全体の62.6％を占めている[33]。一方、広域処理に参加していない市はおおむね規模が大きく、自前で大型化された処理施設を支える能力があると思われる。とくに多摩地域人口1位の八王子市（56.3 万人）と2位の町田市（42.9 万人）は、国や東京都が広域化を進める目安とする100 トン／日を超える規模の焼却炉をすでに有している。総じていえば、ごみ処理広域化においては、1人あたりごみ排出量と同様に、多摩地域は全国の先進地域と評価しても過言ではないであろう。

（3）広域化処理の達成理由

　ごみ処理広域化は、ごみ焼却場をどこかの自治体に立地することを意味する。そこには、立地周辺の住民による反発の恐れがある。実際に、多摩地域のごみ処理広域化にあたって、周辺住民の激しい反対運動が存在していた。多摩地域はいかにしてこの問題に対応しながら広域化を進めてきたのか。ここでは日野市に立地する浅川清流環境組合の事例を取り上げて分析したい。

　日野市は1990 年代半ばから「環境基本条例」を制定するなど、市民の環境意識が高い自治体である。2001 年にごみ有料化を多摩地域で2番目に早く導入し、ごみ排出の削減に積極的に取り組んでいた。2008 年から老朽化していたクリーンセンターの焼却炉の建て替え計画も進めていた。

　先述したように、2012 年4月に小金井市、国分寺市は日野市の焼却場建て替え計画に合わせ、可燃ごみを一緒に処理してほしいと日野市に申し入れ、日野市はそれを受け入れ、2012 年11 月13 日に小金井市、国分寺市との共同処理計画を公表した。2013 年3月に従来の計画のおよそ2倍の焼却能力を持つ（290 トン／日）施設計画を環境省に提出した。3市共同運営の計画に日野市民、とくに建設予定地周辺の石田・新井地区の住民らが激しく反発した。住民らは「国分寺のごみ受け入れに反対する日野市民の会」など4つの団体を結成し、反対運動に立ち上がった[34]。

　日野市は市民の信頼と協力を得るために、市民との対話および情報公開に取り組んでいた。まず、市民との対話を積極的に行っていた。2013 年 6 月 26 日から 7 月 5 日にかけて、8 回の全域説明会を開催し、その会議録を公開した[35]。また、新井地区の自治会が設置した「新可燃ごみ処理施設連絡会」との間で継続した意見交換会を行い、「意見交換会だより」を発行している[36]。数多くの住民説明会を開催したりして、周辺住民の理解と協力を求めようとしていたのである。一方、市民の疑問に答えるために広域化処理施設の基本から環境アセスメント結果、そして損益分析結果をすべて公表している。たとえば、広域化施設稼働後の環境への影響については、下記のデータが公表されている。ばいじん（g/m3N）0.005 以下（国の基準 0.04 以下）、硫黄酸化物（ppm）10 以下（同 1590 以下）、窒素酸化物（ppm）20 以下（同 250 以下）、塩化水素（ppm）10 以下（同 430 以下）、ダイオキシン類（ng-TEQ/m3N）0.01 以下（既存施設 1 以下、新施設 0.1 以下）[37]。また、2017 年 3 月に浅川清流環境組合は「新可燃ごみ処理施設整備・運営事業に係る費用対効果分析結果」を公表している[38]。それによると、施設の建設期間を 4 年間、稼働期間を 20 年とした、社会的割引率を 4％と仮定した上計算すると、施設整備費、運営・維持管理費、焼却灰処分費（4 万 3000 円 / 灰トン）を費用として、もし外部委託場合の処理処分費用（4 万 3200 円 / ごみトン）と発電電力の売り収益を効果として計算すると、建設から 13 年目（稼働後 9 年目）に費用便益比が 1 を上回り、対象期間最終年の費用便益比は 1.566 であると推計している。

　それらの対話や技術的・環境的・経済的情報公開によって、市民の理解を得ながら、広域処理施設の建設と稼働は順調に進んでいた[39]。2015 年 7 月 1 日に日野市、国分寺市と小金井市の可燃ごみの共同処理を目的とする浅川清流環境組合が発足した。組合は、114 トン / 日の焼却炉（全連続燃焼型 / ストーカ炉）を 2 基設置し、2020 年 4 月 1 日から本格的に稼働し始めている。

　迷惑施設とされるごみ処理施設の広域化を順調に進めるために、おそらく 2 種類の「信頼」が必要であろう。1 つは、自治体間の信頼関係である。上記概略で説明したように、多くの広域化は 1960 年代にさかのぼることができる。自治休間の長い共同運営は互いの理解を深め、信頼を高めたといえよう[40]。2 つは、自治体と市民との信頼関係である。日野市の事例が示したように、徹底的な情報公

開と忍耐強い対話はその信頼関係の構築に不可欠であろう。

(4) 今後の展望

　2019年3月29日に環境省環境再生・資源循環局廃棄物適正処理推進課は各都道府県廃棄物行政主管部（局）長あてに「持続可能な適正処理の確保に向けたごみ処理の広域化およびごみ処理施設の集約化について（通知）」を発出した。2020年6月に同課は「広域化・集約化に係る手引き」を公表している。「通知」と「手引き」は、20年来の広域化の成果をまとめたうえ、1人あたり排出ごみ量の減少および人口減少によるごみ量の減少、廃棄物処理にかかる担い手の不足、老朽化した社会資本の維持管理・更新コストの増大、廃棄物処理の非効率化、そして地震・豪雨のような大規模な災害廃棄物の適切・円滑処理などに鑑み、各都道府県に長期的な視点で安定的・効率的な廃棄物処理体制のあり方を検討した上、所管内市町村と連携し、2021年までにごみ処理の広域化・集約化計画を作成するよう要請している。

　それを受けて東京都は新しい広域化・集約化計画の作成に取り組んでいると思われる。その後の詳細については知りえないが、いまだ100トン／日以下の焼却炉を運営している武蔵野市、昭島市、東村山市は何らかの対策と計画を考えることになるのだろう。

おわりに

　本章は、多摩地域の一般ごみ排出量の変化およびごみ処理広域化の進展に焦点をあててごみ問題を論じ、高く評価している。多摩地域のごみの排出量変化については、1990年代から2000年代半ばまでの高止まりを経て、2005年前後から総排出量および1人あたり排出量はともに減少していることを確認した。多摩地域におけるごみ排出量の減少をもたらす要因としては、ごみ紛争などによるごみ削減意識の向上、ダストボックスの廃止およびごみ収集有料化による削減インセンティブの向上に求めている。計量分析は、上述した点を確認しただけでなく、「小金井効果」および町村効果をも確認している。一方、1960年代にさかのぼるごみ処理の広域化は徐々に進展し、2019年現在、多摩地域の60％以上の人口はすで

にごみの広域処理に参加していることになる。広域化促進にあたって避けて通れ
ないのは、ごみ処理施設が立地する市、とくに立地周辺住民による NIMBY 問題
である。本章は、NIMBY 問題を克服するために、自治体間の相互信頼関係、そ
して自治体と住民との相互信頼関係がとくに重要であることを強調している。

　国連は都市の強靭化と持続可能な発展を目指す 2030 年に向けた持続可能性開
発目標（SDGs）を立てている。持続可能なごみ処理システムの構築はその SDGs
実現の重要な一環であろう。ごみ処理システムはあくまでもごみが排出されてか
らの事後的な処理である。より根本的なのは、いかにしてごみを排出しないよう
にするかである。とくに論じていないが、reduce, reuse と recycle をいかに徹底
的に実施していくかは、ごみ行政および市民一人ひとりにとっての大きな課題で
あろう。

注

[1] NIMBY は Not In My Backyard（わが家の裏には御免）の頭文字で、ごみ処理施設などいわ
ゆる「迷惑施設」を自宅付近で設置することに反対する態度や行動のことである（土屋 2008；
童 2015）。

[2] 「廃棄物処理法」は、廃棄物を「一般廃棄物」と「産業廃棄物」に分類したうえ、一般廃棄物
を「特別管理一般廃棄物」と「その他の廃棄物」に分類している。一般ごみはその「その他の
廃棄物」の一部で、可燃ごみや不燃ごみ、粗大ごみなどを対象としている（「廃棄物の処理及
び清掃に関する法律」）< https://elaws.e-gov.go.jp/document?law_unique_id=345AC00000001
37_20200401_429AC0000000061 >、2021 年 6 月 21 日閲覧。一般ごみは市民の生活に密接にか
かわり、市民のごみ排出行動およびその変化を最も反映しているゆえ、本稿は「一般ごみ」を
研究対象としたい。

[3] 公益財団法人東京市町村自治調査会 HP < https://www.tama-100.or.jp/contents_detail.php?co
=cat&frmId=946&frmCd=2-6-4-0-0 > 2021 年 3 月 10 日閲覧。

[4] 「エコセメント」は、清掃工場でごみを焼却した際に発生した焼却灰などを主原料として生産
されたセメントのことである。一般セメントの原料は石灰石、粘土、けい石などであるが、エ
コセメントは焼却灰などを主原料とし、しかも焼却灰に残された銅殿物や亜鉛など金属が回収
されたため、環境にやさしいセメントとされている（東京たま広域循環組合 HP < https://
www.tama-junkankumiai.com/eco_cement/gaiyou > 2021 年 6 月 30 日閲覧）。一方、水銀など
重金属などが十分に取り除けていないのではないかと懸念する声も少なくない。後述するよう
に、多摩地域のごみ焼却灰はほぼエコセメントの原料としている。

[5] 1998 年に東京たま広域資源循環組合所属の谷戸沢処分場の満杯にともない、隣で建設された二
ツ塚処分場へのごみ焼却灰や破砕された不燃ごみの搬入は 1998 年 1 月に始まった。エコセメ
ント工場の操業開始でごみ焼却灰はエコセメントの原料としてすべて資源化されたこと、廃棄

物の発生抑制・再使用・再資源化などにより、2018 年 4 月より二ツ塚処分場への不燃残さの搬入量がゼロとなっている。東京たま広域資源循環組合が 2020 年 10 月に作成した「第 6 次廃棄物減容（量）化基本計画」はその「埋立ゼロ継続」と「二ツ塚処分場の長期利用」を強調している（東京たま広域資源循環組合 2020）。

6 「焼却残さ」は、焼却灰および飛灰（集塵機により捕集された排ガス中のばいじん）のことである（東京たま広域資源循環組合 HP）。

7 東京たま広域資源循環組合 HP 〈https://www.tama-junkankumiai.com/eco_cement/gaiyou〉2020 年 10 月 29 日閲覧。

8 東京都清掃局総務部総務課が編集した『東京都清掃事業百年史』は、多摩地域の 1970 年代までのごみ問題にはほとんど言及していなかった。

9 多摩・島嶼地域のごみは、1966 年の約 35 万トンから 1970 年の 52 万トン、1971 年の 62 万トン、そして 1972 年の 68 万トンに急増していた（東京都清掃局総務部総務課編 2000：287）。

10 東京ごみ戦争に関しては、羅（2019）およびその参考文献などを参照されたい。

11 梶山（1995）、田口（2002）、田口（2003）は、日の出町のごみ処分場、小金井市ごみ焼却場問題のほか、三鷹市、狛江市、羽村市、東久留米市、八王子市、昭島市、瑞穂町でのごみ紛争や羽村市・青梅市・福生市によって構成する西多摩衛生組合の事例を紹介している。

12 小金井市ごみ紛争に関しては、多くの先行研究が行われている。とくに、新井（2011）、童（2014）などに詳しい。本章は主にこれらの文献に依拠している。

13 「小金井市の世帯と人口」、小金井 HP < https://www.city.koganei.lg.jp/shisei/siseidata/setaizinkou/jinkou02.files/20210301.pdf > 2021 年 5 月 18 日閲覧。

14 「広域支援」とは、「多摩地域ごみ処理広域支援体制実施要項」という取り決めのことである。「要項」第 16 条は、「処理施設が故障した場合等の緊急事態の助け合い」を規定している。

15 小金井市 HP < https://www.city.koganei.lg.jp/kurashi/446/kanengomi/kouikisienkansha.files/kouikisiensaki.pdf > 2021 年 5 月 10 日閲覧。

16 小金井市廃棄物減量等推進協議会活動については、小金井 HP < https://www.city.koganei.lg.jp/smph/kurashi/446/haikigenryo/index.html >を参照。また、羅（2020）は持続的な市民協力の例として検討している。

17 井出留美（2021）「ごみ少ないランキング　全国上位 30 自治体は？年間 2 兆円のごみを減らす 5 つの要因とは」< https://news.yahoo.co.jp/byline/iderumi/20210618-00243388/ > 2021 年 6 月 25 日閲覧。

18 吉田照喜（2015）「焼却場大国ニッポン！世界の焼却場の 70％は日本にあるという事実」< https://www.borderless-japan.com/academy/entrepreneur/5299/ > 2021 年 6 月 19 日閲覧。

19 東京たま広域資源循環組合の歩みについては、東京たま広域資源循環組合の HP < https://www.tama-junkankumiai.com/towa/ayumi >を参照されたい（2021 年 5 月 15 日閲覧）。

20 日の出町ごみ紛争に関しては、新聞報道のほか、梶山（1995）、宮入（1999）などに詳しい。

21 東京たま広域資源循環組合の HP に確定した裁判およびその他の訴訟の詳細を掲載している（東京たま広域資源循環組合 HP < https://www.tama-junkankumiai.com/kouhou/saiban > 2021 年 5 月 11 日閲覧）。

22 多摩地域各自治体のごみ料金は 1 リットルあたり 1.2 ～ 2 円となっている。最も安いのは青梅

市（可燃ごみ 1 リットルあたり 1.5 円、不燃ごみ 1 リットル 1.2 円）であるが、多くの市町村は可燃・不燃ごみを区別しないで一律 2 円としている（市川市 HP ＜ https://www.city.ichikawa.lg.jp/common/000213035.pdf ＞ 2021 年 6 月 20 日閲覧）。

[23] 西東京（1995-2000 年）、日の出町（1992-94 年）、檜原村（1992-2000 年）の 1 人あたりごみ排出量のデータが欠如したため、回帰分析に使われているサンプルサイズは 822 となっている。

[24] 薮田・中村（2016）は多摩地域を含む市町村データによるごみ有料化効果に関する研究をサーベイしている。また、碓井（2003）、仙田（2005）を参照されたい。

[25] 焼却灰をもう一度燃やす溶融炉がある。一部のごみ焼却場には溶融炉が設置されているが、エネルギー（電力）を節約するために、溶融炉の稼働が停止する場合がある。

[26] ストーカ炉と流動床炉の技術的詳細については、たとえばタクマ環境技術研究会編（2017）を参照されたい。

[27] 『東京都区市町村清掃事業年報　令和元年度実績』、東京都環境局 HP ＜ https://www.kankyo.metro.tokyo.lg.jp/resource/general_waste/survey_results.files/030407nenpou.pdf ＞ 2021 年 5 月 1 日閲覧。

[28] 「東京都ごみ処理広域化計画」、東京都環境局 HP ＜ https://www.kankyo.metro.tokyo.lg.jp/resource/general_waste/survey_results.files/kouikika.pdf ＞ 2021 年 5 月 18 日閲覧。

[29] 第 1 ブロックは中央部 9 市（八王子市、立川市、昭島市、町田市、小平市、日野市、東大和市、武蔵村山市、多摩市）、第 2 ブロックは東部 13 市（武蔵野市、三鷹市、府中市、調布市、小金井市、東村山市、国分寺市、国立市、西東京市、狛江市、清瀬市、東久留米市、稲城市）、第 3 ブロックは西部 4 市 3 町 1 村（青梅市、福生市、羽村市、あきる野市、瑞穂町、日の出町、奥多摩町、檜原村）である。

[30] 「計画」は東京都区部や島嶼部に対しても対策を打ち出している。

[31] 各組合・各市の概略はそれぞれの HP による。

[32] 多摩ニュータウン環境組合については、本書の姉妹本である尾崎・李編（2021）『「21 世紀の多摩学」研究会記録』（東京経済大学地域連携センター）も参照されたい。

[33] 八王子市と町田市の多摩ニュータウン地域は、多摩ニュータウン環境組合による広域処理に参加しているが、両市の人口はすべて加えずに計算している。もし両ニュータウンの人口を加えると、参画率はより高くなると思われる。

[34] 童（2014）第 4 章はそれを NIMBY の事例としてその経緯を詳しく紹介している。

[35] 説明会質疑概要は日野市 HP ＜ https://www.city.hino.lg.jp/kurashi/gomi/kouiki/1002997.html ＞（2021 年 5 月 17 日閲覧）に掲載されている。

[36] 2013 年 1 月から 6 月までの「たより」はまだ読むことができる。日野市 HP ＜ https://www.city.hino.lg.jp/kurashi/gomi/kouiki/1002990.html ＞ 2021 年 5 月 12 日閲覧。

[37] 日野市 HP ＜ https://www.city.hino.lg.jp/kurashi/gomi/kouiki/1002988.html ＞ 2021 年 5 月 16 日閲覧。

[38] 浅川清流環境組合 HP ＜ https://cms.upcs.jp/asakawa/index.cfm/7,1164,c,html/1164/20170411-092534.pdf ＞ 2021 年 5 月 15 日閲覧。

[39] 日野市の北川原公園にごみ収集車専用道路を設置するための公金支出は違法であるとして、日野市の住民 84 人が同市大坪冬彦市長に賠償請求するよう訴訟を提起した。2020 年 11 月 12 日

に東京地方裁判所は、「設置は違法」とし、日野市長に対する 2.5 億円の賠償を命じた（「日野市長への 2.5 億円請求命令　ごみ搬入道路設置は違法―東京地裁」時事ニュース＜ https://www.jiji.com/jc/article?k=2020111200990&g=soc ＞、2021 年 6 月 30 日閲覧）。日野市は 11 月 26 日に控訴している。この訴訟は、浅川清流環境組合によるごみ広域処理は市民から完全な理解をまだ得ていないことを示唆している。

[40] 小金井市の二枚橋衛生組合の破綻はおそらく互いの信頼構築に失敗した結果であろう。

参考文献

・新井智一（2011）「東京都小金井市における新ごみ処理場建設場所をめぐる問題」『地学雑誌』第 120 号

・梶山正三監修（1995）『闘う市民のためのごみ問題紛争事典』リサイクル文化社

・環境省環境再生・資源循環局廃棄物適正処理推進課長（2020）「持続可能な適正処理の確保に向けたごみ処理の広域化およびごみ処理施設の集約化について（通知）」

・栗島英明（2014）「東京におけるごみ行政と今後の展望」『地学雑誌』第 123 巻第 4 号

・碓井健寛（2003）「有料化によるごみの発生抑止効果とリサイクル促進効果」『会計検査研究』第 27 号

・杉本裕明・服部美佐子（2010）『ゴミ分別の異常な世界：リサイクル社会の幻想』幻冬舎新書

・仙田徹志（2005）「一般廃棄物排出量に関するパネルデータ分析」寺田宏洲編『環境問題の理論と政策』晃洋書房

・田口正巳（2002）『現代ごみ紛争：実態と対処』新日本出版社

・田口正巳（2003）『「ごみ紛争」の展開と紛争の実態――実態調査と事例報告』本の泉社

・タクマ環境技術研究会編（2017）『基礎からわかるごみ燃焼技術』オーム社

・東京都（1999）「東京都ごみ処理施設広域化計画」東京都

・東京市町村自治調査会（2014）『多摩地域データブック』公益財団法人東京市町村自治調査会 HP ＜ https://www.tama-100.or.jp/contents_detail.php?co-cat&frmId=465&frmCd=2-6-1-0-0 ＞ 2021 年 5 月 18 日閲覧

・東京市町村自治調査会（各年版、1992-2020）『多摩地域ごみ実態調査』公益財団法人東京市町村自治調査会 HP ＜ https://www.tama-100.or.jp/category_list.php?frmCd=2-6-4-0-0 ＞ 2021 年 5 月 18 日閲覧

・東京たま広域資源循環組合（2020）『第 6 次廃棄物減容（量）化基本計画』東京たま広域資源循環組合 HP ＜ https://www.tama-junkankumiai.com/sites/default/files/2021-01/%E7%AC%AC6%E6%AC%A1%E5%BB%83%E6%A3%84%E7%89%A9%E6%B8%9B%E5%AE%B9%28%E9%87%8F%29%E5%8C%96%E5%9F%BA%E6%9C%AC%E8%A8%88%E7%94%BB.pdf ＞ 2021 年 6 月 25 日閲覧

・東京都清掃局総務部総務課編（2000）『東京都清掃事業百年史』東京都環境整備公社

・土屋雄一郎（2008）『環境紛争と合意の社会学：NIMBY（ニンビィ）が問いかけるもの』世界思想社

・童心舟（2014）『一般廃棄物処分場をめぐる NIMBY とその解決のあり方：繰り返された「東

京ごみ戦争」』東京経済大学 2014 年度修士論文
・宮入容子（1999）『ふゆいちごの森がみていた：日の出ゴミ最終処分場問題史』リサイクル文化社
・藪田雅弘・中村光毅（2016）「ごみ有料化とリバンドに関する実証分析：多摩市域を中心に」シンポジウム研究叢書編集委員会編『東京・多摩地域の総合的研究』中央大学出版会
・羅歓鎮（2019）「日本における一般ゴミ分別収集システムの導入過程：ゴミ分別収集を試みている中国の視点から」『東京経大学会誌経済学』301 号
・羅歓鎮（2020）「都市発展の持続可能性と一般ゴミの処理：東京都の事例」『東京経大学会誌経済学』305 号

多摩地域自治体の歳出にみる都市戦略

李 海訓

	武蔵野市	小金井市	小平市	東久留米市
議会費	479,941,000	379,850,000	470,306,000	330,698,000
総務費	8,934,146,000	3,834,899,000	8,810,082,000	3,826,680,000
民生費	30,848,937,000	21,267,979,000	34,840,666,000	22,980,229,000
児童福祉費	13,188,700,000	10,375,720,000	14,522,401,000	9,920,386,000
衛生費	7,502,745,000	4,526,425,000	5,582,552,000	3,265,355,000
清掃費	4,30...			
ごみ処理費	3,59...			
労働費				
農業費				
商工費				

	昭島市	立川市	日野市	町田市
清掃費	357,401,000	475,812,000	383,000,000	682,145,000
ごみ処理費	5,386,798,000	7,754,258,000	7,839,191,000	15,819,192,000
労働費	21,856,593,000	38,085,624,000	32,377,118,000	81,119,247,000
農業費		13,893,939,000	13,970,533,000	34,790,532,000
商工費		5,450,060,000	8,355,551,000	15,857,919,000
		3,778,875,000	5,572,522,000	11,140,926,000
		3,460,403,000	3,858,325,000	2,560,626,000
		121,017,000	61,307,000	39,130,000
		242,371,000	124,698,000	410,256,000
		426,139,000	636,145,000	1,675,580,000
				...6,499,000
				...40,080,000

	武蔵野市	小金井市	小平市	東久留米市
議会費	0.71	0.87	0.71	0.78
総務費	13.15	8.75	13.28	9.07
民生費	45.39	48.53	52.51	54.46
衛生費	11.04	10.33	8.41	7.74
労働費	0.07	0.03	0.09	0.03
農業費	0.12	0.09		
商工費	0.80	0.47		
土木費	10.25	13.80		
消防費	3.41	3.43		
教育費	12.38	8.07		

	昭島市	立川市	日野市	町田市	福生市	羽村市
	0.77	0.63	0.56	0.43	1.14	1.15
	11.55	10.27	11.39	9.90	8.57	10.64
	46.88	50.45	47.06	50.78	49.59	47.89
	8.37	7.22	12.14	9.93	9.21	9.13
	0.17	0.16	0.09	0.02	0.00	0.00
	0.10	0.32	0.18	0.26	0.22	0.14
	0.79	0.56	0.92	1.05	0.87	1.37
	5.27	6.39	9.13	10.96	8.01	10.48
	3.98	3.89	3.31	3.22	3.77	3.86
	17.40	15.09	10.81	8.91	15.28	11.30

はじめに

　筆者は、序章において、多摩地域が多くの人々によって「暮らしの舞台」として選ばれるためには、「地域内の労働市場の充実」や「良質な行政サービスの提供」が、何よりも重要であるとの認識を示し、さらに、これは自治体の努力により改善される可能性があるとの認識も示した。自治体の努力は、当然ながら自治体の歳入・歳出を離れては成立しない。本補章では、多摩地域の自治体の歳出データを示し、近年における多摩地域の自治体の「都市戦略」がどのようなものにみえるかについて考え、本書の「良質な行政サービスの提供」にかかわる議論を補足したい。

　多摩地域の財政支出と人口増減との関連性については、大勢待（2018）が多摩地域 26 市の 2007 年と 2017 年の 2 時点における人口増減と性質別歳出[1]との相互関連について検討し、年少人口の増減には扶助費の増減が影響しており、生産年齢人口の増減には扶助費と維持補修費の増減が影響していると指摘している。さらに、人口維持のためには、人件費や物件費、補助費などを圧縮し、子育て対策（扶助費）や公共施設の充実につながる歳出を増やすべきだと提案している（大勢待2018）。

　子育て対策（扶助費）や公共施設の充実は、本補章でいう「良質な行政サービスの提供」につながる議論でもある。ただし、本補章の場合は、「地域内の労働市場の充実」も多摩地域の人口維持のための手段として考えており、そのために目的別歳出を検討対象とする。すなわち、「地域内の労働市場の充実」と「良質な行政サービスの提供」との 2 つと関連する目的別歳出、とりわけ一般会計における「当初予算」の目的別内訳のデータを検討する。

　当初予算額は、年度途中で補正予算が組まれるため、決算における歳出予算現額や支出済額とは異なる。しかし、当初予算は、1 年間をかけて予算編成が行われるため、自治体の都市戦略を考える場合、当初予算が最も有効な指標だと判断される。

1.　各自治体の決算書における当初予算

　第7章で述べているように、多摩地域は西多摩エリア、南多摩エリア、北多摩エリアに分類されるが、北多摩エリアはさらに西部、南部、北部にわけられる。本節では、これら5つのエリアから、自治体HPに詳細な決算書を公開している自治体を2例ずつ選んで、2019年度の当初予算における目的別内訳を整理した。

　市町村の歳出の目的別内訳には、議会費、総務費、民生費、衛生費、労働費、農業費、商工費、土木費、消防費、教育費のほかにその他（災害復旧費、公債費、予備費や諸支出など）が含まれる。議会費と総務費は自治体機能を維持するための経費であり、民生費と労働費は住民の生活・福祉にかかわるものである。民生費には障害者、高齢者、児童の福祉費や生活保護費などが含まれ、労働費には失業対策費や金融対策・福祉対策・職業訓練などに必要な経費が含まれる。衛生費には保健衛生・精神衛生などに必要な公衆衛生費とごみ収集・処理に必要な清掃費が含まれ、農業費と商工費は産業の振興にかかわる経費である。教育費には、小・中学校などの学校教育以外に公民館費、図書館費といった社会教育にかかわる経費などが含まれる。土木費は、道路・河川・公園・住宅などの公共施設の新設・改良・維持にかかわる経費である（総務省 2021）。

　これらの目的別歳出を「地域内の労働市場の充実」関連と、「子育て住民を対象にした行政サービス」、「その他の行政サービス」との3つに分類して考えてみたい。このように分類するのは、高齢化が進む多摩地域において、生産年齢人口を確保するには、地域内の労働市場の充実と、大勢待（2018）がいうように、子育て支援に関する行政サービスのあり方が重要だと考えるからである。

　上記目的別歳出のうち、「地域内の労働市場の充実」にかかわるのは農業費と商工費であり、「子育て住民を対象にした行政サービス」は、民生費のなかの児童福祉費と教育費のなかの小学校や中学校、幼稚園に関連する学校教育費である。

　それぞれの自治体の予算規模に差異があるため（**表補-4** 参照）、**表補-1** には2019年度における多摩地域の10市、すなわち武蔵野市、小金井市、小平市、東久留米市、昭島市、立川市、日野市、町田市、福生市、羽村市の当初予算の目的別内訳を割合で示した。それぞれの自治体において限られた予算をどの分野によ

(単位：%)

表補-1 2019年度における当初予算の目的別内訳

	北多摩南部		北多摩北部		北多摩西部		南多摩		西多摩	
	武蔵野市	小金井市	小平市	東久留米市	昭島市	立川市	日野市	町田市	福生市	羽村市
議会費	0.71	0.87	0.71	0.78	0.77	0.63	0.56	0.43	1.14	1.15
総務費	13.15	8.75	13.28	9.07	11.55	10.27	11.39	9.90	8.57	10.64
民生費	45.39	48.53	52.51	54.46	46.88	50.45	47.06	50.78	49.59	47.89
衛生費	11.04	10.33	8.41	7.74	8.37	7.22	12.14	9.93	9.21	9.13
労働費	0.07	0.03	0.09	0.02	0.17	0.16	0.09	0.02	0.00	0.00
農業費	0.12	0.09	0.28	0.21	0.10	0.32	0.18	0.26	0.22	0.14
商工費	0.80	0.47	0.26	0.20	0.79	0.56	0.92	1.05	0.87	1.37
土木費	10.25	13.80	6.32	7.07	5.27	6.39	9.13	10.96	8.01	10.48
消防費	3.41	3.43	3.10	3.69	3.98	3.89	3.31	3.22	3.77	3.86
教育費	12.38	8.07	9.60	11.28	17.40	15.09	10.81	8.91	15.28	11.30
災害復旧費	0.00	0.00	0.00	0.00	0.00	0.00	0.00	0.00	0.00	0.00
公債費	2.46	5.44	5.28	5.41	4.57	4.95	4.23	4.49	3.05	3.93
諸支出費	0.08	0.05	0.01	0.00	0.00	0.00	0.12	0.00	0.04	0.00
予備費	0.15	0.14	0.15	0.07	0.15	0.05	0.04	0.06	0.25	0.12
合計	100	100	100	100	100	100	100	100	100	100
農業費＋商工費	0.92	0.55	0.54	0.41	0.89	0.89	1.11	1.31	1.09	1.51

注：アミ掛けは、上位3位を示している。

出所：表補－4 と同じ。

表補-2　2019年度における小・中学幼稚園関連と児童福祉費が当初予算に占める割合

(単位：%)

	武蔵野市	小金井市	小平市	東久留米市	昭島市	立川市	日野市	町田市	福生市	羽村市
児童福祉費が当初予算に占める割合	19.40	23.68	21.89	23.51	20.75	18.40	20.31	21.78	19.88	22.35
児童福祉費が民生費に占める割合	42.75	48.79	41.68	43.17	44.26	36.48	43.15	42.89	40.10	46.68
小・中学幼稚園関連経費が当初予算に占める割合	5.67	3.79	4.35	7.63	6.64	8.29	5.43	6.28	7.17	4.65
小・中学幼稚園関連経費が教育費に占める割合	45.76	46.92	45.32	67.68	38.14	54.90	50.20	70.46	46.92	41.16
①小・中学幼稚園関連と児童福祉費の合計が当初予算に占める割合	25.07	27.46	26.24	31.14	27.39	26.69	25.73	28.06	27.05	27.01
②0-14歳人口が全人口に占める割合	11.85	12.15	13.10	12.18	12.45	12.20	12.72	12.59	10.46	12.52
③=①÷②	2.12	2.26	2.00	2.56	2.20	2.19	2.02	2.23	2.59	2.16

出所：表補－4と同じ。

り多く分配しているのであろうか。

　すべての自治体において民生費の割合が最も高く、当初予算全体の45-54％を占める。半数以上の自治体（武蔵野市・小平市・東久留米市・昭島市・立川市・羽村市）において、民生費以外に総務費と教育費が上位3位以内である。この点、東京都の特別区部（以下、区部）と同様であり、区部合計の場合も市町村合計の場合も、歳出に占める上位3項目は、民生費・総務費・教育費である（第7章）。ただし、これと異なる自治体もあり、小金井市と町田市では上位3位以内に衛生費と土木費が入っており、日野市と福生市では衛生費が上位3位以内に入っている。小金井市・町田市にとっては、ほかの自治体にくらべ、土木費が都市戦略的に重要な位置にあるといえよう。また、小金井市・日野市・町田市・福生市にとっての衛生費の位置づけがその他の自治体にくらべて重要なようである。第8章で取り上げた、「ごみ非常事態宣言」を発している小金井市の場合はごみ処理費の負担が大きい（**表補-3**）。

　「地域内の労働市場の充実」と関連する農業費と商工費についてみると、その合計は各自治体の当初予算の1％前後であるが、南多摩・西多摩エリアは1％を超えており、北多摩の6自治体はすべて1％未満である。南多摩・西多摩エリアのほうが、産業の振興、とりわけ商工業に力を入れていると評価できる。また、北多摩北部以外の自治体は商工費の割合が農業費のそれより高いが、北多摩北部に位置する小平市・東久留米市においては、逆に農業費の割合が商工費のそれよりも高い。小平・東久留米両市の都市戦略においては、農業が商工業よりも重要であるということかもしれない。

　「子育て住民を対象にした行政サービス」に関する経費は、**表補-2**に整理した。児童福祉費が民生費のなかに占める割合をみると、最も高い小金井市（48.79％）と最も低い立川市（36.48％）の間には大きな格差が存在する。今後高齢化社会が進めば、すべての自治体において、民生費に占める児童福祉費の割合が低下する可能性がある。

　小・中学幼稚園関連経費が教育費全体に占める割合をみると、自治体ごとにばらつきはあるが、東久留米市や町田市の場合は7割程度を占める。社会教育より学校教育に重点をおいていると判断される。

　児童福祉費と小・中学幼稚園関連経費の合計が当初予算に占める割合は、東久

留米市が最も高く31％を超えているのに対し、武蔵野市と日野市は25％程度である。この場合、各自治体の全人口における年少人口の割合にも影響されると考えられるため、表中の③「小・中学幼稚園関連と児童福祉費の合計が当初予算に占める割合／0-14歳人口が全人口に占める割合」の数値を示した。この③によって、各自治体が0-14歳人口を対象にした予算配分の戦略を比較することができる。福生市と東久留米市が最も高く、この両市はその他の自治体にくらべ、「子育て住民を対象にした行政サービス」に力を入れていると判断される。

2. 議論

　第6章と第7章で指摘されているように、高齢化と人口減少が進む局面において、民生費の増加と市民税などの税収の減少が想定される。また、人口減少により地域のスーパーや飲食店といったサービス業も商売が成り立たなくなる。生活環境がますます不便になり、さらなる人口減少を招く。こうした局面においては、自治体の都市戦略が問われる。歳入の増加のための戦略、減らせる歳出を減らす戦略、特定の住民に対する行政サービスに力を入れる、などさまざまな方法が考えられる。「特定の住民に対する行政サービス」とは、目的別歳出をみた場合、児童福祉費や小・中学幼稚園関連経費などの「子育て住民を対象にした行政サービス」のような行政サービスを指し、ごみ処理費や図書館費、公共施設の新設・改良・維持にかかわる経費などは全住民を対象にした行政サービスである。

　第8章の関連で、**表補 -3**には、各自治体の当初予算と衛生費に占めるごみ処理費の割合を示した。自治体ごとの格差は大きく、1人あたりごみ処理費用の最も多い武蔵野市・小金井市（2万4000円以上）は、町田市（5973円）の4倍の予算をかけていることがわかる。また、小金井市と立川市においては、ごみ処理費が衛生費のなかで占める割合がとくに高く、6割以上を占めている。ごみ処理費が節約できれば、その予算をほかの行政サービスに回すことも可能である。限られた予算をどのように効率よく配分するか。その1つの課題が、第8章で指摘しているように、ごみ処理の広域化を進め、自治体の財政負担を減らすことである。

　多摩地域の位置づけを振り返ってみると、ベッドタウンとしての位置づけが強

（単位：%、円）

	武蔵野市	小金井市	小平市	東久留米市	昭島市	立川市	日野市	町田市	福生市	羽村市
ごみ処理費が当初予算に占める割合	5.28	6.78	4.02	2.45	4.44	4.58	5.61	1.60	1.88	4.51
ごみ処理費が衛生費に占める割合	47.85	65.60	47.72	31.64	53.03	63.49	46.18	16.15	20.37	49.38
1 人あたりごみ処理費用	24,524	24,452	13,761	8,838	18,282	18,825	20,812	5,973	8,084	18,069

注：1 人あたりごみ処理費用＝各市の 2019 年度ごみ処理費／2019 年 1 月 1 日時点における各市の人口
出所：表補 − 4 と同じ。

く、マイホーム族が増える地域だった。比較的に富裕なマイホーム族住民が増えるような時代においては、ある意味、市民税や固定資産税が自動的に増加していく仕組みだった。そのため、自治体の姿勢も、区部で働き多摩地域で納税する住民を優先してきたという議論もある[2]。ベッドタウンであれば、産業振興政策などは必要ない。これまで市町村の中心業務は福祉サービスの提供と理解されてきた（曽我 2019）。しかし、高齢化や人口減少が進むようになると税収が自動的に増加する仕組みはなくなる。自治体にとっては住民を獲得するためのなんらかの工夫が必要である。

　2000 年代に入り日本の人口が減少傾向に転じて以降、東京近郊においても「住民に選ばれる自治体」になるためのシティセールスが始まり（牧瀬ほか 2010）、多摩地域においても選ばれるためのシティセールス競争が始まったと考えてよい。たとえば、前述の福生市は、「子育てするなら　ふっさ」を合言葉にして、子育て支援に力を入れており、実態として 2016 年度から 2021 年度まで連続 6 年待機児童ゼロを実現している[3]。これは働く人口・納税人口を増やす意味においても、1 つの都市戦略として理解される。

　「地域内の労働市場の充実」のための行政サービス（産業振興戦略）はどうなのか。現状において商工費が少ないことは指摘しなければならない。当初予算の1％以上を占める自治体は町田市と羽村市のみで、小平市や東久留米市の場合は、

農業費よりも商工費の割合が低い。第3章で指摘しているように多摩地域にはハイテクの中小企業が多数立地しており、時代的にはスタートアップを含め、新しい商工業の創業も多くみられる、さまざまな可能性のある時代である。「地域内の労働市場」が充実すれば、住民や働く人口が必ず増えるとはいいきれないが、住民や働く人口が増加する可能性は高まる。「地域内の労働市場の充実」のための行政サービスも都市戦略になりうるのではないか。ただし、第4章で指摘されているように補助金は必ずしも効果が出るように利用されるわけではない。各自治体における地域内労働市場を考えた場合、どのような「目指す都市像のための都市戦略」が重要なのか、詳細な検討が必要である。

表補 -4　2019 年度における当初予算の目的別内訳および 2019 年 1 月 1 日時点における各自治体の人口

（単位：円、人）

	北多摩南部		北多摩北部	
	武蔵野市	小金井市	小平市	東久留米市
議会費	479,941,000	379,850,000	470,306,000	330,698,000
総務費	8,934,146,000	3,834,899,000	8,810,082,000	3,826,680,000
民生費	30,848,937,000	21,267,979,000	34,840,666,000	22,980,229,000
児童福祉費	13,188,700,000	10,375,720,000	14,522,401,000	9,920,386,000
衛生費	7,502,745,000	4,526,425,000	5,582,552,000	3,265,355,000
清掃費	4,308,884,000	3,461,716,000	3,510,140,000	1,956,097,000
ごみ処理費	3,590,251,000	2,969,541,000	2,664,159,000	1,033,130,000
労働費	47,179,000	15,190,000	56,963,000	10,154,000
農業費	80,316,000	37,672,000	187,239,000	88,686,000
商工費	542,209,000	205,067,000	173,363,000	83,168,000
土木費	6,967,556,000	6,047,464,000	4,194,816,000	2,985,242,000
消防費	2,318,269,000	1,502,614,000	2,055,536,000	1,556,475,000
教育費	8,415,324,000	3,538,440,000	6,366,703,000	4,760,097,000
小中学幼稚園関連	3,851,143,000	1,660,142,000	2,885,358,000	3,221,421,000
災害復旧費				
公債費	1,673,515,000	2,383,292,000	3,502,093,000	2,283,216,000
諸支出費	55,863,000	23,385,000	5,681,000	
予備費	100,000,000	62,723,000	100,000,000	30,000,000
合計	67,966,000,000	43,825,000,000	66,346,000,000	42,200,000,000
小・中学幼稚園関連と児童福祉の合計	17,039,843,000	12,035,862,000	17,407,759,000	13,141,807,000
人口 1 人あたり当初予算	464,252	360,869	342,703	361,005

2019 年 1 月 1 日における年齢・人口　　（単位：人、%）				
	武蔵野市	小金井市	小平市	東久留米市
0-14 歳	17,345	14,754	25,361	14,234
15-64 歳	96,655	81,027	123,751	69,782
65 歳以上	32,399	25,662	44,484	32,880
人口合計	146,399	121,443	193,596	116,896

割合				
0-14 歳	11.85	12.15	13.10	12.18
15-64 歳	66.02	66.72	63.92	59.70
65 歳以上	22.13	21.13	22.98	28.13

出所：「住民基本台帳による東京都の世帯と人口（時系列データ　第 9 表）」（東京都総務局統計部 HP）および、各自治体の決算書により筆者作成。
武蔵野市 HP：http://www.city.musashino.lg.jp/_res/projects/default_project/_page_/001/029/984/saishu tsu1R1.pdf（2021 年 6 月 18 日閲覧）
小金井市 HP：https://www.city.koganei.lg.jp/smph/shisei/zaiseiyosan/keltsan202009/kessansho/R01 Kessansyo.html（2021 年 6 月 18 日閲覧）
小平市 HP：https://www.city.kodaira.tokyo.jp/kurashi/files/88506/088506/att_0000005.pdf（2021 年 6 月 18 日閲覧）
東久留米市 HP：https://www.city.higashikurume.lg.jp/_res/projects/default_project/_page_/001/015/840/001-3.pdf（2021 年 6 月 18 日閲覧）

北多摩西部		南多摩		西多摩	
昭島市	立川市	日野市	町田市	福生市	羽村市
357,401,000	475,812,000	383,000,000	682,145,000	285,268,000	257,115,000
5,386,798,000	7,754,258,000	7,839,191,000	15,819,192,000	2,150,052,000	2,371,858,000
21,856,593,000	38,085,624,000	32,377,118,000	81,119,247,000	12,437,285,000	10,676,054,000
9,674,135,000	13,893,939,000	13,970,533,000	34,790,532,000	4,987,147,000	4,983,635,000
3,903,056,000	5,450,060,000	8,355,551,000	15,857,919,000	2,311,063,000	2,034,842,000
2,579,441,000	3,778,875,000	5,572,522,000	11,140,926,000	1,235,398,000	1,092,128,000
2,069,835,000	3,460,403,000	3,858,325,000	2,560,626,000		1,004,745,000
78,709,000	121,017,000	61,307,000	39,130,000		41,000
45,145,000	242,371,000	124,698,000	410,256,000	55,413,000	30,365,000
368,092,000	426,139,000	636,145,000	1,675,580,000	218,932,000	306,535,000
2,457,114,000	4,827,271,000	6,284,331,000	17,506,499,000	2,007,947,000	2,335,515,000
1,854,543,000	2,937,256,000	2,276,511,000	5,140,080,000	946,013,000	860,109,000
8,111,965,000	11,394,678,000	7,438,963,000	14,241,834,000	930,005,000	2,519,468,000
3,093,507,000	6,255,587,000	3,734,649,000	10,034,281,000	1,797,479,000	1,037,025,000
1,000			6,000		1,000
2,132,583,000	3,738,514,000	2,910,210,000	7,168,720,000	764,486,000	875,696,000
		82,975,000		9,088,000	
70,000,000	40,000,000	30,000,000	100,000,000	63,177,000	26,209,000
46,622,000,000	75,493,000,000	68,800,000,000	159,760,608,000	25,080,000,000	22,293,808,000
12,767,642,000	20,149,526,000	17,705,182,000	44,824,813,000	6,784,626,000	6,020,660,000
411,801	410,685	371,104	372,677	430,610	400,917

昭島市	立川市	日野市	町田市	福生市	羽村市
14,093	22,425	23,585	53,989	6,092	6,960
69,827	116,817	116,013	260,406	37,213	34,381
29,295	44,580	45,795	114,289	14,938	14,266
113,215	183,822	185,393	428,684	58,243	55,607
12.45	12.20	12.72	12.59	10.46	12.52
61.68	63.55	62.58	60.75	63.89	61.83
25.88	24.25	24.70	26.66	25.65	25.66

昭島市 HP：https://www.city.akishima.lg.jp/s102/020/20201216161703.html（2021 年 6 月 18 日閲覧）
立川市 HP：https://www.city.tachikawa.lg.jp/zaisei/shise/yosan/kessansho/documents/h31kessannsyo.pdf（2021 年 6 月 18 日閲覧）
日野市 HP：https://www.city.hino.lg.jp/shisei/gyozaisei/yosan/kessan/1015424.html（2021 年 6 月 18 日閲覧）
町田市 HP：https://www.city.machida.tokyo.jp/shisei/gyouzaisei/cost/kesan/kessansho.files/2019_kessansho.pdf（2019 年 6 月 18 日閲覧）
福生市 HP：https://www.city.fussa.tokyo.jp/_res/projects/default_project/_page_/001/011/009/r1kessan.pdf（2021 年 6 月 18 日閲覧）
羽村市 HP：https://www.city.hamura.tokyo.jp/cmsfiles/contents/0000001/1321/R1-ippannkessannsho.pdf（2021 年 6 月 18 日閲覧）

注

[1] ここでいう性質別歳出には、人件費、物件費、維持補修費、扶助費、補助費等、普通建設事業費、災害復旧事業費、公債費、積立金、投資及び出資・貸付金、繰出金などが含まれる。このうち、扶助費は、生活困窮者・児童・障害者などの援助のための経費であり、維持補修費は、公共施設などの自治体が管理する施設維持に必要な経費である。また、人件費は、職員給・退職金・議員報酬などであり、物件費は、賃金・旅費・備品購入費・委託料などの経費である（総務省 2021）。補助費等とは、「他の地方公共団体（道，市町村，一部事務組合など）や民間に対して，行政上の目的により交付される経費。主なものとして，報償費（講師謝金など），役務費（保険料），負担金・補助金および交付金（一般的な補助金）などが該当」（大勢待 2018：777）する。

[2] 本書の姉妹本である尾崎・李編（2021）『「21 世紀の多摩学」研究会記録』（東京経済大学地域連携センター）の「多摩地域の工業」を参照されたい。

[3] 福生市 HP ＜ https://www.city.fussa.tokyo.jp/life/child/rearing/1010499.html ＞ 2021 年 6 月 19 日閲覧。

参考文献

・大勢待利明（2018）「西多摩地域の経済分析：多摩 26 市の人口増減と財政支出の関係性に着目して」『中央大学経済研究所年報』第 50 号
・曽我謙悟（2019）『日本の地方政府』中央公論新社
・総務省（2021）『地方財政白書』（令和 3 年度版）総務省 HP ＜ https://www.soumu.go.jp/main_content/000738835.pdf ＞ 2021 年 6 月 18 日閲覧
・牧瀬稔・戸田市政策研究所編著（2010）『選ばれる自治体の条件』東京法令出版

「21世紀の多摩学」に向けて

尾崎 寛直

はじめに

　本書のモチーフである前著『多摩学のすすめⅠ』（けやき出版、1991 年刊）の
もとになった東京経済大学の研究者らによる共同研究の最初の成果が、1990 年度
の東京経済大学公開講座「多摩学」において報告された（序章参照）。そこから
数えてはや 30 年が経過した。

　この期間にわれわれが目のあたりにしたのは、「バブル崩壊」（それにともなう
「失われた 20 年」）、奔流のようなグローバル化[1]、そして全国民規模でのインター
ネット通信網や携帯電話網の整備による情報通信技術・産業の飛躍的発展（IT
革命）など、社会の構造転換をもたらすような巨大な変化の連続だった。これら
の変動は、多摩地域にどのような影響を及ぼしたのだろう。

　また、前著の母体となった研究会（東京経済大学多摩学研究会）を主導した故・
柴田徳衛は、『多摩学のすすめⅡ』（東京経済大学多摩学研究会編 1993）終章にて、
「多摩学」の目指すべき方向性として「これまでは毎年大量に流入するヨソ者を
受け入れるための物的施設（ハコモノ）づくりに追われてきたが、これからは心
のよりどころとなる福祉や文化・芸術の充実した「自分たちの町づくり」をいよ
いよ始めなくてはならない。」（東京経済大学多摩学研究会編 1993：253-254）と
述べた。そのための「地域づくり」「真の「多摩づくり」をめざす」ことが必要
だと柴田の述べた課題は、今日どのように果たされただろうか。

　本書はまさに、この 1990 年代初頭から 2020 年代初頭までの激動期の渦中にあ
る多摩地域の動きを断面として切開し、地域としての特性をあきらかにするとと
もに、『多摩学のすすめ』の頃とはさらに異なる時代状況下における多摩地域の
可能性を探ろうとした試みである。

　1990 年当時、バブル景気の最高潮のなかで、東京都心および特別区部の激しい
地価高騰にともなってマイホームを求める人の流れはまだ多摩地域をはじめとし
た郊外に向かっており、多摩地域の人口は増え続け、2000 年には特別区部の
50％に迫る比率に至ってピークを迎えた（第 1 章参照）。しかしながら、1990 年
代後半以降の特別区部の再開発による「都心回帰」が起こるなかで、人口移動の
動きに逆転現象が生じたことは本書で述べてきたとおりである。高度経済成長期

以降、一貫して「上げ潮」だった多摩地域の拡大と成長についにブレーキが掛かり、漸進的ではあるが「引き潮」のモードに入ったわけである。これからの時代は、従来の「開拓される多摩地域」とは逆の現象が次々起こってくる、別の意味での「歴史的な変動期」にある（序章参照）。

　このような意味において、1990年代以降の多摩地域を、この時点でふり返ることは時宜を得ている。また、1990年前後に初めて本格的に「多摩」という地域を切開し、分析した前著の頃にくらべて、今はより俯瞰的な分析ができる段階にあるともいえる。とはいえ、前著の3巻本の膨大な章立てで展開された論点のすべてについて、30年後の今日の観点から検証することが必要だとは必ずしもいえないし、また筆者らの能力を超えることでもある。そこで、とりわけこの間に人口や経済社会構造の変化の影響を大きく受けた分野、またこの間に進行した行政改革や地方分権の流れで大きく変革が生じた分野、前著の3巻本で展開できていなかった分野、に焦点を合わせて章立てを行うこととした。それが本書の目次の構成に反映されている。

多摩の位置づけの変化

　さて、前著から30年後の今日、多摩地域の各自治体ももはや一括りでいえないほど多種多様な特徴を有している。1999年以来、行財政基盤の強化を目指して、国主導で全国的な市町村の合併推進運動（「平成の大合併」[2]）が進められ、地方自治体の数は3232（1999年）から1718（2014年）に減少した。東京都内では、多摩地域の田無市と保谷市が2001年に合併し、西東京市が誕生している。これによって多摩地域は、現在の26市3町1村の体制になっている。

　いまだ「多摩格差」の言葉自体は存在するものの、安定成長期（1970-1995年）に「建造環境への投資」（第1章）が多摩地域にも重点的に行われた結果、東京都特別区部（以下、都区部）とくらべてインフラ整備（義務教育施設や公共上下水道、道路など）の面で充足度に大きな差はなくなっている（第7章）。ただ、道路整備に関しては依然として多摩地域の都市計画道路の整備が都区部とくらべて若干遅れている側面はあり（東京都・特別区・26市2町「東京における都市計画道路の在り方に関する基本方針」2019年11月）、慢性的な渋滞の発生箇所も少

なからず存在することは事実である。鉄道・バス・タクシーを含めた地域公共交通のネットワークでいえば、都区部のほうに分があることは明らかだろう（そのぶん都区部では交通利用における鉄道分担率がきわめて高く、自動車分担率が低い）。

そうはいうものの、多摩地域に居住する住民の満足度は決して低くない。多摩地域の複数自治体で行われた住民意識調査においては、「住み続けたい」、「できれば住み続けたい」と答えている住民が全体の8割を超えており、20代30代に限っても6割がそのように答えていることが示されている（序章）。「自然が多い」「自然災害の不安が少ない」といった理由がプラスの評価につながっているようである。東京都市長会による「多摩地域居住者の意識調査」（20-69歳までの男女6000人対象）でも、「住んでいるまちに愛着がある」「ずっとこのまちに住み続けたいと思う」という回答が上位を占めている（第4章）。さらに、多摩地域に居住する人のうち、自身の働く職場が多摩地域にある人の割合は男女とも50％を超えているように（序章、第2章）、多くの工場などの多摩地域への移転（第1章、第3章）も手伝って、すでに多摩地域内部に巨大な労働市場とその環境が構築されていることがわかる。

これらを考えあわせると、都心部の企業へ供給される労働力を支えるベッドタウンとして多摩地域が開発されていた時代とは異なる様相もみえてくる。急激な開発が始まってから半世紀を経て、いわば多摩地域は「暮らしの場」、「働く場」として積極的に選ばれる地域になっているのである。

人口減少の衰退局面における多摩

しかしながら、本書で述べてきたように、将来の展望は甘くはない。2000年代になってすでに人口衰退局面に入り、「東京一極集中」にも陰りがみえている。その場合、真っ先に衰退の憂き目に遭うのは郊外の地域だろう。それを煽るような「都心回帰」の動きは、半世紀掛けて投資されてきた多摩地域の資本価値、「建造環境」の価値を棄損する危険すらある（第1章）。これからの局面では、「成熟した郊外都市」として、多摩地域のもつ魅力や長所を保持しながらいかに地域経済を持続可能なものにしていくかが問われることになろう。

　とりわけ社会構造の変化で大きいのは、人口減と高齢化である。2015-2020年の国勢調査の間に八王子市と府中市の人口を合わせた数よりも多い約87万人の人口が減少し（総務省「令和2年国勢調査人口速報集計」2021年6月）、今後も人口減の加速が予測されるなかで、いつまでも地方から首都圏への（若者の）人口流出が続くはずもない。むしろ危惧すべき事態は、これまで全国から若年層を吸収し、人口が肥大化してきた東京が一気に高齢化の波にさらされることである。かつては「若い」まちだった多摩地域だが、高齢化は都区部以上のスピードで進行する（第7章）。

　ただ、規模と実数から考えると、957万人（2020年1月1日時点の住民基本台帳による）の人口を抱え込んだ都区部の高齢化のほうが問題であり、それにともなう高齢者ケアは人材不足、施設不足の面ですでにきわめて深刻な状況にある（第7章）。まして「団塊の世代」が後期高齢者（75歳以上）に到達する2025年頃には、その深刻度は対応の限界を超えるレベルになる区が出てくる可能性もある。その点でいえば、多摩地域の各自治体は、深刻さはあれどまだ全国レベル並みで一定の落ち着きがあり、超高齢社会のなかでの「住みやすさ」という観点では都区部にまさる介護サービスを提供できる余地があるともいえる。

　1990年代以降、さまざまな分野で地方分権改革が具体的に検討・実行され（2000年、地方分権一括法施行）、国と地方の役割分担の明確化、「機関委任事務」制度の廃止、国の関与のルール化が図られ、各自治体がそれぞれ前面に立って住民の「住みやすさ」にかかわる社会サービス提供体制の運営主体となる側面が強まっている。各自治体は「自治体間競争」――乱暴にいうならば「自治体間の人口の奪い合い」――の荒波に揉まれ、福祉関係予算などの「民生費」が年々膨張するなかで、それでも住民に対する社会サービスの向上に傾倒せざるを得ないジレンマに立たされている。人口減少の衰退局面では、その「競争」にさらに圧力が掛かることはいうまでもない。ますます都市戦略として、自治体の歳出・歳入のあり方は課題になるのである（補章参照）。

　もちろんその「競争」にさらされるのは自治体行政ばかりではない。たとえば、かつての爆発的な都市化にともなう人口集積に依拠して住民の「ワンストップショッピング」を引き受けてきた商店街などの商業施設も、人口減と高齢化、そして巨大資本の台頭による規制緩和によって舞台を追われかねない危機に瀕して

いる（第4章）。大型商業施設と地元資本の商店街が一体となって街の魅力を向上させた他地域に地元の顧客を吸引される、などのような生き残りをかけた「競争」の渦中にある。

このような状況下で、いかにして多摩地域は「成熟した郊外都市」として持続できるのだろうか。

21 世紀の多摩を考える

かつて多摩の都市開発の象徴たる多摩ニュータウンを「実験都市」と評する新聞連載があった[3]。あえてこの言葉を使わせてもらうと、筆者は「都心回帰」でふたたび人口集積を図ろうという都区部、なかんずく都心部へのかつてない一極集中こそが巨大な「実験都市」であり、人口の一極集中がもたらすさまざまな社会的な歪みやアンバランスにどのように対処していけるのか、注意深くみつめている。

そのことを考えるならば、多摩地域は同じ轍を踏むべきではない。渦中の「自治体間競争」から今すぐドロップアウトすべきなどとはいえないが、「競争」の核となる「住みやすさ」の軸をずらしていく戦略を重視すべきではないか。すでに「住んでいるまちに愛着がある」と述べる過半数の住民たちの声に耳を傾け、自然や緑との調和、安全な住環境などの価値を再評価することも重要であろう。

とくに今般のコロナウイルス災禍では、人口密集社会の脆弱性が露わになった。極度に人口を集めた大都市では、むしろ人々の孤立が進行している。ビジネスの世界でもテレワークが進展し、都心部のオフィスに通うことが仕事とは限らない、むしろ地方分散型の仕事のあり方すら現実味を帯びてきた今日である。通勤時間節約（「通勤地獄」回避）のために都心部の居住を選択してきた人々も、仕事以外の生活時間は自然と触れ合い、より静穏な環境でリフレッシュしながら、より安全・安心して過ごすことができる郊外居住の選択をしやすくなるのではないだろうか。

東京都総務局が『多摩の振興プラン』（2017 年）に基づいて発信している「多摩の魅力発信プロジェクト　たま発！」でも次のように述べる[4]。

「東京という地でありながら、豊かな自然と都市の利便性がバランスよく融合

する多摩地域の魅力を発信しています。…（中略）…多摩の「多」は、多様性の「多」と言えるほど、緑豊かな環境や観光、グルメ、産業、伝統、歴史、文化、商業施設…多摩地域の魅力は多彩かつ多岐にわたります。」

　同プロジェクトでは、「在住者インタビュー」や「30たまじまん大作戦」など、地方の自治体が大都市からの「田園回帰」を目指す若者などへ移住を推奨している呼びかけに似た取り組みがみられる。筆者の感覚ではまだ同プロジェクトの発信が多くの東京都民に届いているようには感じないが、これを東京都庁だけの取り組みに終わらせず、多摩地域の自治体が率先して名乗りを上げて参画していく姿勢も重要ではないかと思われる。

　ハワードの提唱したイギリス田園都市論（ハワード2016）でいう職住近接の「田園都市」と直接重ねることはできないが、多摩地域には都心部への鉄道アクセス（最短15分－1時間程度）も整備されていながら、農村部の田園風景も一部に残し、都市農業もまだまだ盛んな環境がある（第5章）。そして実際に半数の人は、その多摩地域で就労もしながら職住近接に近い生活を送っている。つまりその地域のコミュニティのなかで働き、日常世界を地域の人々と共有しながら生活できているのであり、ある意味で「田園都市」の理想に近い側面もある。もちろん多摩地域も都心に近いところから農村部まで幅があるので一概にはいえないが、都区部ではなかなか得がたい付加価値として考えるべきであろう。

　近い将来、東京にも否応なく人口減の波が押し寄せる。そのとき多摩地域がとるべき戦略は、ハコモノ開発や目先のサービス競争のような都心部の模倣にすぎない評価軸ではなく、自然と共生し災害にも強い、安心して生活できる真の「住みやすさ」を軸とした都市文化の発信であるべきではないだろうか。多摩の独自性こそ、むしろ再評価されるべき価値だと思われる。

付記

　今回、本書の姉妹本として、尾崎寛直・李海訓編『「21世紀の多摩学」研究会記録』（東京経済大学地域連携センター）（非売品）も併せて発行する予定である。これは本書執筆に至る前段の研究会活動の記録であり、本書執筆陣以外にも「環境」「商業」「工業」「農業」「交通」「住宅開発」などの分野の多彩な話者（地場

の研究者や地域史研究家、現場で実践に携わる方々などを含む）による貴重な講演録となっている。併せてご一読いただけるならば幸いである。

　最後に、上記研究会の開催および本書発行には、すべて筆者の所属する東京経済大学（1900 年開学）の創立 120 周年記念事業の助成をいただいている。120 周年記念事業実施にかかわって、大学関係者には多大なご支援をいただいた。あらためてここに記して感謝を申し上げたい。

　また、30 年前の本学多摩学研究会が著した『多摩学のすすめ』に続き、今回も発行はけやき出版に大変お世話になった。編集者らにはご苦労をお掛けしたと思うが、おかげで一般読者に向けた書籍の形で最新の成果を世に問うことができた。ご尽力に感謝申し上げる次第である。

注

[1] 序章で述べているように、2000 年からの 20 年間だけでも、多摩地域に居住する外国人人口は約 4 万 7000 人から約 9 万 1000 人へと、2 倍近く増えており、多摩地域の人口総数の約 2％に達している。出身国も従来から多い中国、韓国・朝鮮だけでなく、フィリピンやベトナムなどのアジア各国、さらにはペルーなど南米諸国にまで広がっており、多言語・多文化を意識した取り組みが重要になっている。

[2] いわゆる「平成の大合併」と呼ばれた期間は 1999（平成 11）年から 2010（平成 22）年までの 11 年間である。2010 年 3 月末時点では、自治体の数は 1727 まで減少している。なお、1990 年以降の多摩地域の自治体の変化としては、「平成の大合併」以前にも、西多摩郡羽村町が「羽村市」に（1991 年 11 月）、秋川市と西多摩郡五日市町が合併して「あきる野市」に（1995 年 9 月）、それぞれ移行している。

[3] 「多摩ニュータウン 10 年　実験都市」『朝日新聞』1980 年 1 月 1 日付より同年 2 月 9 日付までの連載（全 21 回）。

[4] 東京都総務局ホームページ< https://tama120.metro.tokyo.lg.jp/information/ > 2021 年 6 月 30 日閲覧。

参考文献

・ハワード , E（2016）『（新訳）明日の田園都市』（山形浩生訳）鹿島出版会
・東京経済大学多摩学研究会編（1993）『多摩学のすすめⅡ』けやき出版

著者紹介一覧

◎編者（「21世紀の多摩学」研究会運営委員）

尾崎　寛直（おざき　ひろなお）東京経済大学経済学部教授。2004年、東京大学大学院総合文化研究科国際社会科学専攻博士課程単位取得退学。東京経済大学経済学部講師、准教授を経て、2020年より現職。東京経済大学地域連携センター運営委員長。主な業績に、『放射能汚染はなぜくりかえされるのか』（共著、ミネルヴァ書房、2018年）、『岐路に立つ震災復興——地域の再生か消滅か』（共編著、東京大学出版会、2016年）など。　　　＝第7章、終章担当

李　海訓（り　かいくん）東京経済大学経済学部准教授。2015年、東京大学大学院経済学研究科博士課程修了。博士（経済学）。日本学術振興会特別研究員（DC1）、首都大学東京（現東京都立大学）助教などを経て、2020年より現職。主要な業績に、『中国東北における稲作農業の展開過程』（御茶の水書房、2015年）、「スマート農業の歴史的・技術論的位置づけ—日本と中国を事例に—」（『東京経大学会誌（経済学）』305号、2020年）など。

＝序章、第5章、補章担当

◎執筆者

新井田　智幸（にいだ　ともゆき）東京経済大学経済学部専任講師。2014年、東京大学大学院経済学研究科経済理論専攻博士課程単位取得退学。博士（経済学）（東京大学）。岐阜大学地域科学部助教を経て、2017年より現職。主な業績に、「ハーヴェイの資本主義論にみる資本主義の持続可能性と限界－『資本主義の終焉』を中心に－」『唯物論』（2020年）、『（新版）図説経済の論点』（共著、旬報社、2019年）、ハーヴェイ『資本主義の終焉』（共訳、作品社、2017年）など。　　　＝第1章担当

安田　宏樹（やすだ　ひろき）東京経済大学経済学部准教授。2010年、慶應義塾大学大学院経済学研究科博士課程修了。博士（経済学）。慶應義塾大学経済学部助教、九州産業大学経済学部講師、東京経済大学経済学部専任講師を経て、2017年より現職。主な業績に、「置き換え効果の企業パネルデータ分析」（共著、『日本労働研究雑誌』、2019年）、『職業の経済学』（共著、中央経済社、2017年）など。　　　＝第2章担当

山本　聡（やまもと　さとし）東洋大学経営学部教授。2012年、一橋大学大学院経済学研究科博士後期課程単位取得退学。博士（経済学）（一橋大学）。東京経済大学経営学部講師、准教授を経て、2019年より現職。東洋大学大学院経営学研究科ビジネス会計ファイナンス専攻長、産官学連携推進センター副センター長。主な業績に、「中小ファミリービジネスにおける境界連結者の役割とスピンオフ企業の創出」『中小企業学会論集』（共著、同友館、2020年）、『ファミリーアントレプレナーシップ』（共著、中央経済社、2020年）など。　　　＝第3章担当

著者紹介一覧

鈴木　恒雄（すずき　のぶお）東京経済大学経済学部特命講師。1990 年、法政大学経済学部卒業。証券会社や損保会社での勤務経験を経て、2004 年に経営コンサルタント会社を開業。2009 年、中小企業診断士資格を取得し、（株）タスクフォースの代表取締役に就任。商店街を地域コミュニティの核とした街づくりのコーディネートを各地で手掛ける。主な業績に、『TOKYO・キラリと光る商店街～専門家が診るまちづくり成功のポイント～』（共著、同友館、2013 年）。

＝第 4 章担当

長島　剛（ながしま つよし）多摩大学経営情報学部教授。1995 年、法政大学大学院社会科学研究科経済学専攻修士課程修了。多摩中央信用金庫（現多摩信用金庫）入庫。2011 年価値創造事業部部長、2017 年地域連携支援部長、2018 年融資部部長。企業、自治体、大学、ＮＰＯ等のプラットフォームやネットワークづくりに多数関わる。公益社団法人日本フィランソロピー協会理事。多摩 CB ネットワーク世話人。2019 年 4 月より現職。多摩大学産官学民連携委員会委員長。主な業績に、「地域金融機関との連携をどう進めるか」『月刊ガバナンス』（ぎょうせい、2020 年）など。

＝第 6 章担当

羅　歓鎮（ら　かんちん）東京経済大学経済学部教授。1998 年、一橋大学大学院経済学研究科博士後期課程単位取得退学。博士（経済学）（中国人民大学）。中国人民大学専任講師、日本大学国際関係学部専任講師、東京経済大学経済学部准教授を経て、2010 年より現職。中国経済経営学会理事、華東理工大学高等研究院研究員。主な業績に、『中国の教育と経済発展』（共著、東洋経済新報社、2008 年）、『毛沢東時代の経済』（分担執筆、名古屋大学出版会、2021 年）など。

＝第 8 章担当

東京経済大学創立 120 周年記念事業

新・多摩学のすすめ 〈郊外〉の再興

2021 年 10 月 23 日 初版発行

編 者 尾崎寛直・李海訓

発行者 小﨑奈央子
発行所 株式会社けやき出版
〒 190-0023 東京都立川市柴崎町 3-9-6 高野ビル 1 F
TEL 042-525-9909 ／ FAX 042-524-7736
https://keyaki-s.co.jp
装 丁 白木春菜
編 集 平田美保
印 刷 株式会社立川紙業